FRIEDRICH DÜRRENMATT

KOMÖDIEN III

IM VERLAG DER ARCHE ZÜRICH

Printed in Switzerland
Einband: J. Stemmle & Co., Zürich

FRIEDRICH DÜRRENMATT

KOMÖDIEN III

Dürrenmatt

INHALT

DER METEOR

EINE KOMÖDIE IN ZWEI AKTEN

PERSONEN

Wolfgang Schwitter	*Nobelpreisträger*
Olga	*seine Frau*
Jochen	*sein Sohn*
Carl Koppe	*sein Verleger*
Friedrich Georgen	*Starkritiker*
Hugo Nyffenschwander	*Kunstmaler*
Auguste	*dessen Frau*
Emanuel Lutz	*Pfarrer*
Der große Muheim	*Unternehmer*
Professor Schlatter	*Chirurg*
Frau Nomsen	*Geschäftsfrau*
Glauser	*Hauswart*
Major Friedli	*von der Heilsarmee*
Schafroth	*Polizeiinspektor*

Kritiker, Verleger, Polizisten, Heilsarmisten

FÜR
LEONARD STECKEL

ERSTER AKT

MÖBLIERTES ATELIER. LINKS IM HINTERGRUND EINE *Nische mit schrägem Oberlicht und Klappfenster. Dahinter Mietskasernen, Himmel. Es ist Sommer, längster Tag, nachmittags um halb fünf, drückend, schwül. Vor der Nische eine Staffelei, in der Nische Gestelle mit Farben, Pinseln, Geschirr usw. Rechts von der Nische eine Türe, die einzige, die ins Atelier führt, die einzige Auftrittsmöglichkeit also. Ganz links vorne an der linken Seitenwand eine alte Kommode, darüber ein Aktbild. An der rechten Seitenwand ein Bett, parallel zur Rampe gerichtet, links und rechts vom Kopfende zwei alte Stühle, hinter dem Bett eine spanische Wand, über der spanischen Wand ein weiteres Aktbild. Andere Aktbilder hangen und stehen herum. In der Mitte des Ateliers ein Eisenofen, der außerdem als Kochstelle dient, mit einer fantastischen Ofenröhre, die sich über dem Ofen teilt, um sich dann nach einigen Umwegen zur rechten Seitenwand hinzuziehen, worin sie verschwindet. Auch sind Schnüre gespannt mit Windeln. Links neben dem Ofen ein alter wackliger Lehnstuhl, dann ein alter runder, etwas schiefer Tisch, dann ein Stuhl. An der Staffelei arbeitet mit offenem Hemd, eine Zigarette zwischen den Lippen, der Maler Nyffenschwander an einem Akt. Das Modell, Auguste Nyffenschwander, seine Frau, liegt nackt mit dem Rücken gegen das Publikum auf dem Bett.*

Es klopft.

NYFFENSCHWANDER: Herein.

Die Türe öffnet sich. Schwitter tritt ein. Unrasiert. In einem kostbaren Pelz trotz der mörderischen Hitze. Die Taschen voller Manuskripte. Trägt zwei prall gefüllte Koffer. Unter den linken Arm hat er zwei mächtige Kerzen geklemmt. Er schaut sich aufmerksam um. Nyffenschwander malt weiter.

NYFFENSCHWANDER: Sie wünschen?

Keine Antwort.

NYFFENSCHWANDER: Still halten, Auguste!

Bemerkt Schwitter.

NYFFENSCHWANDER: Sie – Sie sind doch –

SCHWITTER: Ich bins. Wolfgang Schwitter.

Schaut sich aufs neue um.

SCHWITTER: Unverändert.

NYFFENSCHWANDER: Verzeihung. Sie sind doch – ich meine – Verzeihung –

Tritt verlegen die Zigarette aus.

SCHWITTER: Ich sei doch am Abkratzen, wollten Sie sagen.

NYFFENSCHWANDER: Aber Herr Schwitter –

SCHWITTER: Kein aber. Es stimmt ja. Darf ich bitten, mir die Kerzen –

NYFFENSCHWANDER: Selbstverständlich, Herr Schwitter.

Nimmt ihm die Kerzen ab.

NYFFENSCHWANDER: Die Koffer –

SCHWITTER: Unterstehen Sie sich!

NYFFENSCHWANDER: Entschuldigung, Herr Schwitter.

SCHWITTER: Darf ich bitten, das Fenster zu schließen? Es ist ein schöner Sommer, ein Sommer wie selten einer, dazu der längste Tag, doch ich friere.

NYFFENSCHWANDER: Natürlich, Herr Schwitter.

Schließt das Fenster, dann die Türe.

SCHWITTER: Die Zeitungen sind voll mit rührenden Szenen. Der Nobelpreisträger in der Klinik, der Nobelpreisträger unter dem Sauerstoffzelt, der Nobelpreisträger auf dem Operationstisch, der Nobelpreisträger im Koma. Meine Krankheit ist weltberühmt, mein Sterben eine öffentliche Angelegenheit, aber ich riß aus. Ich bestieg den städtischen Autobus und bin hier.

Schwankt.

SCHWITTER: Ich muß mich setzen. Die Anstrengung –

Setzt sich auf einen Koffer.

NYFFENSCHWANDER: Darf ich –

SCHWITTER: Rühren Sie mich nicht an. Von einem Sterbenden soll man die Hände lassen.

Starrt auf die Frau.

SCHWITTER: Komisch. Da weiß man, daß es kaum noch Minuten geht, bis der Tod einen holt, und dann sitzt man plötzlich einer nackten Frau gegenüber, sieht goldene Schenkel, einen goldenen Bauch und goldene Brüste –

NYFFENSCHWANDER: Meine Frau.

SCHWITTER: Eine schöne Frau. Herrgott, noch einmal so einen Leib zu umarmen.

Erhebt sich wieder.

NYFFENSCHWANDER: Auguste, zieh dich an!

Sie verschwindet hinter der spanischen Wand rechts hinten.

SCHWITTER: Ich bin in der Euphorie, mein lieber – Wie heißen Sie eigentlich?

NYFFENSCHWANDER: Nyffenschwander. Hugo Nyffenschwander.

SCHWITTER: Nie gehört.

Schaut sich aufs neue um.

SCHWITTER: Vor vierzig Jahren wohnte ich hier und malte auch. Dann verheizte ich meine Bilder und begann zu schreiben.

Setzt sich in den Lehnstuhl.

SCHWITTER: Noch immer der gleiche unmögliche wacklige Lehnstuhl.

Röchelt.

NYFFENSCHWANDER *erschrocken:* Herr Schwitter –

SCHWITTER: Es ist so weit.

NYFFENSCHWANDER: Auguste! Wasser!

SCHWITTER: Sterben ist nichts Tragisches.

NYFFENSCHWANDER: Mach schnell!

SCHWITTER: Es ist gleich vorüber.

NYFFENSCHWANDER: Sie sollten in die Klinik zurück, Herr Schwitter.

SCHWITTER: Unsinn.

Atmet tief.

SCHWITTER: Ich möchte das Atelier mieten.

NYFFENSCHWANDER: Das Atelier?

SCHWITTER: Für zehn Minuten. Ich möchte hier sterben.

NYFFENSCHWANDER: Hier?

SCHWITTER: Teufel, deshalb bin ich schließlich aufgekreuzt.

Auguste, angekleidet, kommt mit einem Glas Wasser.

AUGUSTE: Wasser. Herr Schwitter.

SCHWITTER: Ich trinke nie Wasser.

Starrt sie an.

SCHWITTER: Auch angezogen sind Sie ein schönes Weib. Sind Sie mir böse, wenn ich Sie Auguste nenne?

AUGUSTE: Aber nein, Herr Schwitter.

SCHWITTER: Läge ich nicht im Sterben, würde ich Sie zu meiner Geliebten machen. Verzeihen Sie, daß ich das sage, doch angesichts der Ewigkeit –

AUGUSTE: Aber natürlich, Herr Schwitter.

SCHWITTER: Meine Beine sind schon gefühllos. Sie, Nyffenschwander, Sterben ist toll, das müssen Sie auch einmal durchmachen! Die Gedanken, die einem kommen, die Hemmungen, die fallen, die Einsichten, die einem aufgehen. Einfach großartig. Aber nun will ich nicht länger stören. Ihr laßt mich eine Viertelstunde allein, und wenn ihr zurückkommt, bin ich hin.

Greift in den Pelzmantel, gibt Nyffenschwander einen Geldschein.

SCHWITTER: Hundert.

NYFFENSCHWANDER: Vielen Dank, Herr Schwitter.

SCHWITTER: Mittellos?

NYFFENSCHWANDER: Na ja, als künstlerischer Revolutionär –

SCHWITTER: In diesem Atelier ging es mir auch dreckig. Einem talentlosen Maler, der die Pinsel in die Ecke feuert, um Schriftsteller zu werden, gibt kein Hund Kredit. Ich mußte mich durchgaunern, Nyffenschwander, durchgaunern!

Öffnet den Pelzmantel.

SCHWITTER: Atemnot.

NYFFENSCHWANDER: Soll ich vielleicht doch die Klinik –

SCHWITTER: Ich muß ins Bett.

AUGUSTE: Ich ziehe es frisch an, Herr Schwitter.

SCHWITTER: Wozu? Ich sterbe in Ihren Laken, Auguste, noch warm von Ihrem Leib.

Erhebt sich, legt einen weiteren Geldschein auf den Tisch.

SCHWITTER: Noch einmal hundert. So kurz vor dem Exitus wird man großzügig.

Nimmt die Manuskripte aus den Taschen und reicht sie Nyffenschwander.

SCHWITTER: Meine letzten Manuskripte.

NYFFENSCHWANDER: Soll ich sie Ihrem Verleger –

SCHWITTER: In den Ofen damit.

NYFFENSCHWANDER: Bitte, Herr Schwitter.

Stopft sie in den Ofen.

SCHWITTER: Anzünden!

NYFFENSCHWANDER: Wie Sie wünschen, Herr Schwitter.

Zündet sie an. Schwitter zieht den Pelzmantel aus, legt ihn sorgfältig über den Lehnstuhl, schlüpft aus den Schuhen, stellt sie ebenfalls sorgfältig neben den Lehnstuhl, steht in einem Pijama mit eingebundenen Füßen da.

NYFFENSCHWANDER: Angezündet.

SCHWITTER: Ich lege mich hin. Es kann sich nur noch um Minuten handeln.

Auguste will ihn führen.

SCHWITTER: Lassen Sie mich, Auguste. Ich möchte in meinen letzten Momenten an etwas Wesentlicheres denken als an ein schönes Weib.

Wandelt auf das Bett zu.

SCHWITTER: Ich möchte an nichts denken.

Legt sich aufs Bett.

SCHWITTER: Einfach verdämmern.

Liegt unbeweglich.

SCHWITTER: Mein altes Bett. Immer noch die gleiche unverwüstliche Matratze. Auch die Decke weist den selben Riß auf, und das gräßliche Ofenrohr hat seine Richtung beibehalten. Auguste!

AUGUSTE: Herr Schwitter?

SCHWITTER: Zudecken!

AUGUSTE: Jawohl, Herr Schwitter.

Deckt ihn zu.

SCHWITTER: Die Kerzen aufstellen, Nyffenschwander! Ein wenig Feierlichkeit gehört nun einmal zum Sterben. Wenn das letzte Stündlein schlägt, sind wir alle romantisch.

NYFFENSCHWANDER: Gern, Herr Schwitter.

Stellt die Kerzen auf die beiden alten Stühle neben dem Bett.

SCHWITTER: Anzünden!

NYFFENSCHWANDER: Sofort, Herr Schwitter.

Zündet die Kerzen an.

SCHWITTER: Die Vorhänge ziehen, Auguste!

AUGUSTE: Jawohl, Herr Schwitter.

Zieht schwarze Vorhänge. Das Atelier ist nun dunkel, nur noch die Kerzen geben Licht.

NYFFENSCHWANDER: Zufrieden?

SCHWITTER: Zufrieden.

AUGUSTE: Fast wie Weihnachten.

Der Maler und seine Frau bilden eine andächtige Gruppe. Stille. Schwitter liegt unbeweglich. Die beiden neigen sich über ihn.

AUGUSTE: Hugo –

NYFFENSCHWANDER: Auguste?

AUGUSTE: Er atmet nicht mehr.

NYFFENSCHWANDER: Hin.

AUGUSTE: Mein Gott.

NYFFENSCHWANDER: Endgültig.

AUGUSTE: Was tun wir jetzt?

NYFFENSCHWANDER: Ich weiß nicht.

AUGUSTE: Sollte man nicht den Hauswart –

NYFFENSCHWANDER: Verfluchte Situation.

Stille.

AUGUSTE: Hugo –

NYFFENSCHWANDER: Auguste?

AUGUSTE: Er schlägt die Augen auf.

NYFFENSCHWANDER: He?

SCHWITTER *leise:* Alles Aktbilder. Malen Sie denn nichts als Ihre nackte Frau!

NYFFENSCHWANDER: Ich male das Leben, Herr Schwitter.

SCHWITTER: Donnerwetter. Kann man denn das Leben überhaupt malen?

NYFFENSCHWANDER: Ich versuche es, Herr Schwitter.

SCHWITTER: Geht!

AUGUSTE: Gleich, Herr Schwitter. Ich schaffe noch die Zwillinge hinaus.
SCHWITTER: Zwillinge?
AUGUSTE: Irma und Rita. Sechsmonatig.
SCHWITTER: Lassen Sie die nur hier.
AUGUSTE: Aber die Windeln –
SCHWITTER: Stören nicht.
AUGUSTE: Sie tropfen noch.
SCHWITTER: Macht nichts.
NYFFENSCHWANDER: Komm, Auguste!
AUGUSTE: Herr Schwitter – Ich bin vor der Türe, wenn Sie mich brauchen.
SCHWITTER: Sie sind wunderbar, Auguste.
AUGUSTE: Jawohl, Herr Schwitter.

Er winkt ihr schwach zum Abschied. Die beiden gehen gegen die Türe.

SCHWITTER: Nyffenschwander.
NYFFENSCHWANDER: Herr Schwitter?
SCHWITTER: Sie gleichen einem belgischen Minister.
NYFFENSCHWANDER *verwirrt:* Jawohl, Herr Schwitter.

Die beiden verlassen das Atelier. Schwitter ist allein. Er liegt unbeweglich mit gefalteten Händen, und wie man schon glaubt, er sei gestorben, steigt er plötzlich aus dem Bett und öffnet einen der Koffer, beginnt im Pijama und kniend den Inhalt in den Ofen zu stopfen. Pfarrer Emanuel Lutz tritt auf. Eine freundliche, beinahe kindliche Erscheinung, außer Atem. Er ist vierzig, schmächtig, blond, goldene Brille, dunkel gekleidet, trägt in der linken Hand einen schwarzen breitrandigen Hut.

PFARRER LUTZ: Herr Schwitter! Großer Gott!
SCHWITTER: Raus!
PFARRER LUTZ: Gepriesen sei der Herr Zebaoth.
SCHWITTER: Ich brauche keine Sprüche.
PFARRER LUTZ: Sie leben!
SCHWITTER: Verduften Sie wieder!
PFARRER LUTZ: Ich bin Pfarrer Emanuel Lutz von der Jakobusgemeinde und komme direkt aus der Klinik.
SCHWITTER: Ich benötige keinen Geistlichen.

Macht im Ofen wieder Feuer.

PFARRER LUTZ: Ihre Gattin rief mich an Ihr Krankenlager.

SCHWITTER: Sieht ihr ähnlich.

PFARRER LUTZ: Ich war ja auch verlegen. Sie sind ein weltberühmter Dichter, und ich bin ein einfacher Pfarrer ohne Beziehung zur modernen Literatur.

SCHWITTER: Der Ofen zieht.

Stochert im Ofen.

PFARRER LUTZ: Kann ich behilflich sein?

SCHWITTER: Wenn Sie mir die Papiere reichen wollen –

PFARRER LUTZ: Aber gerne.

Legt den Hut auf den Tisch, kniet ebenfalls nieder und reicht ihm aus dem Koffer die Papiere.

PFARRER LUTZ: Sie lagen bewußtlos im Bett, und ich betete den neunzigsten Psalm: Herr, Gott, du bist unsere Zuflucht für und für.

SCHWITTER: Es lodert.

PFARRER LUTZ: Der du die Menschen lässest sterben und sprichst: Kommt wieder, Menschenkinder – Wird heiß!

Trocknet sich den Schweiß ab.

SCHWITTER: Brennt gut.

Durch die Türe späht Auguste.

AUGUSTE: Herr Schwitter?

SCHWITTER: Lebe noch.

AUGUSTE: Jawohl, Herr Schwitter.

Verschwindet.

SCHWITTER: Verfeuern wir weiter.

PFARRER LUTZ *Papiere reichend:* Bitte.

SCHWITTER: Nimmt mich nur wunder, wie Sie mich aufgestöbert haben.

PFARRER LUTZ: Durch die Oberschwester. Sie äußerten im Fieber, Ihr altes Atelier aufsuchen zu wollen.

Stutzt.

PFARRER LUTZ: Herr Schwitter –

SCHWITTER: Nun?

PFARRER LUTZ: Das sind doch – das sind doch – das sind doch Banknoten, was wir hier –

SCHWITTER: Und?
PFARRER LUTZ: Tausendernoten.
SCHWITTER: Sicher.
PFARRER LUTZ: Ein Vermögen.
SCHWITTER: Anderthalb Millionen.
PFARRER LUTZ *fassungslos:* Anderthalb –
SCHWITTER: Durch Schreiben verdient.
PFARRER LUTZ: Anderthalb Millionen. Aber Ihre Erben, Herr Schwitter, Ihre Erben –
SCHWITTER: Mir egal.
PFARRER LUTZ: Eine Riesensumme. Damit könnte man Kinder ernähren, Krankenschwestern ausbilden – und nun verbrennen Sie alles.
SCHWITTER: Verglüht.
PFARRER LUTZ: Wenn ich wenigstens eine Tausendernote für den Freibettenfonds –
SCHWITTER: Ausgeschlossen.
PFARRER LUTZ: Oder für die Mohammedanermission –
SCHWITTER: Kommt nicht in Frage. Ich war arm, als ich in diesem Atelier lebte und arm will ich in ihm sterben.

Verfeuert weiter.

PFARRER LUTZ: Sterben?

Erhebt sich.

PFARRER LUTZ: Sie?
SCHWITTER: Wenn mein Vermögen verfeuert ist, lege ich mich hin und verröchle.
PFARRER LUTZ: Aber Herr Schwitter, Sie können nicht mehr verröcheln. Sie – Sie sind doch schon gestorben, Herr Schwitter.
SCHWITTER: Gestorben?

Starrt den Pfarrer vor dem Ofen kniend an.

PFARRER LUTZ: Wie ich Psalm neunzig betete, bäumten Sie sich auf und entschliefen.

Schweigen.

PFARRER LUTZ *leise:* Es war ergreifend.

Schwitter stopft weitere Scheine in den Ofen, erhebt sich und brüllt.

SCHWITTER: Auguste!

In der Türe erscheint Auguste.

AUGUSTE: Herr Schwitter?

SCHWITTER: Kognak! Hopp! Eine ganze Flasche!

AUGUSTE: Jawohl, Herr Schwitter.

Verschwindet.

SCHWITTER: Helfen Sie mir in den Pelzmantel.

Der Pfarrer ist ihm behilflich.

SCHWITTER: Gestorben!

PFARRER LUTZ: Der Herr nahm Sie zu sich.

SCHWITTER: Lächerlich. Ich wurde ohnmächtig, und als ich wieder zu mir kam, lag ich allein im Krankenzimmer. Eine Binde hielt mein Kinn.

PFARRER LUTZ: Das ist bei frischen Leichen üblich.

SCHWITTER: Auf der Bettdecke lag ein Blumenmeer, und Kerzen brannten.

PFARRER LUTZ: Sehen Sie.

SCHWITTER: Ich kroch unter den Kränzen der Regierung und des Nobelpreiskomitees hervor und ging in mein Atelier, das ist alles.

PFARRER LUTZ: Das ist nicht alles.

SCHWITTER: Eine Tatsache.

PFARRER LUTZ: Eine Tatsache ist, daß Professor Schlatter persönlich Ihren Tod feststellte. Um elf Uhr fünfzig.

SCHWITTER: Eine Fehldiagnose.

PFARRER LUTZ: Professor Schlatter ist eine Kapazität –

SCHWITTER: Jede Kapazität kann sich irren.

PFARRER LUTZ: Nicht Professor Schlatter.

SCHWITTER: Ich lebe schließlich noch.

Betastet sich unwillkürlich.

PFARRER LUTZ: Wieder. Sie sind von den Toten auferstanden. Daran gibt es wissenschaftlich nichts zu rütteln. In der Klinik brach das Chaos aus. Der Hort des Unglaubens erzitterte. Ich bin wirblig vor Freude. Wenn ich mich vielleicht setzen dürfte. Für ein Minütchen.

SCHWITTER: Bitte.

Pfarrer Lutz setzt sich an den runden Tisch.

PFARRER LUTZ: Sie müssen mich entschuldigen. Das Wunder, die Aufregung, die unmittelbare Nähe des Allmächtigen. Ich bin förmlich außer mir. Es ist, als wäre der Himmel offen, als wäre seine Herrlichkeit um uns. Wenn ich mir den Kragen etwas lockern dürfte –

SCHWITTER: Tun Sie sich keinen Zwang an.

Öffnet den anderen Koffer.

SCHWITTER: Auferstanden! Ich! Von den Toten! So ein Witz!

PFARRER LUTZ: Heilig, heilig ist der Herr Zebaoth!

SCHWITTER: Lassen Sie endlich Ihre Sprüche weg.

PFARRER LUTZ: Gott erwählte Sie, Herr Schwitter, damit die Blinden sehen und die Gottlosen an ihn glauben.

SCHWITTER: Werden Sie nicht geschmacklos.

Verfeuert weiter.

PFARRER LUTZ: Aber Ihre Seele –

SCHWITTER: Ich habe keine Seele, dafür reichte die Zeit nicht. Schreiben Sie einmal jedes Jahr ein Stück und Sie melden Ihr Innenleben auch schleunigst ab. Und da kommen Sie, Pfarrer Lutz. Zugegeben, es ist Ihr Beruf. Trotzdem. Da löst man sich in seine Bestandteile auf, in Wasser, Fett und Mineralien, und Sie schlagen mit Gott und Wundern um sich. Wozu? Damit ich mich als Werkzeug Gottes betrachte? Damit ich Ihren Glauben bestätige? Ich will ehrlich sterben ohne Fiktion und ohne Literatur. Ich will nichts als noch einmal die reine Zeit spüren, dieses sanfte Verfließen, ich will nichts als noch einmal eine Minute als Wirklichkeit erleben, nichts als noch einmal eine Sekunde voller Gegenwart.

Erhebt sich.

SCHWITTER: Mein Vermögen ist verheizt.

In der Türe erscheint schweratmend Auguste.

AUGUSTE: Der Kognak, Herr Schwitter.

SCHWITTER: Her damit.

AUGUSTE: Jawohl, Herr Schwitter.

Bringt die Flasche.

SCHWITTER: Verschwinden! Hopp!

AUGUSTE: Jawohl, Herr Schwitter.

Verschwindet. Er sieht ihr nach.

SCHWITTER: Ein süßes Trampeltier.

Setzt sich in den Lehnstuhl, öffnet die Flasche, trinkt.

SCHWITTER: Tut gut.

Nimmt den Hut vom Tisch und reicht ihn dem Pfarrer.

SCHWITTER: Ihr Hut.

PFARRER LUTZ: Danke schön.

Nimmt ihn und bleibt.

SCHWITTER: Nett, daß Sie mir geholfen haben, meine anderthalb Millionen –

PFARRER LUTZ: Das war doch selbstverständlich.

SCHWITTER: Nun traben Sie aber hinaus.

Pfarrer Lutz legt den Hut wieder auf den Tisch zurück und bleibt sitzen.

PFARRER LUTZ: Herr Schwitter. Ich bin erst vierzig, doch meine Gesundheit ist angegriffen. Ich stehe in Gottes Hand. Auch sollte ich mich schon längst im Pfarrhaus befinden, und die Abendandacht ist auch noch nicht vorbereitet. Aber ich fühle mich auf einmal so kraftlos, so morsch, so unsäglich müde – wenn ich mich vielleicht etwas hinlegen dürfte – nur ein Sekündchen –

SCHWITTER: Bitte.

Trinkt.

SCHWITTER: Ich vermag mich ohnehin nicht mehr zu erheben.

PFARRER LUTZ: Die Aufregung war zu groß.

Wankt zum Bett, setzt sich.

PFARRER LUTZ: Ich ziehe vielleicht besser auch noch die Schuhe aus.

Beginnt sich die Schuhe aufzuknöpfen.

PFARRER LUTZ: Nur für ein Momentchen. Nur bis der Kreislauf wieder etwas in Ordnung kommt –

SCHWITTER: Fühlen Sie sich wie zu Hause.

Preßt die Hände gegen die Brust.

SCHWITTER: Mein Herz setzt aus.

PFARRER LUTZ: Nur getrost.

SCHWITTER: Atemnot ist nichts Lustiges.

PFARRER LUTZ: Vater unser, der du bist –

SCHWITTER *zischend:* Nicht beten!

PFARRER LUTZ *erschrocken:* Verzeihung.

SCHWITTER: Ich sterbe.

Trinkt.

SCHWITTER: Nicht so feierlich wie geplant, sondern in diesem scheußlichen Lehnstuhl.

Trinkt.

SCHWITTER: Sie tun mir leid, Pfarrer, mit meiner Auferstehung ist es nichts.

Lacht auf.

SCHWITTER: Einmal kam ein Pfarrer zu mir, und der tat mir auch leid. Als sich meine zweite Frau das Leben genommen hatte, die Tochter eines Großindustriellen. Sie schluckte ein Pfund Schlafmittel, schätze ich, unsere Ehe war eine Tortur gewesen – nun, ich brauchte Geld, das hatte sie, ich will nachträglich nicht klagen – sie machte einen rasend – und wie sie so dalag, weiß und stumm – der Pfarrer war ergriffen. Er kam, wie der Arzt noch an der Leiche herumhantierte und bevor der Staatsanwalt aufkreuzte. Er war dunkel gekleidet wie Sie, Pfarrer Lutz, und in Ihrem Alter. Er stand neben dem Bett und glotzte auf meine Selige, und später saß er in der Halle. Mit gefalteten Händen. Er schien etwas sagen zu wollen, vielleicht Bibelsprüche, aber dann sagte er doch nichts, und ich ging nach dem achten Kognak auf mein Zimmer und schrieb, wie eine Dorfschulklasse ihren idealistischen jungen Lehrer zu Tode prügelt und wie ein Bauer mit dem Traktor über den Lehrer rollt und den Fall vertuscht. Mitten im Dorf. Vor dem Schulhaus. Und alle schauen zu. Auch der Polizist. Ich glaube, es ist mein bestes Stück Prosa geworden, und wie ich gegen Morgen in die Halle schwankte, hundemüde, saß der Pfarrer nicht mehr da. Schade. Er war ein hilfloser Pfarrer gewesen.

Trinkt. Pfarrer Lutz hat inzwischen die Schuhe ausgezogen und sich aufs Bett gelegt.

PFARRER LUTZ: Auch ich bin zu nichts nütze. Wenn ich predige, schläft die Gemeinde ein.

Zittert.

SCHWITTER: Kann sein, daß er gar kein Pfarrer war. Kann sein, daß er ein Liebhaber meiner zweiten Frau war. Vielleicht hatte sie überhaupt viele Liebhaber. Merkwürdig, daß ich bis heute nie an diese Möglichkeit gedacht habe.

Trinkt.

PFARRER LUTZ: Es ist auf einmal bitterkalt.

SCHWITTER: Ich friere auch etwas.

PFARRER LUTZ: Gott war nah, und nun ist er wieder fern.

SCHWITTER: Ich beabsichtigte, mit einer gewissen menschlichen Größe abzudanken, und habe mich nichts als besoffen.

Trinkt.

PFARRER LUTZ: Sie glauben nicht an Ihre Auferstehung.

SCHWITTER: Ich war scheintot.

PFARRER LUTZ: Sie wollen sterben.

SCHWITTER: Muß.

Trinkt. Stellt die Flasche hart auf den Tisch, sinkt in den Lehnstuhl zurück.

PFARRER LUTZ: Gott sei Ihnen gnädig.

Schweigen. Pfarrer Lutz faltet die Hände.

PFARRER LUTZ: Ich glaube an Ihre Auferstehung. Ich glaube, daß Gott ein Wunder tat. Ich glaube, daß Sie leben werden. Der Herr Zebaoth kennt mein Herz. Es fällt schwer, das Evangelium von Christi Opfertod und Auferstehung zu verkünden und keinen anderen Beweis zu haben als nur den Glauben. Da hatten es die Jünger leichter, mit allem Respekt sei es gesagt. Der Herr wohnte unter ihnen. Er tat vor ihren Augen Wunder um Wunder. Er heilte Blinde, Lahme und Aussätzige. Er wandelte über die Wasser und erweckte die Toten. Und als der Menschensohn auferstanden war, durfte Thomas, der immer noch zweifelte, seine Hand auf dessen Wunde legen. Da fiel es nicht schwer zu glauben. Doch das ist lange her. Das Himmelreich, das uns versprochen worden ist, kam nie. Wir lebten in der Finsternis und hatten nichts als unsere Hoffnung. Sie allein spies noch unseren Glauben. Das war wenig, Herr. Doch nun hast Du Dich meiner erbarmt. Ich erblicke Dein Licht. Erbarme Dich nun auch derer, die Deine Herrlichkeit nicht zu sehen vermögen, weil Deine Verborgenheit sie erblinden ließ.

Stille. Die Türe öffnet sich langsam. Auguste späht herein.

AUGUSTE *leise:* Herr Schwitter.

Stille.

AUGUSTE *etwas lauter:* Herr Schwitter.

Stille. Auguste betritt das Atelier zögernd. Durch die Türe späht Nyffenschwander.

AUGUSTE *laut:* Herr Schwitter.

NYFFENSCHWANDER: Nun?

AUGUSTE: Niemand antwortet.

NYFFENSCHWANDER: Schau mal nach.

Auguste geht zum Lehnstuhl, neigt sich über Schwitter. In der Türe erscheint der Hauswart Glauser, ein dicker, gemütlicher, schwitzender Mann.

GLAUSER: Nun?

NYFFENSCHWANDER: Meine Frau schaut nach.

GLAUSER: Ich sah den Mann hinaufsteigen, Nyffenschwander. Er kam mir gleich verdächtig vor. Ich bitte, im Pelzmantel trotz der Hitze und zwei Kerzen unter dem Arm. Sie hätten die Polizei verständigen sollen.

Auguste richtet sich auf.

AUGUSTE: Hugo.

NYFFENSCHWANDER: Tot?

AUGUSTE: Ich glaube.

NYFFENSCHWANDER: Endlich.

Glauser stutzt.

GLAUSER: Da liegt noch einer.

Geht zum Bett.

GLAUSER: Nyffenschwander, ich wundere mich.

NYFFENSCHWANDER: Noch einer?

AUGUSTE: Pfarrer Lutz!

NYFFENSCHWANDER: Auch hin.

GLAUSER: Ich wundere mich sehr. Ich bin Hauswart, habe für Ordnung zu sorgen und finde zwei fremde Leichen in Ihrem Atelier.

Schwitter schlägt im Lehnstuhl die Augen auf.

SCHWITTER: Der belgische Minister malte auch in seiner Freizeit.

Erhebt sich.

SCHWITTER: In diesem Lehnstuhl stirbt man unbequem.
AUGUSTE: Herr Schwitter –

Starrt ihn an.

SCHWITTER: Führen Sie mich ins Bett, Auguste! Hopp!

Schweigen.

AUGUSTE *verlegen:* Geht nicht, Herr Schwitter.
SCHWITTER: Warum nicht?
AUGUSTE: Weil – weil der Pfarrer, Herr Schwitter – weil der Pfarrer gestorben ist.

Schweigen. Schwitter geht ans Bett, starrt den Pfarrer finster an.

SCHWITTER: Tatsächlich.

Geht zum Lehnstuhl zurück, setzt sich wieder.

SCHWITTER: Schafft die Leiche weg!

Schweigen.

GLAUSER: Herr Schwitter.
SCHWITTER: Wer sind Sie?
GLAUSER: Der Hauswart, Herr Schwitter. Man muß zuerst die Polizei –
SCHWITTER: Ich liege im Sterben.
GLAUSER: Ein Todesfall ist eine amtliche Angelegenheit.
SCHWITTER: Ich habe ein Anrecht, im Bett zu liegen, nicht die Leiche.
GLAUSER: Ich habe eine Stelle zu verlieren, Herr Schwitter.
SCHWITTER: Mir egal. Ich habe das Bett gemietet. Ich bin Nobelpreisträger.

Schweigen.

GLAUSER: Schön. Auf Ihre Verantwortung. Schaffen wir den Pfarrer in den Korridor.
NYFFENSCHWANDER: Faß mit an, Auguste!

Die drei bemühen sich vergeblich.

GLAUSER: Himmel!
NYFFENSCHWANDER: Es geht wirklich nicht.
AUGUSTE: Zu schwer.
GLAUSER: Aber wenn Sie vielleicht auch mit anfassen möchten, Herr Schwitter –
NYFFENSCHWANDER: Zu viert schaffen wir es.

Schweigen.

SCHWITTER *entschieden:* Den Pfarrer rühre ich nicht an.

NYFFENSCHWANDER: Dann nicht.

GLAUSER: Dann müssen wir eben doch die Polizei –

SCHWITTER: Ich helfe.

Erhebt sich.

GLAUSER: Sie fassen mit der Frau unten an, Herr Nobelpreisträger, wir oben. Bereit?

NYFFENSCHWANDER: Bereit.

AUGUSTE: Bereit.

SCHWITTER: Bereit.

Tragen den Pfarrer.

AUGUSTE: Vorsicht.

NYFFENSCHWANDER: Nur mit Ruhe.

GLAUSER: Legen wir ihn vor die Türe.

Das Atelier ist leer. Auguste führt Schwitter zurück.

AUGUSTE: So, Herr Schwitter, so. Das Bett ist wieder frei. Soll ich nicht schnell frische Wäsche –

SCHWITTER: Nein.

AUGUSTE: Wollen Sie nicht den Pelzmantel –

SCHWITTER: Nein.

Wirft sich im Pelzmantel aufs Bett.

SCHWITTER: Verschwinden!

AUGUSTE: Aber die Zwillinge – sie sollten –

SCHWITTER: Raus!

AUGUSTE: Jawohl, Herr Schwitter.

SCHWITTER: Auguste, Sie gefallen mir immer mehr.

AUGUSTE: Jawohl, Herr Schwitter.

Auguste ab. Schwitter liegt mit gefalteten Händen unbeweglich da, springt plötzlich aus dem Bett.

SCHWITTER: Die verfluchten Bilder.

Wendet den Akt auf der Staffelei um, dann andere Bilder, klettert vom Lehnstuhl auf die Kommode, versucht den mächtigen Akt darüber umzudrehen. Die Türe öffnet sich. Muheim stampft herein, ein achtzigjähriger vitaler Grundstückmakler, Bauunternehmer und Häuserbesitzer.

MUHEIM: He! Ist hier jemand?

Erblickt Schwitter auf der Kommode.

MUHEIM: He! Eine Leiche liegt vor Ihrer Türe!

SCHWITTER: Ich weiß.

MUHEIM: Gehört sie Ihnen?

SCHWITTER: Nein.

Versucht immer noch das Bild umzudrehen.

MUHEIM: Wie kommt sie dann vor Ihre Türe?

SCHWITTER: Sie lag im Bett und ich brauchte es selber.

MUHEIM: Wenn ich bescheiden um eine Erklärung –

Braust auf.

MUHEIM: Herrgottnocheinmal, wer ist die Leiche?

SCHWITTER: Der Pfarrer von der Jakobusgemeinde. Er starb vor Aufregung.

MUHEIM: Mensch, das kann mir auch passieren.

SCHWITTER: Bitte nicht.

Steigt von der Kommode herunter.

SCHWITTER: Geht nicht.

Er geht zum Bett, zieht den Pelzmantel aus, wirft ihn aufs Bett, legt sich hinein.

SCHWITTER: Der große Muheim, der Inhaber dieser schauerlichen Mietskaserne, der Besitzer dieser verlausten Möbel und dieses lamentablen Bettes hat mir gerade noch gefehlt.

MUHEIM *stutzt:* Mann, Sie kennen mich?

SCHWITTER: Vor vierzig Jahren hauste ich mit meiner ersten Frau in diesem Atelier. Sie war robust, sinnlich, rothaarig und ungebildet.

MUHEIM: Erinnere mich nicht.

SCHWITTER: Wir waren arm, großer Muheim.

MUHEIM: Meine Gattin war kunstliebend, nicht ich.

SCHWITTER: Künstlerliebend.

Schweigen.

MUHEIM: Momentchen, Mensch, Momentchen.

Holt den Stuhl hinter dem Tisch und setzt sich in die Mitte des Ateliers.

MUHEIM: Was wollen Sie damit andeuten?

SCHWITTER: Nichts.

MUHEIM: Raus mit der Sprache!
SCHWITTER: Ich brachte Ihrer Gattin jeweils am ersten des Monats den Zins, wir stiegen ins Bett, und ich durfte die hundert wieder mitnehmen.

Schweigen.

MUHEIM: Hundert.
SCHWITTER: Hundert.

Schweigen.

MUHEIM: Wie lange?
SCHWITTER: Zwei Jahre.
MUHEIM: Jeden Monat?
SCHWITTER: Jeden.
MUHEIM: Meine Frau ist vor fünfzehn Jahren gestorben.
SCHWITTER: Kondoliere.

Muheim erhebt sich, geht zur Kommode, dreht das Bild gegen die Wand.

MUHEIM: Weiber sind schwer zu malen.
SCHWITTER: Die andern bitte auch.

Muheim dreht schweigend die andern Aktbilder um, brüllt dann auf.

MUHEIM: Mann! Sagen Sie die Wahrheit?
SCHWITTER: Wozu lügen?

Schweigen.

MUHEIM: Wer sind Sie?
SCHWITTER: Wolfgang Schwitter.
MUHEIM *stutzt:* Der Nobelpreisträger?
SCHWITTER: Der.
MUHEIM: Aber in den Mittagsnachrichten kam doch –
SCHWITTER: Verfrühte Meldung.
MUHEIM: Darauf eine Stunde klassische Musik.
SCHWITTER: Tut mir leid.
MUHEIM: Doch wieso –?
SCHWITTER: Ich entwich aus der Klinik, um hier zu sterben.
MUHEIM: Um hier –

Schaut sich um.

MUHEIM: Muß saufen.

Geht zum Tisch in der Nische, kommt mit einem Glas zurück, schenkt sich Kognak ein.

MUHEIM: Wenn nur nicht alles so banal wäre.

Starrt vor sich hin.

MUHEIM: Jeden Monat.

SCHWITTER: Wir wären sonst glatt verhungert.

MUHEIM: Für hundert.

SCHWITTER: Die hätten Sie mir nie erlassen.

MUHEIM: Ich erlasse nie jemandem etwas.

Trinkt.

SCHWITTER: Meine Frau kam dahinter, das Luder. Dabei hatte sie mich mit einem Metzger betrogen und ich die besten Filetsteaks meines Lebens konsumiert.

Lacht.

SCHWITTER: Ich heiratete seitdem noch dreimal. Immer feinere Weiber. Muheim, das war ein Irrtum. Am Schluß nahm ich ein Call-Girl zur Frau, die war die beste.

MUHEIM: Noch dreimal.

Trinkt.

SCHWITTER: Verduften Sie endlich. Sie verstinken das Atelier. Ihre Anwesenheit mästet mein Leben.

MUHEIM: Wenn schon.

Trinkt.

MUHEIM: Schwitter, ich bin achtzig.

SCHWITTER: Gratuliere.

MUHEIM: Kerngesund.

SCHWITTER: Kann ich mir denken.

MUHEIM: Ich fing unten an. Mein Vater war Hausierer. Ich mußte mittippeln. Ich verkaufte Schuhbändel, Schwitter, Schuhbändel, bevor ich in der Abbruchbranche landete und später noch ein Bauunternehmen aufzog. Zugegeben, ich war nie zimperlich. Aber es war schließlich auch nicht meine Absicht, als sozialer Apostel herumzugondeln. Jetzt bin ich oben. Die Parteien habe ich im Sack. Meine Feinde fürchten mich, und ich besitze viele Feinde. Aber mein Privatleben –

Nimmt eine Zigarre.

MUHEIM: Ohne glückliche Ehe gibt es keine wirklich gigantischen Geschäfte, ohne Zärtlichkeit gaunert man sich nicht durchs Leben, ohne Innerlichkeit landet man in der Gosse.

Will die Zigarre anzünden.
SCHWITTER: Nicht rauchen, während ich sterbe.
MUHEIM: Pardon. Selbstverständlich.
Steckt die Zigarre wieder ein.
MUHEIM: Dabei schmissen sich die Weiber nur so an meinen Brustkasten, aber keine landete. Ich war meiner Frau treu, auch nach ihrem Tode, das können Sie mir glauben, aber ich hätte meine Frau getötet, wenn ich gewußt hätte, was ich jetzt weiß, und auch Sie, Schwitter, hätte ich – und ich würde Sie noch jetzt – wenn Sie nicht –
Setzt sich wieder.
MUHEIM: Ein Sterbender ist unangreifbar.
SCHWITTER: Tun Sie sich keinen Zwang an.
MUHEIM: Ich könnte Sie zerfetzen.
SCHWITTER: Ich stehe zu Ihrer Verfügung.
MUHEIM: Zermalmen.
SCHWITTER: Vergreifen Sie sich ruhig an mir.
MUHEIM: Mein Gott, wie oft mag sie mich wohl noch betrogen haben?
SCHWITTER: Mit einigen Dutzend Liebhabern müssen Sie rechnen.
Muhein starrt vor sich hin.
MUHEIM: Sie muß unersättlich gewesen sein.
Olga tritt auf, neunzehn, schön, dunkel gekleidet, atemlos, Schwitters vierte Frau. Schwitter setzt sich erschrocken auf.
SCHWITTER: Das Call-Girl.
OLGA: Schwitter.
SCHWITTER: Alles geht schief.
OLGA: Du lebst.
SCHWITTER: Ich weiß, es wird langsam genierlich.
OLGA: Vor der Türe – der Pfarrer –
SCHWITTER: Herzschlag.
OLGA: Ich drückte deine Augen zu.
SCHWITTER: Aufmerksam.
OLGA: Ich faltete deine Hände.
SCHWITTER: Nett.
OLGA: Ich ordnete Blumen und Kränze.

SCHWITTER: Als ich erwachte, besichtigte ich das Arrangement.

OLGA: Ich küßte dich zum Abschied.

SCHWITTER: Lieb.

Schweigen.

OLGA: Verzeih, daß ich erst jetzt – ich – ich wurde ohnmächtig, als du auf einmal nicht mehr – Professor Schlatter ließ nicht zu, daß ich gleich –

SCHWITTER: Verstehe.

OLGA: Nun ist alles gut.

SCHWITTER: Sicher.

OLGA: Ich bleibe bei dir.

SCHWITTER: Meine verehrte Olga. Ich liege seit einem Jahr immer wieder im Sterben. Ich werde seit einem Jahr immer wieder im letzten Augenblick gerettet. Ich mache nicht mehr mit. Ich habe mich vor einer Horde sturer Mediziner in Sicherheit gebracht. Ich will endlich in Ruhe sterben, ohne einen Fiebermesser im Mund, ohne an irgendeinen Apparat angeschlossen zu sein, ohne Menschen, die um mich herumstehen. Darum geh! Wir haben von einander längst Abschied genommen, dutzende Male, das wird doch langsam komisch. Nimm bitte Vernunft an und mach dich aus dem Staube! Adieu!

Zieht sich das Linnen über den Kopf. Muheim erhebt sich.

MUHEIM: Ich gehe.

Verneigt sich vor Olga.

MUHEIM: Muheim. Der große Muheim.

Geht zur Türe.

MUHEIM: Ich könnte ihn töten. Aber Sterben ist mir heilig.

Ab. Schweigen. Schwitter taucht wieder aus dem Linnen.

SCHWITTER *wütend:* Immer noch da.

OLGA: Ich bin deine Frau.

SCHWITTER: Meine Witwe.

Setzt sich auf.

SCHWITTER: Ich vertrage diese Feierlichkeit nicht mehr. Zieh die Vorhänge zurück!

Sie gehorcht. Das Atelier liegt nun wieder im grellen Sonnenlicht.

SCHWITTER: Öffne das Fenster!

Sie gehorcht.

SCHWITTER: Die Schuhe des Pfarrers!

Steigt aus dem Bett, ergreift die Schuhe des Pfarrers vor dem Bett und dessen Hut auf dem Tisch.

SCHWITTER: Der Hut des Pfarrers!

Wirft Hut und Schuhe zur Türe hinaus.

SCHWITTER: Der Pfarrer ließ alles liegen!

Schmettert die Türe zu.

SCHWITTER: Lösch die verfluchten Kerzen aus!

Sie gehorcht.

SCHWITTER: Die bigotte Weihrauchstimmung macht mich noch gesund! Ich brauche die Sonne, um zu sterben. Ich muß in ihrer Glut ersticken. Ich muß ausgeglüht werden. Ich muß verdorren. In mir ist noch zu viel Leben.

Will sich in den Lehnstuhl setzen, erblickt seine Schuhe.

SCHWITTER: Meine Schuhe. Ich brauche sie auch nicht mehr!

Wirft sie zum Fenster hinaus, setzt sich in den Lehnstuhl.

SCHWITTER: Zum Lachen. Ich lande immer wieder in diesem Lehnstuhl!

Will trinken.

SCHWITTER: Leer.

Stellt die Flasche wieder auf den Tisch. Die Zwillinge beginnen zu schreien.

SCHWITTER: Auguste!

In der Türe erscheint Auguste.

AUGUSTE: Herr Schwitter.

SCHWITTER: Die Zwillinge brüllen! Hopp!

AUGUSTE: Sofort, Herr Schwitter.

Rollt das Kinderbett hinaus.

AUGUSTE: Ruhig Irma, ruhig Rita.

Bleibt in der Türe stehen.

AUGUSTE: Soll ich auch die Windeln –

SCHWITTER: Hinaus! Und Kognak! Noch eine Flasche!

AUGUSTE: Jawohl, Herr Schwitter.

Verschwindet.

OLGA: Brauchst du den Mantel?
SCHWITTER: Nein.
OLGA: Hast du noch Schmerzen?
SCHWITTER: Nein.
OLGA: Es war ein böser Traum. Ich hätte den Ärzten nicht glauben sollen.
SCHWITTER: Es blieb einem nichts anderes übrig.
OLGA: Sie sagten mir schon vor einem Jahr, du müßtest sterben.
SCHWITTER: Das ist mir inzwischen selber aufgegangen.
OLGA: Auch deinem Sohn sagten sie's, und er erzählte es jeder Bardame. Man sprach überall von deinem Tod, während du noch hofftest, und mich behandelte man, als wärest du schon gestorben, man fiel über mich her wie über eine Hure –
SCHWITTER: Du bist schließlich auch eine gewesen.

Schweigen.

SCHWITTER: Deine verfluchte Demut bringt mich noch um.
OLGA: Verzeih!
SCHWITTER: Ich hoffe nicht, irgendeiner meiner Freunde sei wegen einer falschen Rücksicht mir gegenüber von dir nicht erhört worden.
OLGA: Ich habe niemand erhört.
SCHWITTER: Deine Pflicht war nicht, mir treu zu sein, deine Pflicht war, mir die Wahrheit zu sagen.
OLGA: Ich fürchtete mich.
SCHWITTER: Ich fürchtete mich auch. Diese gemeine Furcht. Ich kannte die Wahrheit nicht, weil ich sie aus Furcht nicht kennen wollte, sonst hätte ich sie erraten, und jetzt kenne ich sie, weil sie sich nicht mehr verheimlichen läßt, mein Leib stinkt zum Himmel.
OLGA: Ich konnte dir nicht helfen. Ich sah, wie du schwächer wurdest. Ich sah, wie die Ärzte dich quälten. Ich konnte nicht einschreiten. Ich war wie gelähmt. Alles nahm einfach seinen Lauf. Als ich heute morgen an deinem Bette stand und der Pfarrer betete und wie der Professor sich über dich beugte und dich abhorchte und sich aufrichtete und sagte, du seist tot, weinte ich nicht einmal. Ich war tapfer, weil du tapfer gewesen bist. Aber nun lebst du wieder.

SCHWITTER: Jetzt komm mir nur nicht auch noch mit diesem Blödsinn!

OLGA *leise:* Wenn ich dich noch einmal verlieren müßte, könnte ich nicht leben.

In der Türe erscheint schweratmend Auguste.

AUGUSTE: Der Kognak, Herr Schwitter.

SCHWITTER: Höchste Zeit.

AUGUSTE: Jawohl, Herr Schwitter.

SCHWITTER: Schenk ein!

AUGUSTE: Soll ich nicht ein frisches Glas –

SCHWITTER: Quatsch.

AUGUSTE: Jawohl, Herr Schwitter.

SCHWITTER: Bis zum Rand.

AUGUSTE: Jawohl, Herr Schwitter.

SCHWITTER: Zisch wieder davon! Hopp!

AUGUSTE: Jawohl, Herr Schwitter.

Verschwindet.

SCHWITTER: Die einzige Kreatur, die ich noch ertrage.

Trinkt.

SCHWITTER: Hau endlich ab!

OLGA: Ich bleibe.

SCHWITTER: Du fällst mir lästig.

Trinkt.

OLGA: Trink nicht so viel!

SCHWITTER: Saufen ist gesund fürs Abtanzen.

In der Türe erscheint der Heilsarmeemajor Friedli in Uniform und starrt Schwitter an.

MAJOR FRIEDLI: Er lebt. Er lebt. Er lebt!

Verschwindet wieder.

SCHWITTER: Ein Verrückter.

OLGA: Die schreckliche Klinik, dieses unheimliche Atelier, der tote Pfarrer – laß uns nach Hause gehen!

SCHWITTER: Zum Sterben bin ich hier zu Hause.

OLGA: Du mußt nicht sterben. Ich weiß nicht, was geschehen ist, aber du wirst leben.

SCHWITTER: Leben ekelt mich an. Ich war unbekümmert, als ich zu schreiben begann. Ich hatte nichts im Kopf als meine

Einfälle, ich war versoffen und asozial. Dann kam der Erfolg, die Preise, die Ehrungen, das Geld und der Luxus. Meine Manieren wurden immer besser. Ich feilte an meinen Fingernägeln und an meinem Stil herum. Gab sich meine erste Frau noch einem Schneider hin, um für mich einen blauen Anzug zu erstehen, gaben sich die beiden nächsten nur mit Literatur ab, sie organisierten meinen Ruhm und meinen Hofstaat, während ich mich abrackerte, endgültig ein Klassiker zu werden. Der Nobelpreis gab mir den Rest. Ein Schriftsteller, den unsere heutige Gesellschaft an den Busen drückt, ist für alle Zeiten korrumpiert. Darum gabelte ich dich auf. Aus Wut.

Trinkt.

SCHWITTER: Aus Wut über mich, aus Wut über die Welt. Ich war ein alter Mann, der noch einmal rebellieren wollte. Du warst verdammt tüchtig. Du hast mich für einige Wochen aufgemöbelt, es war eine Pracht, dann landete ich auf dem Schragen, daß es nur so krachte. Aus. Du kannst zusammenpacken. Du hast den ehrlichsten Beruf gelernt, den es gibt, du bist das schönste und tüchtigste Call-Girl der Stadt gewesen, kehr wieder zu deinem Gewerbe zurück, tu mir den Gefallen! Durch unsere Ehe bist du berühmt geworden, dein Bild war in allen Zeitungen, Aktbilder von dir kursierten, deine Preise sind ins Unermeßliche gestiegen. Du bist das Geschenk, das ich der Öffentlichkeit vermache, Cäsar stiftete seine Gärten, ich eine Dirne!

Jochen Schwitter, fünfunddreißig, betritt das Atelier.

JOCHEN: Papa! Sieh mal an! Auferstanden.

OLGA *zurechtweisend:* Jochen!

JOCHEN: Tag, Stiefmuttchen. Fein, dich wieder einmal zu sehen.

SCHWITTER: Was suchst du hier?

JOCHEN *überlegen:* Meine anderthalb Millionen.

SCHWITTER: Deine?

JOCHEN: Ich bin dein Erbe.

SCHWITTER: Möglich.

JOCHEN: Gesetzlich, alter Herr.

SCHWITTER: Das mußt du ja wissen.

JOCHEN: Ich habe schließlich einmal zwei Semester Jus studiert.

SCHWITTER: Alle Achtung.

JOCHEN: Nun? Wo ist das Geld?
SCHWITTER: Auf der Bank.
JOCHEN: Du lügst.
Schweigen.
JOCHEN: Schäme dich. In deinen letzten Zügen.
Schweigen.
JOCHEN: Ich komme von der Bank. Du hast dein Geld in die Klinik schaffen lassen, und dort ist es auch nicht mehr.
Schweigen.
JOCHEN: Unerwartet, wie?
SCHWITTER: Fix.
JOCHEN: Meine Mutter kam deinetwegen ums Leben, und ich komme deinetwegen zu einem Vermögen.
SCHWITTER: Sicher?
JOCHEN: Sicher.
Nimmt eine Zigarette.
OLGA: Jochen, du darfst hier nicht rauchen.
JOCHEN: Beruhige dich, Stiefmuttchen. Das wird dein Männchen schon noch verkraften.
Zündet die Zigarette an.
JOCHEN: Und? Wo sind die Eier?
Bläst Schwitter Rauch ins Gesicht.
SCHWITTER: In den Koffern.
Trinkt.
JOCHEN: Siehst du, du parierst ja ganz brav.
Stellt einen Koffer auf den Tisch.
JOCHEN: Unverschlossen. Leichtsinnig, mein Krösus.
Öffnet, stutzt.
JOCHEN: Leer.
Geht zum andern Koffer, öffnet ihn ebenfalls.
JOCHEN: Leer.
Starrt Schwitter an.
SCHWITTER: Die Flasche auch.
Stellt die Flasche auf den Tisch zurück.

JOCHEN *hart:* Schön. Der Kampf soll mit Messern geführt werden. Dein Flittchen schaffte meine anderthalb Millionen auf die Seite.

SCHWITTER: Meinst du.

JOCHEN: Meine ich.

SCHWITTER: Ich würde im Ofen nachschauen.

Jochen kauert nieder und öffnet den Ofen. Schweigen.

JOCHEN *leise:* Verbranntes Papier.

SCHWITTER: Meine letzten Manuskripte und *meine* anderthalb Millionen.

JOCHEN: Asche.

Räumt wild den Ofen aus.

SCHWITTER: Ich gehe endgültig sterben.

Erhebt sich, macht einige tänzerische Schritte.

SCHWITTER: Phantastisch. Ich bin geradezu in blendender Form.

JOCHEN: Nur noch etwas Glut.

Durch die Türe späht Nyffenschwander.

NYFFENSCHWANDER: Herr Schwitter –

SCHWITTER: Ich bin vollgetankt.

NYFFENSCHWANDER: Die Polizei transportierte den Pfarrer schon ab.

SCHWITTER: Reinemachen!

Springt aufs Bett, reißt die Windeln herunter.

SCHWITTER: Runter mit den Windeln! Runter! Runter!

NYFFENSCHWANDER: Jawohl, Herr Schwitter –

Verschwindet, erschrocken.

SCHWITTER: Runter! Sie erinnern mich an Leben, an Paarung, an kreißende Schöße! Runter mit den Fetzen! Ich mag ihren feuchten Kleinkinderpopo- und Pipigeruch nicht mehr riechen! Ich will Moder, ich will Grabesluft, ich will Ewigkeitsdünste!

Reißt weitere Windeln herunter, setzt sich dann, majestätisch, wie ein Buddha, aufs Bett.

JOCHEN: Verbrannt.

Erhebt sich, die Hände voll Asche.

JOCHEN: Anderthalb Millionen.

SCHWITTER: Sie brannten lustig.

JOCHEN: Warum hast Du sie vernichtet?
SCHWITTER: Ich weiß nicht.
JOCHEN: Du mußt doch einen Grund gehabt haben.
SCHWITTER: Aus Laune.
JOCHEN: Ich habe Schulden.
SCHWITTER: Luxushuren kosten.
JOCHEN: Kapiere.

Schweigen.

JOCHEN: Ein Meisterstreich. Ich hatte mit Deinem Vermögen gerechnet.
SCHWITTER: Eine Fehlspekulation.
JOCHEN: Du hassest mich nicht einmal. Ich bin Dir einfach gleichgültig. Und so ist es Dir auch gleichgültig, wenn ich zum Teufel gehe.
SCHWITTER: Ich gehe ja auch zum Teufel.
JOCHEN: Du bist unmenschlich.
SCHWITTER: Sterben *ist* unmenschlich.
JOCHEN: Dann stirb endlich!

Geht zur Türe.

JOCHEN: Tu mir den Gefallen! Sei lieb, Alter. Zum ersten Male in deinem Leben. Stirb endlich! Dann darf ich leben, wenn Du nicht mehr bist. Und ich werde ein Kerl, sag ich Dir, ein ganzer Kerl.
SCHWITTER: Geh jetzt!
JOCHEN: In die Bar.

Lacht.

JOCHEN: Im übrigen bleiben mir noch die Tantiemen.

Verschwindet.

Schwitter starrt Olga an.

SCHWITTER: Noch hier.
OLGA: Ich gehe.
SCHWITTER: Ich war wohl –

Denkt nach.

SCHWITTER: Habe ich viel – ?
OLGA: Zwei Flaschen Kognak.
SCHWITTER *strahlt:* Respekt.

Betrachtet Olga nachdenklich.

SCHWITTER: War ich schlimm?
OLGA: Nein.
SCHWITTER: Also schlimm.
Schweigen.
SCHWITTER: Weil ich sterbe.
OLGA: Weil du wieder lebst.
SCHWITTER: Du mußt dich umsehen, meine Kleine.
Lacht.
SCHWITTER: Mein Vermögen ging in Flammen auf.
OLGA: Ich habe schon etwas auf der Seite.
SCHWITTER: Kann ich mir denken.
Lacht.
SCHWITTER: Wir hatten es schön, meine Kleine. So einige Wochen.
OLGA: O ja.
SCHWITTER: Wir lachten, daß die Wände wackelten.
OLGA: Und ob.
SCHWITTER: Wir soffen, daß sich die Balken bogen.
OLGA: Und wie.
SCHWITTER: Wir liebten uns, daß die Erde bebte.
OLGA: Es war wunderbar mit dir.
Geht.
Schwitter liegt wie tot. Durch die Türe späht Auguste.
AUGUSTE: Herr Schwitter.
Stille.
AUGUSTE *lauter:* Herr Schwitter.
SCHWITTER: Auguste.
Starrt gegen das Fenster.
AUGUSTE: Die Windeln liegen am Boden.
SCHWITTER: Tut mir leid.
AUGUSTE: Macht nichts, Herr Schwitter.
Holt hinter der spanischen Wand einen Korb hervor, sammelt die Windeln ein.
AUGUSTE: Sie haben eine schöne Frau, Herr Schwitter.
SCHWITTER: Hatte.
AUGUSTE: Sie stieg die Treppe hinunter und weinte.
SCHWITTER: Sie ist neunzehn.

AUGUSTE: Darf ich etwas fragen, Herr Schwitter.
SCHWITTER: Frage!
AUGUSTE: Gerade Talent fürs Malen hat Hugo wohl nicht?
SCHWITTER: Nein.

Auguste stellt den Korb auf den Tisch.

AUGUSTE: Die Windeln sind aufgelesen.
SCHWITTER: Verriegle die Türe! Hopp!
AUGUSTE: Jawohl, Herr Schwitter.

Verriegelt die Türe.

AUGUSTE: Verriegelt.

Er starrt immer noch gegen das Fenster.

SCHWITTER: Zieh die Vorhänge zu!
AUGUSTE: Jawohl, Herr Schwitter.

Gehorcht.

SCHWITTER: Komm her!
AUGUSTE: Jawohl, Herr Schwitter.

Geht ruhig zu ihm. Draußen beginnt Nyffenschwander an der Türfalle zu klinken.

NYFFENSCHWANDER: Auguste.
SCHWITTER: Näher!
AUGUSTE: Jawohl, Herr Schwitter.

Nyffenschwander klopft.

NYFFENSCHWANDER: Auguste, mach auf!
SCHWITTER: Mich friert.
AUGUSTE: Soll ich den Pelzmantel –
SCHWITTER: Zieh Dich aus!
AUGUSTE: Jawohl, Herr Schwitter.
NYFFENSCHWANDER: Aufmachen, Auguste! Aufmachen!

Poltert gegen die Türe.

SCHWITTER: Leg Dich zu mir!
AUGUSTE: Jawohl, Herr Schwitter.

Während sie sich auszieht, poltert und rüttelt Nyffenschwander an die Türe.

NYFFENSCHWANDER: Aufmachen! Aufmachen!

ZWEITER AKT

DAS ATELIER NYFFENSCHWANDERS EINE STUNDE SPÄTER. *Auf dem Bett unter Kränzen Schwitter, endlich entschlafen. Um das Bett herum verschiedene schwarzgekleidete Herren, unter ihnen der Starkritiker Friedrich Georgen. Links im Lehnstuhl Carl Conrad Koppe, Schwitters Verleger, fünfundsechzig, glattrasiert, elegant. Im Hintergrund Nyffenschwander und Glauser. Auguste, anfänglich am Totenbett, wird von Neuankommenden nach hinten gedrängt. Im Raum geistern weiter einige Presseleute herum, die mit Blitzlicht fotografieren. Die Vorhänge vor der Nische sind wieder gezogen, die Kerzen brennen aufs neue.*

FRIEDRICH GEORGEN: Freunde. Wolfgang Schwitter ist tot. Mit uns trauert die Nation, ja die Welt; ist sie doch um einen Mann ärmer, der sie reicher machte. Seine sterbliche Hülle liegt auf diesem Bett, liegt unter diesen Kränzen. Man wird sie übermorgen mit jenem festlichen Gepränge zu Grabe tragen, das einem Nobelpreisträger zukommt. Doch wir, seine Freunde, haben bescheidener zu trauern, gefaßter, stiller. Wir haben nicht billiges Lob zu spenden, nicht kritiklose Bewunderung, wir haben uns durch Wissen und Liebe leiten zu lassen. Nur so werden wir dem großen Toten gerecht. Er hat ausgelitten. Sein Sterben war erschütternd, daß wir uns in seinem alten Atelier befinden, deutet es an. Nicht sein Geist, seine Vitalität wehrte sich. Ihm, der die Tragik ablehnte, fiel ein tragisches Ende zu. In diesem düsteren Lichte haben wir ihn zu sehen, zum ersten Male vielleicht in harter Deutlichkeit, als den letzten Verzweifelten einer Zeit, die sich anschickt, die Verzweiflung zu überwinden. Es gab für ihn nichts als die nackte Realität. Doch gerade darum dürstete er nach Gerechtigkeit, sehnte er sich nach Brüderlichkeit. Umsonst. Nur wer an einen lichten Sinn der dunklen Dinge glaubt, erkennt die Ungerechtigkeit, die es in dieser Welt auch gibt, als etwas Unabwendbares, stellt den sinnlosen Kampf ein, versöhnt sich. Schwitter blieb unversöhnlich. Ihm fehlte der Glaube, und so fehlte ihm auch der Glaube an die Menschheit. Er war ein Moralist aus Nihilismus heraus. Er blieb Rebell, ein Rebell im luftleeren Raum. Sein Schaffen war der Ausdruck einer inneren Ausweglosigkeit, nicht ein Gleichnis der Wirklichkeit: Sein Theater, nicht die Realität ist grotesk. Hier liegt seine Grenze. Schwitter blieb in einer freilich großartigen Weise subjektiv, seine Kunst heilte nicht, sie verletzte. Wir aber, die wir ihn lieben und seine Kunst bewundern, müssen sie nun überwinden, damit sie eine notwendige Stufe werde zur Bejahung einer Welt, die unser armer Freund verneinte und in deren Erhabenheit und Harmonie er eingegangen ist.

Koppe erhebt sich und drückt Georgen die Hand.

KOPPE: Friedrich Georgen, ich danke Ihnen.

Die andern Herren verneigen sich vor dem Totenbett, entfernen sich, unterdessen ständig Blitzlichter.

GEORGEN: Sie sind sein Verleger, Koppe. Mein Beileid.

Verneigt sich.

KOPPE: Erscheint Ihre Rede im Morgenblatt?

GEORGEN: Noch heute abend.

KOPPE: Wird mächtig hinhauen. Er war ein Moralist aus Nihilismus heraus. Ein Rebell im luftleeren Raum. Sein Theater, nicht die Realität ist grotesk. Glänzend definiert und böse gesagt.

GEORGEN: Nicht böse gemeint, Koppe.

KOPPE: Bitterböse gemeint, Georgen.

Legt ihm die Hand auf die Schulter.

KOPPE: Ihre Unverschämtheit war grandios. Sie zerfetzten mir unseren guten Schwitter mit Andacht auf dem Totenbett. Imponierend. Literarisch ist der Mann erledigt, noch eine Dünndruckausgabe und er ist vergessen. Schade. Er war echter als Sie glauben, und dann noch eins, ganz unter uns: Ihr Tiefsinn in Ehren, Georgen, aber an sich war Ihre Rede Mumpitz. Schwitter war nie verzweifelt, man brauchte ihm nur ein Kotelett vor die Nase zu setzen und einen anständigen Tropfen, und er war glücklich. Gehen wir. Der Ort ist schauerlich. Ich muß Schwitters Familie zusammentrommeln, mir schwant, es habe sich was zugetragen.

Die beiden ab, auch die Presseleute. Auguste, Nyffenschwander und der Hauswart bleiben.

GLAUSER: Das wäre vorbei. Luft!

Zieht die Vorhänge, öffnet das Fenster, draußen noch immer greller Tag. Glauser löscht die Kerzen aus.

GLAUSER: Wieviel hat man Ihnen denn gegeben, Nyffenschwander, fürs Sterben?

NYFFENSCHWANDER: Zweihundert und der Verleger zwanzig.

GLAUSER: Schäbig. Leben Sie wohl, Frau Auguste. Bald ist Ihr Atelier wieder in Ordnung. In dieser Hitze holen sie die Leichen schnell.

Verschwindet. Nyffenschwander dreht die Bilder wieder um.

NYFFENSCHWANDER: Eine Frechheit. Gegen die Wand! Als wäre ich ein Anfänger. Da steigen endlich einmal Kritiker und Verleger zu mir herauf – um eine Leiche anzuglotzen – von meinen Bildern sehen sie nichts. Da arbeitet man jahrelang –

Ersteigt die Kommode, um das Bild darüber umzudrehen, stutzt.

NYFFENSCHWANDER: Auguste!

Starrt das Totenbett an.

NYFFENSCHWANDER: Zieh dich aus! Ich male dich vor dem Totenbett. Leben und Tod. Ein atmender Leib und Totenkränze.

AUGUSTE: Nein.

NYFFENSCHWANDER: Auguste –

Glotzt sie verwundert an.

AUGUSTE *ruhig:* Ich will nicht.

Nyffenschwander setzt sich fassungslos auf die Kommode.

NYFFENSCHWANDER: Auguste, es ist das erste Mal, daß du dich weigerst, Modell zu stehen.

AUGUSTE: Schluß damit.

Schweigen.

NYFFENSCHWANDER: Aber das Leben, Auguste – ich will doch nur das Leben darstellen, das unerhörte, gewaltige, grandiose Leben –

AUGUSTE: Ich weiß.

NYFFENSCHWANDER *angstvoll:* Auguste, eine halbe Stunde polterte ich gegen die Türe, und du machtest nicht auf.

AUGUSTE: Ich weiß.

NYFFENSCHWANDER: Die Türe war verriegelt.

AUGUSTE: Ich weiß.

NYFFENSCHWANDER: Und als du endlich aufmachtest, war er tot.

AUGUSTE *gleichgültig:* Er starb in meinen Armen, und ich mußte mich anziehen.

Starrt auf die Leiche.

AUGUSTE: Ich schlief mit ihm, bevor er starb.

Schweigen.

NYFFENSCHWANDER: Aber –

Bleibt hilflos auf der Kommode sitzen.

AUGUSTE: Ich bin stolz, seine letzte Geliebte gewesen zu sein.

Beginnt ihre Sachen zusammenzupacken.

NYFFENSCHWANDER: Das konntest du nicht tun, Auguste, das konntest du nicht tun.

AUGUSTE: Ich tat's.

NYFFENSCHWANDER: Mit einem Sterbenden!

AUGUSTE: Er war ein Mann.

NYFFENSCHWANDER: Schämst du dich nicht?

AUGUSTE: Nein.

NYFFENSCHWANDER *schreit:* Ich wollte doch nur das Leben darstellen!

AUGUSTE: Ich habe deine Malerei satt.

NYFFENSCHWANDER: Aber du glaubtest doch an mich, Auguste, ganz allein auf der Welt glaubtest du an mich, wir hielten zusammen, was auch Schweres kam –

AUGUSTE: Ich war für dich nichts als ein Modell.

Erhebt sich.

AUGUSTE: Wir sind fertig miteinander.

Nyffenschwander sitzt immer noch hilflos auf der Kommode.

NYFFENSCHWANDER: Das ist doch unmöglich.

AUGUSTE: Ich gehe.

NYFFENSCHWANDER: Unsere Kinder –

AUGUSTE: Ich nehme sie mit.

Bleibt einen kurzen Augenblick vor dem Totenbett stehen.

NYFFENSCHWANDER: Das darf nicht sein, Auguste.

AUGUSTE: Lebe wohl!

Ab.

NYFFENSCHWANDER: Auguste!

Trommelt auf die Kommode.

NYFFENSCHWANDER: Komm zurück, Auguste! Ich verzeihe dir.

Schweigen.

NYFFENSCHWANDER: Das ist doch Wahnsinn, Auguste! Du kannst mich doch nicht verlassen! Wegen eines Toten!

Im Bett richtet sich Schwitter auf. Feierliches Totenhemd. Kinnbinde. Um den Hals ein Totenkranz. Nimmt die Binde ab.

SCHWITTER: Das Bett steht falsch.

Betrachtet das Atelier.

NYFFENSCHWANDER: Sie – Sie –

Glotzt Schwitter an.

SCHWITTER: Das Bett stand, wo jetzt der Tisch steht, und der Tisch stand, wo sich jetzt das Bett befindet.

Streckt die Beine aus dem Bett.

SCHWITTER: Darum kann ich nie sterben.

Hebt den Kranz über den Kopf.

SCHWITTER: Wieder Totenkränze. Sie rollen mir nach.

Steigt aus dem Bett.

SCHWITTER: An die Arbeit. Das Bett muß hinüber.

Nyffenschwander sitzt immer noch verwirrt auf der Kommode.

SCHWITTER: Zuerst räumen wir den Stuhl und den Tisch beiseite.

NYFFENSCHWANDER *verzweifelt:* Sie schliefen mit meiner Frau.

SCHWITTER: Der belgische Minister schlief auch mit meiner dritten Frau.

NYFFENSCHWANDER: Was habe ich mit Ihrem ewigen belgischen Minister zu schaffen?

SCHWITTER: Sie gleichen ihm. Anfassen!

Trägt den Tisch nach dem Hintergrund, Nyffenschwander hilft ihm unwillkürlich.

NYFFENSCHWANDER: Ihr Sterben war nur ein Vorwand!

Schwitter weist auf den Lehnstuhl.

NYFFENSCHWANDER: Eine raffinierte Täuschung.

Trägt den Lehnstuhl nach hinten.

NYFFENSCHWANDER: Eine perfide Komödie! Eine höllische Falle!

SCHWITTER: Auffangen!

Wirft Nyffenschwander den Stuhl zu.

SCHWITTER: Nun das Bett.

NYFFENSCHWANDER: Sie zerstörten meine Ehe!

Schwitter geht zum Kopfende des Bettes.

SCHWITTER: Sie ziehen vorne, ich stoße hinten.

NYFFENSCHWANDER: Sie verließ mich!

SCHWITTER: Das spielt doch keine Rolle.

NYFFENSCHWANDER: Für mich spielt es eine Rolle.

SCHWITTER: Nyffenschwander, Ihre Sorgen möchte ich haben. Da sterbe ich unaufhörlich, da warte ich Minute um Minute in einer mörderischen Hitze auf einen würdigen Abgang in die Unendlichkeit, verzweifle, weil es nie so recht klappen will, und Sie kommen mir mit einer Nebensächlichkeit.

NYFFENSCHWANDER *wild:* Ich sterbe nicht.

Wirft einen Kranz aufs Bett.

SCHWITTER: Aber ich.

Wirft einen Kranz aufs Bett.

NYFFENSCHWANDER: Auf dem Sterbebett verführt man keine Frau, man betet.
SCHWITTER: Nyffenschwander. Wenn jemand beten sollte, dann Sie. Damit Sie von Ihrer Malerei erlöst werden. Betrachten Sie Ihre Gemälde. Sie verekelten mir den ganzen Nachmittag das Sterben. Sie wollen das Leben darstellen und pinseln Ihre Frau herunter, daß es einem die Schamröte ins Gesicht treibt.
NYFFENSCHWANDER: Ich male meine Frau, wie ich sie sehe!
SCHWITTER: Dann muß Ihre Blindheit gigantisch sein! Ihre Frau, Nyffenschwander! Ich sah sie nackt, kaum hatte ich das Atelier betreten und dann, als sie sich zu mir legte. Freiwillig. Von Verführung keine Spur. Sie gab sich aus Menschlichkeit, aus einer splendiden Laune heraus. Sie spürte, was ein Sterbender braucht. Helfen Sie, das Bett hinüberzuschieben.

Stößt das Bett, Nyffenschwander zieht.

SCHWITTER: Ihre Frau lag in meinen Armen. Sie zitterte, sie wand sich, sie umklammerte mich, sie schrie. Das war das Leben; in ihren Bildern ist nichts davon. Ziehen, Nyffenschwander, ziehen. So. Das Bett steht richtig. Nun muß der Tisch hinüber.

Sie tragen den Tisch hinüber.

SCHWITTER: Ihre Pinselei ist eine Zeitverschwendung!
NYFFENSCHWANDER: Meine Kunst ist mir heilig.
SCHWITTER: Nur Stümpern ist die Kunst heilig. Sie sind in eine Theorie verbohrt, weil Sie nichts können. Ihre Frau war tot in Ihren Armen, wie sie tot in Ihren Bildern ist. Ihre Frau hat Sie mit Recht verlassen. Nun den Lehnstuhl.

Sie tragen den Lehnstuhl nach rechts vorne.

NYFFENSCHWANDER: Ich könnte Sie zerfetzen!
SCHWITTER: Ich stehe zu Ihrer Verfügung.
NYFFENSCHWANDER: Zermalmen!
SCHWITTER: Vergreifen Sie sich ruhig an mir.

Wirft ihm den Stuhl zu.

SCHWITTER: Auffangen!

Schaut sich um.

SCHWITTER: Mein Atelier. Es ist wieder das alte. Ich kann endlich sterben. In Ruhe, in Würde, in voller geistiger Konzentration.

Geht zum Bett, legt sich auf die Kränze.

SCHWITTER: Es lag nur an den Möbeln. Grandios, Nyffenschwander! Der Tod rast auf einen zu wie eine Lokomotive, die Ewigkeit pfeift einem um die Ohren, Schöpfungen heulen auf, krachen zusammen, ein Riesenunfall, das ganze –

NYFFENSCHWANDER: Sterben! Immer wollen Sie sterben und sterben nie!

Geht, außer sich, nach hinten, kommt mit dem Ofenhaken zurück.

NYFFENSCHWANDER: Beten Sie!

SCHWITTER: Fällt mir nicht ein.

NYFFENSCHWANDER: Es wird abgerechnet.

SCHWITTER: Bitte.

NYFFENSCHWANDER: Ich töte Sie.

SCHWITTER: Ich sterbe ohnehin.

NYFFENSCHWANDER: Ich schlage zu.

SCHWITTER: Ich habe ja gar nichts dagegen.

Der große Muheim tritt auf.

MUHEIM *donnernd:* Hände weg von einem Sterbenden!

NYFFENSCHWANDER: Er schlief mit meiner Frau, während ich draußen an der Türe rüttelte!

MUHEIM *ruhig:* Her damit.

Nyffenschwander gibt gehorsam den Haken her.

MUHEIM *ruhig:* Ich allein habe das Recht, Schwitter zu töten.

Wirft den Haken nach hinten.

MUHEIM: Ich töte ihn nicht.

Packt Nyffenschwander an der Brust und drängt ihn nach und nach durch die offene Türe.

MUHEIM *beherrscht:* Er nahm Ihre Frau, während Sie an der Türe rüttelten. Sie brauchen sich keine Illusionen zu machen. Aber ich machte mir Illusionen. Vierzig Jahre lang liebte ich eine Frau, ich, der große Muheim, der Baugigant, ich ging fast ein, als sie starb.

NYFFENSCHWANDER: Herr Muheim –

MUHEIM: Ich liebte sie. Sie wissen nicht, was das heißt, aber ich, ich mit meinen achtzig Jahren, ich, ich weiß es.

NYFFENSCHWANDER: Herr Muheim –

MUHEIM: Das Leben ist Macht, Kampf, Sieg, Erniedrigung und Verbrechen. Ich mußte mich damit beschmutzen, der Konkurrenzkampf kennt kein Pardon, der Gemeinste siegt, und ich war stets der Gemeinste und vermochte es nur, weil ich jemanden liebte, besinnungslos, unmäßig, jemanden, für den es sich lohnte, sich im Dreck zu wälzen, und nun stellt sich alles als eine Lüge heraus! Wissen Sie, was ich bin? Eine komische Nummer!

NYFFENSCHWANDER: Aber nein, Herr Muheim –

MUHEIM: Warum lachen Sie nicht über mich? Lachen Sie! Lachen Sie!

NYFFENSCHWANDER: Ich lache ja, Herr Muheim, ich lache ja!

MUHEIM: Und da kommen Sie mit ihrem Künstlerstolz und wollen sich rächen!

NYFFENSCHWANDER: Herr Muheim –

MUHEIM: Das läßt sich der große Muheim nicht gefallen, da täuschen Sie sich gewaltig, da kennt der große Muheim keinen Spaß. Sie sind nur in Ihrer Eitelkeit getroffen, ich bin erledigt, ausradiert, niedergestampft, verhöhnt, besudelt!

NYFFENSCHWANDER: Herr Muheim –

MUHEIM: Hinunter mit Ihnen!

NYFFENSCHWANDER: Hilfe! Herr Muheim! Hilfe!

MUHEIM: Hinunter!

Gepolter. Ein Schrei. Stille. Muheim kommt langsam und schweratmend zurück, die Türe bleibt offen.

MUHEIM: Ich schmetterte die Wanze die Treppe hinunter.

Öffnet den Kragen.

MUHEIM: Eine Mordshitze.

Schwitter klettert wieder aus dem Bett.

SCHWITTER: Irgend etwas stimmt immer noch nicht.

Ergreift einen Kranz.

SCHWITTER: Werfen Sie die Kränze vor die Türe.

Wirft ihn Muheim zu.

SCHWITTER: Vom Penclub.

Muheim fängt ihn auf.

MUHEIM: Der Wanze nach.

Wirft den Kranz zur Türe hinaus.

SCHWITTER: Von der Regierung. «Die dankbare Heimat ihrem großen Sohne.»

Wirft Muheim weitere Kränze zu, die zur Türe hinausgeworfen werden.

SCHWITTER: Vom Stadtpräsidenten, vom Nobelpreiskomitee, von der Unesco, vom Schriftstellerverein, vom Nationaltheater, vom Verlegerverband, von der Bühnengenossenschaft, von den Filmproduzenten, von den Büchergilden.

MUHEIM: Aufgeräumt.

Schwitter schaut sich um.

SCHWITTER: Das Bett – mehr gegen die Wand.

Verrückt das Bett.

MUHEIM: Auch die Bilder will ich wieder –

Dreht die Bilder gegen die Wand.

SCHWITTER: Der Tisch – leicht gegen die Mitte. Die beiden alten Stühle – Der Lehnstuhl –

Stellt die Möbel um.

MUHEIM: Schwitter. Ich raste mit meinem Cadillac in der Stadt herum. Ich übersah ein Rotlicht um das andere. Es wird Bußen hageln. Wäre ich nicht der große Muheim, mein Fahrausweis läge auf der Polizei. Aber ich bin der große Muheim. Ich kehrte zurück, um Ihre Leiche anzustarren. Stundenlang wollte ich Ihre Leiche anstarren. Mit einer Ahnung von einer höheren Gerechtigkeit, mit einem Gefühl, daß da oben ein Herrgott schalte und walte.

SCHWITTER: Tut mir leid.

MUHEIM: Sie sind zäh.

SCHWITTER: Ich bin selber baff.

MUHEIM: Die Bilder sind gegen die Wand gedreht.

Setzt sich erschöpft in den Lehnstuhl

MUHEIM: Zum ersten Mal, daß ich meine achtzig spüre.

SCHWITTER *zufrieden:* Jetzt stört mich nichts mehr. Ich klettere ins Bett zurück, und dann wird gestorben.

MUHEIM: Mensch, das will ich hoffen.

Schwitter steigt ins Bett und deckt sich zu.

SCHWITTER: Höchste Zeit.

MUHEIM: Und wie.

Schwitter schaut sich aufs neue um.

SCHWITTER: Ich weiß nicht –

MUHEIM: Fehlt noch was?

SCHWITTER: Ich brauche *doch* Feierlichkeit. Wenn Sie mir vielleicht die beiden Kerzen neben das Bett stellen würden –

MUHEIM: Sicher.

Stellt die beiden Kerzen auf die Stühle neben dem Bett.

MUHEIM: Anzünden?

SCHWITTER: Und die Vorhänge ziehen!

MUHEIM: Wird gemacht.

Zündet die Kerzen an, zieht die Vorhänge. Es ist wieder feierlich im Atelier.

MUHEIM: In Ordnung?

SCHWITTER: Zufrieden.

Muheim setzt sich wieder in den Lehnstuhl.

MUHEIM: Na, dann los!

SCHWITTER: Nur Geduld.

Schweigen.

MUHEIM: Nun?

SCHWITTER: Muheim?

MUHEIM: Sterben Sie mal!

SCHWITTER: Gebe mir Mühe.

MUHEIM: Ich warte.

SCHWITTER: Fühle mich eigentlich ganz wohl.

MUHEIM *erschrocken:* Verflucht.

SCHWITTER: Aber der Puls –

Fühlt.

MUHEIM: Na?

SCHWITTER: Geht langsamer.

MUHEIM: Gott sei Dank.

SCHWITTER: Nur Geduld.

MUHEIM: Haben Sie noch zu saufen?

SCHWITTER: Auguste.

Stille.

SCHWITTER: Auguste! Hopp!

Stille.

SCHWITTER *enttäuscht:* Niemand.

MUHEIM: Die Malersfrau ist der Wanze schon davongelaufen.

Will sich eine Zigarre anzünden, erschrickt.

MUHEIM: Verzeihung. Entschuldigung.

SCHWITTER: Rauchen Sie ruhig!

MUHEIM: Nicht bei einem Sterbenden.

SCHWITTER: Ich hätte auch gern eine.

MUHEIM: Selbstverständlich.

SCHWITTER: So zum letzten Mal.

MUHEIM: Verstehe.

Reicht ihm das Etui hin.

MUHEIM: Havanna.

SCHWITTER: Werden auch rarer.

MUHEIM: Feuer.

SCHWITTER: Danke.

MUHEIM: Noch ein Kranz.

Geht zur Türe, wirft den Kranz hinaus und schließt die Türe, geht zum Lehnstuhl, setzt sich, steckt die Zigarre in Brand.

MUHEIM: Schwitter. Ich war mit meiner Frau glücklich. Daß sie mit Ihnen im Bette lag, sollte keine Rolle mehr spielen.

Pafft.

MUHEIM: Sie ist tot. Und überhaupt. Was paart sich nicht alles. Wer betrügt nicht, und wer wird nicht betrogen. Wie in einem Kaninchenstall geht's zu. Aber trotzdem. Es spielt eine Rolle. Daß ich meiner Frau treu war und daß ich glaubte, sie wäre mir treu – dieses bißchen Anständigkeit in meinem Leben – der große Muheim baute auf Sand, das Fundament sackt ab.

Springt auf und schmettert die Zigarre gegen den Ofen.

MUHEIM: Ich kenne die Wahrheit nicht, Schwitter, das quält mich zu Tode. Mit wem schlief sie noch? Mit den Stadträten? Mit den Mitgliedern der Baukommission? Mit meinen Rechtsanwälten? Mit ihren Ärzten? Mit den Herren vom Golf oder mit jenen vom Reitclub Rotweiß? Mit welchen Künstlern noch? Sie kannte alle. Und warum waren oft italienische Arbeiter im Haus? Warum? Mein Gott, mit wem hat Elfriede noch geschlafen?

SCHWITTER: Elfriede?

MUHEIM: Elfriede.

SCHWITTER: Ihre Frau hieß Marie.
MUHEIM *stutzt:* Mensch.
SCHWITTER: Sie wohnten in der Amalienstraße.
MUHEIM *kalt:* Mann. Ich wohne seit fünfzig Jahren in einer Villa in der Oranienallee, und meine Frau hieß Elfriede.
SCHWITTER: Sicher?
MUHEIM: Ich bin kein Trottel.
SCHWITTER: Verflixt.

Pafft.

SCHWITTER: Muheim, ich kannte nie eine Elfriede. Ich verwechselte Ihre Gattin offenbar mit der Frau eines Hausbesitzers in der Bertholdgasse, wo ich später wohnte.
MUHEIM: Sie nehmen mich wohl hoch?
SCHWITTER: Ihre Frau war Ihnen treu.
MUHEIM: Himmelherrgottsdonner!
SCHWITTER *nachdenklich:* Aber eigentlich – Marie hieß die auch nicht –

Setzt sich auf und pafft weiter.

SCHWITTER: In der Agonie kommt mir alles durcheinander.

Läßt die Beine zum Bett heraushangen.

SCHWITTER: Muheim, vielleicht war es doch Ihre Gattin Irmgard –
MUHEIM: Elfriede!
SCHWITTER: Jedenfalls erinnere ich mich noch an zwei steinerne Löwen vor ihrem Hause in der Oranienallee.
MUHEIM *brüllt:* Ich habe keine Löwen. Ich habe nie Löwen gehabt!
SCHWITTER: Keine? Merkwürdig.

Ins Atelier kommen Kriminalinspektor Schafroth und Professor Schlatter, letzterer bebrillt und mit einem Ärzteköfferchen; gefolgt von zwei Polizisten und Glauser, die drei mit den Kränzen, die von Muheim hinausbefördert worden waren.

INSPEKTOR: Unten im Treppenhaus liegt ein Mann. Der Kunstmaler Hugo Nyffenschwander. Verheiratet. Vater von zwei Kindern.

Schweigen. Muheim wendet sich dem Inspektor zu.

MUHEIM: Muheim. Der große Muheim.

INSPEKTOR: Herr Muheim?
MUHEIM: Ich schmetterte die Wanze die Treppe hinunter.
Schweigen.
GLAUSER: Jesses, jesses.
Schweigen.
INSPEKTOR: Stellt die Kränze an die Wand.
ERSTER POLIZIST: Jawohl, Herr Inspektor.
GLAUSER: Herr Schwitter ist auch wieder lebendig.
Stellt mit den beiden Polizisten die Kränze an die Wand.
ZWEITER POLIZIST: An die Wand gestellt, Herr Inspektor.
INSPEKTOR: Inspektor Schafroth von der städtischen Kriminalpolizei. Ich muß Sie bitten, mich zu begleiten. Am besten wir fahren mit Ihrem Wagen, Herr Muheim.
MUHEIM: Wozu?
Schweigen.
SCHLATTER: Professor Schlatter von der städtischen Klinik, Herr Muheim.
MUHEIM: Nun?
Schweigen.
SCHLATTER: Der Mann ist tot.
Schweigen.
MUHEIM *verstört:* Aber ich habe ihn doch nur ganz leicht –
Schweigen.
MUHEIM *leise:* Hin.
GLAUSER: Schon der zweite diesen Nachmittag, Herr Muheim.
Muheim wendet sich langsam Schwitter zu, der weiter pafft.
MUHEIM *hilflos:* Schwitter, ich tötete einen Menschen.
Der Inspektor gibt ein Zeichen, und die beiden Polizisten treten neben Muheim.
MUHEIM: Schwitter. Sie ringen mit dem Tode. Ihr Geist weilt in anderen Regionen. Wir sind Ihnen gleichgültig. Dennoch. Ich muß Gewißheit haben. Hat mich – hat meine Frau mich mit Ihnen –
Schwitter pafft ruhig vor sich hin.
SCHWITTER: Ich weiß nicht.
MUHEIM: Schwitter. Ich vertrage ja viel. Aber – ich darf doch nicht umsonst getötet haben –

SCHWITTER: Die Wahrheit –
MUHEIM: Ich muß sie wissen.
SCHWITTER: Muheim.
Strahlt.
SCHWITTER: Ich erinnere mich.
Lacht.
SCHWITTER: Die Geschichte ist erfunden, Muheim.
MUHEIM *fassungslos:* Erfunden?
SCHWITTER: Im Todeskampf eingebildet. Nicht zu glauben, ich hielt eine meiner Novellen für wirklich. Ich phantasierte, Muheim, ich phantasierte, ich zahlte meine Hundert pünktlich mit der Post ein und stieg nie zu Ihrer Gattin ins Bett.
MUHEIM *verständnislos:* Nie –
SCHWITTER: Nur die Geschichte meiner ersten Frau mit dem Weinhändler stimmt.
MUHEIM: Sie erzählten von einem Metzger.
SCHWITTER: Metzger? Auch möglich.
MUHEIM: Erstunken und erlogen.
SCHWITTER: Zum Totlachen.
Muheim beginnt zu toben.
MUHEIM: Den Haken! Den Haken!
Die Polizisten bändigen ihn. Muheim wird plötzlich ruhig und würdig.
MUHEIM: Verzeihung. Ich war außer mir.
INSPEKTOR: Bitte.
MUHEIM: Schwitter.
SCHWITTER: Großer Muheim.
MUHEIM: Warum erledigten Sie mich?
SCHWITTER: Zufällig.
MUHEIM *hilflos:* Ich – ich tat Ihnen doch nichts.
SCHWITTER: Sie gerieten in mein Sterben.
Schweigen.
MUHEIM: Der große Muheim ist alt. Uralt.
INSPEKTOR: Gehen wir.
MUHEIM: Gehen wir.
Sie führen ihn ab.

SCHLATTER: Luft und Licht in die Stinkbude!

Reißt die Vorhänge zurück, öffnet das Fenster, löscht die Kerzen.

SCHWITTER *düster:* Ich lebe noch.

SCHLATTER: Als Mediziner weiß ich diese Tatsache vollauf zu würdigen. Ich stellte zweimal Ihren Tod fest, und Sie rauchen eine Zigarre.

SCHWITTER: Ich kann nichts für Ihre Fehldiagnosen.

SCHLATTER: Fehldiagnosen.

Öffnet das Köfferchen.

SCHLATTER: Ich stellte in Ihrem Falle keine Fehldiagnosen, mein Bester.

SCHWITTER: Ich bin schließlich nicht tot.

SCHLATTER: Nicht mehr.

SCHWITTER: Reden Sie mir nur nicht auch noch ein, ich sei auferstanden.

SCHLATTER: Ich tische Ihnen sicher keine theologische Begründung auf.

SCHWITTER: Ein Skandal, daß ich noch lebe.

SCHLATTER: Das kann man wohl sagen, mein Lieber.

Entnimmt dem Köfferchen ein Stethoskop, setzt sich an den Tisch.

SCHLATTER: Untersuchen wir Sie wieder mal. Kommen Sie her.

Schwitter legt die Zigarre auf den Ofen und stellt sich vor Schlatter hin.

SCHLATTER: Zuerst den Puls.

SCHWITTER: Er ging vorhin sehr langsam.

SCHLATTER: Klappe halten!

Greift.

SCHLATTER: Junge.

Starrt ihn ungläubig an.

SCHLATTER: Freimachen!

Untersucht ihn mit dem Stethoskop.

SCHLATTER: Tief atmen! Noch einmal!

Schwitter atmet tief.

SCHLATTER: Husten!

Schwitter hustet.

SCHLATTER: Menschenskind.

Starrt ihn aufs neue ungläubig an.

SCHLATTER: Hinsetzen!

Schwitter setzt sich in den Lehnstuhl.

SCHLATTER: Neugierig auf den Blutdruck.

Legt ihm den Blutdruckmesser um, mißt.

SCHLATTER: Heiliger Äskulap.

Mißt.

SCHLATTER: Der Angstschweiß bricht mir aus.

Starrt vor sich hin.

SCHWITTER: Untersucht?

SCHLATTER: Untersucht.

Legt den Blutdruckmesser und das Stethoskop ins Köfferchen zurück, Schwitter erhebt sich.

SCHLATTER: Heiß.

Reinigt die Brille.

SCHLATTER: Als ob die Sonne überhaupt nicht unterginge.

SCHWITTER: Der längste Tag.

SCHLATTER: Der jüngste Tag.

Setzt die Brille wieder auf.

SCHLATTER: Wenigstens für uns Mediziner. Freundchen, ich bin eigentlich gekommen, Ihren werten Leichnam sicherzustellen.

SCHWITTER: Nehme ich an.

SCHLATTER: Noch nicht so weit.

SCHWITTER: Endlich werden auch Sie ungeduldig.

SCHLATTER: Mein Bester, die Medizin erlitt die größte Schlappe des Jahrhunderts. Ihre Herztöne und Lungengeräusche sind prachtvoll in Ordnung.

Schweigen.

SCHLATTER: Mir ist trostlos zu Mute.

Schweigen.

SCHLATTER: Einfach scheußlich.

Erhebt sich.

SCHLATTER: Auch der Blutdruck ist nahezu ideal.

SCHWITTER: Das ist nicht wahr! Ich verfaule, ich verwese! Ich liege in den letzten Zügen!

SCHLATTER: Ihre Konstitution ist einmalig.
SCHWITTER: Sie lügen.
SCHLATTER: Verehrter Meister, wenn Sie mir jetzt nicht glauben –
SCHWITTER: Sie logen immer.
SCHLATTER: Ich bin Chirurg.
SCHWITTER: Mein Lieber, noch eine Operation, und wir sind über den Damm, noch ein kleiner Eingriff, verehrter Meister, und wir haben das Schlimmste hinter uns, noch eine Behandlung, mein Bester, und wir sind wieder flott.
SCHLATTER: Flunkern war bei Ihrem katastrophalen Zustand ein schlichtes Gebot der Menschlichkeit.
SCHWITTER: Ich glaube Ihnen kein Wort.
SCHLATTER: Ein Grund, Sie anzuschwindeln, besteht moralisch nicht mehr.
SCHWITTER *brüllt:* Ich sterbe.
SCHLATTER: Sicher einmal.
SCHWITTER: Jetzt!

Schweigen.

SCHWITTER: Seit Stunden warte ich auf meinen Tod!
SCHLATTER: Ich seit Monaten, und nun ist sogar Ihre Peristaltik wieder in Schwung geraten.

Verleger Koppe betritt das Atelier mit einem Kranz, stutzt.

KOPPE: Nanu! Schwitter!

Schwitter springt ins Bett.

KOPPE: Professor Schlatter! Er lebt schon wieder!
SCHLATTER: Und wie.
KOPPE: Sapperlot! Können Sie mir erklären –
SCHLATTER: Es gibt nichts zu erklären.
KOPPE: Aber Sie stellten doch seinen Tod fest.
SCHLATTER: Sicher.
KOPPE: Zum zweiten Male. In meiner Anwesenheit.
SCHLATTER: Er war auch zum zweiten Male tot.
KOPPE: Einfach genial.
SCHWITTER: Ich finde es gar nicht genial, ich finde es hundsgemein.

KOPPE: Ich bin in rasender Eile! Ich komme nur auf einen Sprung. Weiss Gott, ich bin es gewohnt, von meinen Autoren was zu erleben, doch was du dir da leistest, Wolfgang, ist mir noch nicht vorgekommen. Wie machst du das eigentlich?

SCHWITTER: Keine Ahnung.

KOPPE: Gestatte, daß ich mich zu dir setze.

Stellt den Kranz an den Ofen.

KOPPE: Von mir. Privat.

Setzt sich zu Schwitter auf den Bettrand.

KOPPE: Nur um zu verschnaufen. Ich muß gleich weiter. Verlegerbankett, Bühnenverband, Gottfried Keller-Stiftung – Und rauchen tust du auch.

SCHWITTER: Meine letzte Zigarre.

KOPPE: Einfach genial! Sich vorzustellen, daß ich dir in diesem Atelier schon einmal die Augen zudrückte!

SCHWITTER: Aufmerksam.

KOPPE: Deine Hände faltete.

SCHWITTER: Nett.

KOPPE: Die Blumen und Kränze ordnete.

SCHWITTER: Lieb.

KOPPE: Sag mal, hast du selber ummöbliert?

SCHWITTER: Selber.

KOPPE: Phantastisch. Eben traf ich in der Bar deinen Sohn. Er behauptet, du hättest deine letzten Manuskripte verbrannt.

SCHWITTER: Sie waren nichts wert.

KOPPE: Auch seien anderthalb Millionen verglüht.

SCHWITTER: Ich fror.

KOPPE: Einfach genial.

SCHWITTER: Davon gehörten dreihunderttausend dir.

KOPPE: Fünfhunderttausend. Großartig. Mein Verlag ging sozusagen mit in Flammen auf.

SCHWITTER: Ruiniert?

KOPPE: Nach Strich und Faden.

SCHWITTER: Deshalb bist du gekommen?

KOPPE: Mein Lieber, ich konnte wirklich nicht annehmen, daß ich mich noch einmal in diesem Leben mit dir unterhalten könnte. Ich wollte eine stille Minute bei meinem toten Freund verbringen, das war alles. Doch muß ich davonstürzen. Wolfgang, ich drücke dir zum letzten Mal die Hand. Stirbst du wirklich?

SCHWITTER: Wirklich.

KOPPE: Bist du sicher?

SCHWITTER: Ganz sicher.

KOPPE: Man könnte dich sonst ins Christliche uminterpretieren, und mein Verlag wäre gerettet.

SCHWITTER: Nichts zu machen.

KOPPE: Warten wir ab.

Erhebt sich.

KOPPE: Ich würde an deiner Stelle langsam mißtrauisch. Sterben ist bei dir geradezu eine Geisteshaltung geworden, du stirbst mit einer Energie drauf los, der niemand mehr gewachsen ist. Dabei lebst du aber, kommt dir das denn auch nicht unheimlich vor? Du solltest es wieder mit dem Leben versuchen, Wolfgang, wenigstens so lange du lebst. Doch nun hinaus. Im Eiltempo! Professor, mir graut vor Ihnen. Respekt vor Ihrer Kunst, aber diesmal scheinen Sie mir ganz fatale Irrtümer begangen zu haben.

Ab. Schwitter erhebt sich, wirft die Zigarre in den Ofen.

SCHWITTER: Machen wir Schluß. Geben Sie mir eine Spritze.

Wirft sich wieder hin, dreht sich auf den Bauch.

SCHWITTER: Es wird erbärmlich.

Schlatter starrt ihn an.

SCHLATTER: Hätt ich nur! Hätt ich nur! Mein Lieber, ich war unzählige Male nahe daran, Ihnen aus lauter Barmherzigkeit eine tödliche Dosis zu injizieren. Kein Mensch hätte mir einen Vorwurf gemacht. Sie waren der schönste hoffnungslose Fall, den ich je auf dem Schragen hatte.

Schließt das Köfferchen.

SCHLATTER: Doch statt Sie einfach sterben zu lassen, muß mich der Teufel reiten, und ich kämpfe um Ihr Leben. Tagelang kam ich nicht aus den Klamotten! Ich schloß Sie an eine künstliche Niere, ich operierte Därme aus Plastik in Ihren Bauch. Ich pumpte Ihre Lungen mit Giftgas voll. Ich verseuchte Sie mit radioaktiven Elementen. Ohne an Ihre Heilung zu glauben, das ist das Tragische. Ich stemmte mich blindwütig gegen Ihren

Exitus, aber jeder Assistenzarzt, der Ihrem Leben auch nur die leiseste Chance gegeben hätte, wäre von mir eigenhändig aus der Klinik geworfen worden!

SCHWITTER: Spritzen Sie endlich!

SCHLATTER: Sie sind wohl von Sinnen.

SCHWITTER: Ich flehe Sie an.

SCHLATTER: Unmöglich.

SCHWITTER: Ihre Skrupel sind unverständlich.

SCHLATTER: Skrupel? Verehrtester, Sie waren so liederlich, nicht zu sterben, seien Sie nun wenigstens so anständig, sich in meine Haut zu versetzen! Wenn ich Ihnen in der Klinik eine Spritze gegeben hätte, wären Sie längst begraben, gebe ich sie Ihnen jetzt, läßt der Staatsanwalt *mich* begraben. Begreifen Sie denn meine Zwangslage nicht?

Tobt.

SCHLATTER: Es ist schauerlich. Die denkende Welt ist von meiner Lächerlichkeit überzeugt und die glaubende von Ihrer Auferstehung, Menschenskind, *das* ist die Katastrophe. Für die einen bin ich verblödet und für die andern von Gott veräppelt, so oder so bin ich blamiert.

Setzt sich an den Tisch.

SCHLATTER: Daß mir ausgerechnet ein Nobelpreisträger auferstehen muß! Der Gesundheitsminister schnauzte mich telephonisch an, und der Kulturminister war nur zu beruhigen, indem ich ihm Ihren Tod für heute nachmittag hoch und heilig in die Hand versprach: Nun steht er da mit seiner Rede und mit seinem Staatsbegräbnis. Der Skandal ist gigantisch. Alles fällt auf mich. Dabei schenkte ich der Welt die Schlattersche Quetschzange und verbesserte die Knochensäge! Nehmen Sie Ihren Mantel.

SCHWITTER: Wozu?

SCHLATTER: Sie kehren mit mir stante pede in die Klinik zurück.

SCHWITTER: In die Klinik?

SCHLATTER: Sie hören schon richtig, mein Lieber.

SCHWITTER: Was soll ich dort?

SCHLATTER: Ich nehme Sie klinisch auseinander, daß Ihnen Hören und Sehen vergeht. Ich fühle den Auferstehungen mal auf den Zahn. Ich wette, daß Sie überhaupt noch leben, ist ein rein neurotisches Phänomen.

SCHWITTER: Der Tanz soll aufs neue beginnen.

SCHLATTER: Es gibt keine andere Möglichkeit, mich zu rehabilitieren. Man lauert längst auf meinen Fall. Wenn ich nicht einwandfrei beweise, daß Sie zweimal gestorben sind, finde ich nicht einmal mehr bei den Unterentwickelten ein Fortkommen.

SCHWITTER: Es wird immer unanständiger.

SCHLATTER: Sausen wir los!

SCHWITTER: Um mich weiterzuquälen!

SCHLATTER: Um Sie endlich heilen zu können! Endgültig. Machen Sie sich doch nichts vor! Über Ihren Allgemeinzustand dürfen wir Loblieder singen, aber sonst! Ihr Magen muß raus, habe ich immer gepredigt. Ist Ihre Speiseröhre einmal direkt mit Ihrem Dünndarm verbunden, liegt nicht nur eine momentane, sondern auch eine dauernde Besserung im Bereich des Möglichen. Courage, verehrter Meister, nur jetzt nicht schlapp machen. Sogar *ich* bin optimistisch.

Schweigen.

SCHWITTER: Nein.

SCHLATTER: Schwitter!

SCHWITTER: Ich will nicht wieder hoffen.

SCHLATTER: Mann Gottes, Sie *dürfen* wieder hoffen!

SCHWITTER: Ich habe genug gehofft. Ich pfeife auf die Hoffnung.

Schweigen.

SCHLATTER: Soll das heißen –

Erhebt sich.

SCHLATTER: Verehrter Meister, ich falle aus allen Wolken. Sie weigern sich, mich zu begleiten?

SCHWITTER: Lassen Sie mich allein!

Deckt sich zu.

SCHLATTER: Es läuft mir eiskalt über den Rücken. Ich kämpfe um Ihr Leben, und Sie lassen mich im Stich.

SCHWITTER: Sie lassen *mich* im Stich.

SCHLATTER: Herr Schwitter –

Schweigen.

SCHLATTER: Sie dürfen mich nicht davonjagen.

SCHWITTER: Machen Sie, daß Sie hinauskommen!

SCHLATTER: Ich bin Arzt. Ich verlor das Vertrauen meiner Patienten. Geben Sie mir noch eine Chance!

SCHWITTER: Wir haben beide keine Chance mehr.

SCHLATTER: Sie vernichten mich.

SCHWITTER: Vielleicht.

SCHLATTER: Diese Demütigung ertrage ich nicht.

SCHWITTER: Möglich.

SCHLATTER: Ich mache mit meinem Leben Schluß.

SCHWITTER: Kann sein.

SCHLATTER: Ich flehe Sie an.

SCHWITTER: Meine letzten Minuten möchte ich ohne Ihre Visage erleben.

Schweigen.

SCHLATTER: Jetzt bringt Ihre Todesraserei auch mich zur Strecke.

In der Türe erscheint Frau Nomsen, dick, hart, dunkles Kleid, Hut, in der Hand weiße Nelken.

FRAU NOMSEN: Großer Gott!

SCHWITTER: Wer sind denn Sie jetzt?

FRAU NOMSEN: Der Herr Schwitter! Da bin ich aber verlegen. Das kommt unerwartet. Die Herren entschuldigen, ich muß mich setzen, ich bin eine alte Frau, reif für den Friedhof, überreif die Anstrengung des Treppensteigens, die Überraschung –

Watschelt nach vorne.

FRAU NOMSEN: Sitze gern hart, im Hotel Bellevue sitze ich auch hart.

Setzt sich.

FRAU NOMSEN: Ich bin dort Abortfrau, Herr Schwitter, und darum kenne ich Sie. Ich überblicke von meinem Posten aus die Frauen- und Männerabteilung. Großer Gott, meine Beine. Geschwollen.

Massiert ihre Beine.

SCHLATTER: Das ist das Ende.

Taumelt ab.

FRAU NOMSEN: Das war Professor Schlatter. Kenne ihn auch.

SCHWITTER: Raus mit Ihnen oder ich werde handgreiflich!

FRAU NOMSEN: Ich bringe Blumen.

SCHWITTER: Kein Bedarf.

FRAU NOMSEN: Nehmen Sie sie ungeniert. Sie kosten mir nichts. Ich beziehe sie von einem Totengräber, und der stiehlt sie frisch vom Grab. Ich wollte die Nelken auf Ihr Totenbett legen, Herr Schwitter, ich sehe Leichen fürs Leben gern, doch nun sind Sie gar nicht gestorben. Im Gegenteil. Sie sehen wie neugeboren aus. Strotzend, das ist der richtige Ausdruck. Als ich Sie zum letztenmal im Bellevue sah, wirkten Sie blaß und aufgedunsen, bloß, natürlich, die Beleuchtung ist schummrig. Bitte.

Hält ihm entrüstet die Blumen hin.

SCHWITTER *ärgerlich:* Ich nehme nicht an, daß Sie als Verehrerin meiner Werke gekommen sind.

FRAU NOMSEN: Auch, Herr Schwitter, auch. Ich besuche jeweilen die Volksvorstellungen und finde Ihre Stücke hochbegabt.

SCHWITTER *grob:* Schmeißen Sie das Gemüse zu den Kränzen und gehen Sie!

Sie wirft die Blumen nach hinten.

FRAU NOMSEN: Ich bin Frau Nomsen. Frau Wilhelmine Nomsen, Olgas Mutter. Sie sind mein Schwiegersohn.

SCHWITTER: Die Kleine erzählte mir nie von Ihnen.

FRAU NOMSEN: Will ich hoffen. Das verbot ich strikte. Eine Abortfrau als Mutter hätte ihrer Karriere geschadet, die Männer sind in diesem Punkt empfindlich, und gar ein Nobelpreisträger – nein, Herr Schwitter, das war Ihnen nicht zumutbar, ich bewunderte Sie lieber im verschwiegenen – also ich muß staunen, wie prächtig Sie aussehen. Blühend. Dabei glaubte Olga, Sie stürben.

SCHWITTER: Sie täuschen sich gewaltig.

Richtet sich auf.

SCHWITTER: Wenn Sie einem Sterbenden eine letzte Bitte erfüllen wollen, zünden Sie die Kerzen an, bevor Sie gehen, und ziehen Sie die Vorhänge!

FRAU NOMSEN: Gern, Herr Schwitter, gern. Bloß aufstehen, Herr Schwitter, jetzt wo ich sitze – nein. Ich bin eine alte kranke Frau, und Sie konstatieren selber, wie ich schnaufe.

Schnauft.

SCHWITTER: Na schön. Dann erweis' ich mir den letzten Liebesdienst eben selber.

Erhebt sich, zündet die Kerzen an, zieht die Vorhänge, im Atelier ist es wieder feierlich.

FRAU NOMSEN: Der Grund, Herr Schwitter, weshalb ich gekommen bin: Olga ist tot.

Schwitter starrt sie an.

SCHWITTER: Olga?

FRAU NOMSEN *sachlich:* Mein Kind nahm in meiner Wohnung Gift, mein Herr, sie kannte einmal auch einen Apotheker, vor der Ehe mit Ihnen natürlich.

Schwitter setzt sich langsam auf den Bettrand nieder.

SCHWITTER: Das kommt mir unerwartet.

FRAU NOMSEN: Sie muß gleich tot gewesen sein. In ihrer Handtasche fand ich die Adresse dieses Ateliers.

SCHWITTER: Tut mir leid, Frau –

FRAU NOMSEN: Nomsen. Mein Vater war ein Franzose, hieß dö – dö – jedenfalls hieß er französisch, und Olgas Vater war auch ein Franzose, nur wie er hieß, weiß ich nicht, ebenso die Väter von Inge und Waldemar, ich habe noch zwei weitere Kinder. Eine Familie muß logisch zusammengeboren werden, bloß keine Phantasiemischung.

Schnauft.

FRAU NOMSEN: Mein Herz. Na ja, ideal ist die Luft im Bellevue gerade nicht, trotz der Klimaanlage. Man serbelt ab.

Öffnet ihre Handtasche.

FRAU NOMSEN: Bemühen Sie sich nicht! Aber ich muß jetzt eine Pille nehmen.

SCHWITTER: Selbstverständlich.

Geht in den Hintergrund, kommt mit einem Glas Wasser zurück.

SCHWITTER: Bitte.

Frau Nomsen nimmt eine Pille, trinkt.

FRAU NOMSEN: Die Inge kennen Sie auch.

SCHWITTER: Nicht daß ich wüßte.

FRAU NOMSEN: Sie tritt unter dem Namen Inge von Bülow auf.

SCHWITTER: Ich erinnere mich an den Namen dunkel.

FRAU NOMSEN: Sie erinnern sich nicht an den Namen dunkel, sondern an ihre großartigen Brüste. Inge ist Striptease-Künstlerin und besitzt ein internationales Renommee. Auch Waldemar ist gut gewachsen. Er war ein lieber Bub, etwas still und verträumt, aber das war ich ja auch, und ich ließ ihn besonders sorgfältig erziehen, Sekundarschule, Handelsgymnasium, da geht er hin und unterschlägt bei Häfliger und Kompanie. Nicht daß ich etwas gegen Kriminelle hätte, meine Mutter war eine, und mein Vater soll auch einer gewesen sein, doch dazu braucht man keine Bildung, der gesunde Menschenverstand reicht. Bildung braucht man, um mit geringerem Risiko größere Geschäfte abzuwickeln, als das kriminell je möglich wäre. Schwamm darüber. Die vier Jahre sind bald um. Im September, und in die Armee braucht er auch nicht einzutreten, die nehmen zum Glück keine Kriminellen.

SCHWITTER: Meine gute Frau Momsen –

FRAU NOMSEN: Nomsen, nicht Momsen. Komisch. Viele sagen Momsen zu mir. Auch der Direktor im Bellevue sagt immer Momsen. Er verirrt sich öfters zu mir herunter, obgleich er doch eine private Bequemlichkeit – großer Gott, mein Rücken. Die sitzende Lebensweise, die Zugluft, die Nässe – im Bellevue unten ist zwar alles isoliert, aber vom ewigen Spülen wird mit der Zeit jede hygienische Anlage feucht – ich setze mich doch lieber in den Lehnstuhl.

Erhebt sich mühsam.

SCHWITTER: Darf ich Ihnen behilflich –

FRAU NOMSEN: Lieber nicht. Sie sind Nobelpreisträger, und ich bin Abortfrau, Welten trennen uns, da muß die Distanz gewahrt bleiben.

Watschelt zum Lehnstuhl, setzt sich, faltet die Hände und schnauft, schließt die Augen.

SCHWITTER: Stören Sie die Kerzen?

FRAU NOMSEN: Lassen Sie die bloß brennen! Die Beleuchtung ist wie im Bellevue unten vor der Renovation.

SCHWITTER: Schwül.

FRAU NOMSEN: Mich friert.

Schwitter deckt ihre Beine mit seinem Pelzmantel zu.

FRAU NOMSEN *zurückgelehnt, jenseitig:* Herr Schwitter, ich möchte noch einmal betonen, daß nur die falsche Nachricht von Ihrem Tode uns verhängnisvoll zusammenfügt. Doch nun ist das Unglück geschehen, und ich muß Sie mir vorknöpfen.

Schwitter setzt sich wieder aufs Bett.

FRAU NOMSEN *majestätisch:* Ich bereitete Olga gewissenhaft auf ihren Beruf vor. Sie hatte es leichter als ich, sie blieb von den Unbequemlichkeiten des konventionellen Strichs verschont, ich mußte mich hinaufarbeiten, und wenn ich in meinem Alter noch als Abortfrau tätig bin, so doch bloß, weil die naturbedingte Änderung der Geschäftstaktik es nötig macht: Ich lebe von den Adressen, die die Herren von mir erfragen, steigen sie im Bellevue herunter, der Portier ist mit zwanzig Prozent, die Mädchen mit dreißig beteiligt. Sie sehen, ich bin nicht unsozial. Olga dagegen? Ich ließ meinem Kinde achtzig Prozent, freilich bekam der Portier nichts, sie besaß eine angenehme Wohnung, und das Luder muß heiraten!

Schwitter will etwas sagen, doch Frau Nomsen läßt ihn streng und unerbittlich nicht zu Wort kommen.

FRAU NOMSEN: Ich weiß, Sie waren mit ihr glücklich. Sie vergnügten sich mit ihr, aber dazu war sie schließlich da. Weshalb dann noch eine Ehe? Wo wäre ich heute, Herr Schwitter, wenn ich eine Ehe geführt hätte? Ich will es Ihnen sagen, nicht auszudenken wäre das. Und jetzt? Ich besitze zwei Villen im englischen Viertel und ein Geschäftshaus im Zentrum. Nein, Herr Schwitter, unsereiner wird in Ehren grau, aber verheiratet sich nicht. Man hat seinen Stolz, oder geht unter. Die Bestätigung haben wir jetzt. Wir beklagen mein Kind. Wissen Sie warum? Weil sich Olga Gefühle leistete, ich warnte sie immer davor, doch einer Mutter Wort schlägt man in den Wind. Sie, als Schriftsteller, leisteten Sie sich je Gefühle in Ihrem Beruf? Sehn Sie! Gefühle hat man nicht zu haben, die hat man zu machen. Wenn der Kunde es verlangt. Gefühle gehören nicht ins Geschäft, es sei denn, man mache eines damit. Mein Kind hat ein verdammt schlechtes gemacht.

SCHWITTER: Frau Nomsen –

FRAU NOMSEN: Das mußte einmal gesagt sein, Herr Schwitter.

SCHWITTER: Meine verehrte Frau Schwiegermama –

FRAU NOMSEN: Frau Nomsen bitte.

SCHWITTER: Meine verehrte Frau Nomsen –

FRAU NOMSEN: Herr Schwitter, ich besitze nicht Ihre saftige Gesundheit. Ein Wunder, daß ich noch lebe. Ich tu es bloß wegen Waldemar. Ich muß ihm die Wohnung sauber halten und sie in Ordnung übergeben können, kehrt er heim, jetzt, wo Inge in den Vereinigten Staaten von Amerika arbeitet. Der Junge darf sich keine Illusionen mehr machen. Er hat zu lernen, nichts als ein reicher Mann zu sein, das hämmere ich ihm ein. Er hat von den Zinsen zu leben, und damit basta. Ich kenne ihn. Arbeitet er, kommt er auf Ideen und landet gleich im Zuchthaus. Unsere Kinder haben das Recht, untüchtiger als wir zu sein, Herr Schwitter. Der Tod Olgas ist mir eine fürchterliche Lehre! Ich wollte beruflich zu hoch hinaus mit ihr, doch dem Geschäftsleben war sie nicht gewachsen und flüchtete in Ihre Arme. In die Arme eines Nobelpreisträgers!

Schweigen.

SCHWITTER: Ich danke Ihnen, meine liebe Frau Nomsen, daß Sie zu mir heraufgestiegen sind. Endlich kann ich mit jemandem reden. Sie sind mir ungemein sympathisch. Sie verkauften Fleisch für Geld, ein ehrliches Geschäft. Ich beneide Sie. Sie gaben sich mit Hurerei ab, ich bloß mit Literatur. Gewiß, ich gab mir Mühe, anständig zu bleiben. Ich schrieb nur, um Geld zu verdienen. Ich ließ keine Moralien und Lebensweisheiten von mir. Ich erfand Geschichten und nichts weiter. Ich beschäftigte die Phantasie derer, die meine Geschichten kauften, und hatte dafür das Recht, zu kassieren, und kassierte. Mit einem gewissen Stolz, Frau Nomsen, darf ich nachträglich sogar feststellen: Ich war Ihnen geschäftlich und moralisch nicht ganz unebenbürtig.

Erhebt sich.

SCHWITTER: Doch zur Sache. Die Kleine ist tot. Ich will mich weder rechtfertigen noch beschuldigen, derartige Geschmacklosigkeiten erwarten Sie nicht von mir. Schuld, Sühne, Gerechtigkeit, Freiheit, Gnade, Liebe, ich verzichte auf die erhabenen Ausreden und Begründungen, die der Mensch für seine Ordnungen und Raubzüge braucht. Das Leben ist grausam, blind und vergänglich. Es hängt vom Zufall ab. Eine Unpäßlichkeit zur rechten Zeit, und ich wäre Olga nie begegnet. Wir hatten Pech miteinander, das ist alles –

Schweigen.

SCHWITTER: Sie schweigen, Frau Nomsen. Für Sie hat das Leben noch einen Sinn. Ich hielt mich nicht einmal selber aus. Ich dachte beim Essen einem Auftritt nach und beim Beischlaf einem Abgang. Vor der ungeheuerlichen Unordnung der Dinge kerkerte ich mich in ein Hirngespinst aus Vernunft und Logik ein. Ich umstellte mich mit erfundenen Geschöpfen, weil ich mich mit wirklichen nicht abgeben konnte, denn die Wirklichkeit ist nicht am Schreibtisch faßbar, Frau Nomsen, sie erscheint nur in ihrer blaugekachelten Unterwelt. Mein Leben war nicht wert, daß ich es lebte.

Schweigen.

SCHWITTER: Denn es kamen die Schmerzen, Frau Nomsen, es kamen die Spritzen, es kam das Messer. Es kam die Erkenntnis, das Wissen. Es gab keine Flucht mehr in die Phantasie. Die Literatur ließ mich im Stich. Es gab nichts als meinen alten, fetten, brandigen Leib. Es gab nichts als das Entsetzen.

Schweigen.

SCHWITTER: Da ließ ich mich fallen. Ich fiel und fiel und fiel. Nichts mehr hatte Gewicht, nichts mehr einen Wert, nichts mehr einen Sinn. Der Tod ist das einzig Wirkliche, Frau Nomsen, das einzig Unvergängliche. Ich fürchte ihn nicht mehr.

Stutzt.

SCHWITTER: Frau Nomsen!

Schweigen.

SCHWITTER: Frau Nomsen!

Starrt sie an.

SCHWITTER: Reden Sie doch, Frau Nomsen!

Geht zu ihr, beugt sich über sie.

SCHWITTER: Frau Nom –

Entsetzen ergreift ihn. Er stellt die spanische Wand vor sie.

SCHWITTER: Auguste! Weggelaufen! Hauswart!

Reißt die Vorhänge zurück, öffnet das Fenster.

SCHWITTER: Die verfluchte Sonne! Sie geht auch nicht unter!

Rennt zur Türe, reißt sie auf.

SCHWITTER: Hauswart!

Jochen tritt auf.

JOCHEN: Mit den Tantiemen ist es auch nichts.

Schwitter kauert sich aufs Bett.

JOCHEN: Ich komme aus der Bar. Koppe hat mich aufgeklärt. Du bist aus der Mode gekommen, Alter. Deine Bücher verschimmeln in Leihbibliotheken, deine Stücke sind vergessen. Die Welt will harte Tatsachen, keine erfundenen Geschichten. Dokumente, keine Legenden. Belehrung, nicht Unterhaltung. Der Schriftsteller engagiert sich oder wird überflüssig.

SCHWITTER: Komm her!

JOCHEN: Ich bin aufgetaucht, um beim Anblick deiner Leiche einige gotteslästerliche Flüche auszustoßen.

Blickte hinter die spanische Wand.

JOCHEN: Wer zum Teufel –

SCHWITTER: Frag nicht! Tot ist tot! Setz dich!

Jochen gehorcht.

SCHWITTER: Näher! Ich habe Angst.

JOCHEN: Wovor?

SCHWITTER: Daß ich wieder leben muß.

JOCHEN: Unsinn.

SCHWITTER: Ewig leben.

JOCHEN: Kein Mensch lebt ewig.

SCHWITTER: Ich auferstehe immer.

JOCHEN: Du wirst es schon noch schaffen.

SCHWITTER: Ich glaube nicht mehr daran. Alle gingen zugrunde in diesem verfluchten Atelier: Der Pfarrer, der Maler, der große Muheim, Olga, der Arzt und die fürchterliche Frau Nomsen, und nur ich muß weiterleben.

JOCHEN: Stimmt nicht, Alter. Du hast mich vergessen. Auch ich muß weiterleben. Ich bin kein Kerl geworden. Ich muß einige abgetakelte Weiber finden, die mich aushalten. Schade. Ich wollte nicht viel. Ich wollte nur dein Vermögen. Geld stinkt nicht. Die anderthalb Millionen waren das einzig Anständige an dir. Ich wollte damit ein ehrlicheres Leben führen, als du eines führtest mit deinem Kunstrummel und mit deinem Geist, ich wollte frei sein und deinen Ruhm ausspeien, da hast du mich mit einigen Streichhölzern erledigt. Es ist aus mit der Schwitterei.

In der Türe steht der Major der Heilsarmee, Friedli, mit Heilsarmisten. Die Frauen und Männer dringen ins Atelier, einer mit einer Posaune.

MAJOR FRIEDLI: Ich bin Major Friedli von der Heilsarmee.

DIE HEILSARMEE: Halleluja!

SCHWITTER: Hinaus! Fort!

MAJOR FRIEDLI *unbeirrt:* Willkommen seist du, den Jesus Christus heiligte!

DIE HEILSARMEE: Halleluja!

SCHWITTER: Ihr seid im falschen Lokal. Hier wird nicht gepredigt, hier wird gestorben!

MAJOR FRIEDLI *unbeirrt:* Gegrüßt seist du, Auferstandener!

DIE HEILSARMEE: Halleluja!

MAJOR FRIEDLI: Dir geschah nach deinem Glauben! Du bist berufen zum ewigen Leben!

SCHWITTER: Ich bin berufen zum Sterben, allein der Tod ist ewig. Das Leben ist eine Schindluderei der Natur sondergleichen, eine obszöne Verirrung des Kohlenstoffs, eine bösartige Wucherung der Erdoberfläche, ein unheilbarer Schorf. Aus Totem zusammengesetzt, zerfallen wir zu Totem. Zerreißt mich, ihr Himmelstrommler!

HEILSARMEE: Halleluja!

SCHWITTER: Zerstampft mich, ihr Handorgelbrüder!

HEILSARMEE: Halleluja!

SCHWITTER: Schmettert mich die Treppe hinunter, ihr Psalmenjodler!
HEILSARMEE: Halleluja!
SCHWITTER: Seid gnädig ihr Christen!
FRIEDLI: Halleluja!
SCHWITTER: Schlagt mich mit euren Gitarren und Posaunen tot!

Die Posaune hat eingesetzt.

DIE HEILSARMEE MIT POSAUNE:

Morgenglanz der Ewigkeit
Licht vom unerschaffnen Lichte
Schick uns diese Morgenzeit
Deine Strahlen zu Gesichte
Und vertreib durch deine Macht
Unsre Nacht

Die Posaune leitet zur nächsten Strophe über. Schwitter richtet sich im Bett auf.

SCHWITTER: Wann krepiere ich denn endlich!

DIE HEILSARMEE MIT POSAUNE:

Ach, du Aufgang aus der Höh
Gib, daß auch am Jüngsten Tage
Wieder unser Leib ersteh
Und, entfernt von aller Plage
Sich auf jener Freudenbahn
Freuen kann!

Die Posaune setzt zur letzten Strophe ein, und der Vorhang fällt.

DIE WIEDERTÄUFER

EINE KOMÖDIE IN ZWEI TEILEN

AN ERNST SCHRÖDER

PERSONEN

DIE FÜRSTEN:

Kaiser Karl V.
Kardinal
Franz von Waldeck, Fürstbischof von Minden, Osnabrück und Münster
Kurfürst
Landgraf von Hessen

Der Kanzler

DIE TÄUFER:

Jan Matthison
Bernhard Rothmann
Bernhard Krechting
Staprade
Vinne
Klopriss
Johann Bockelson von Leyden

DAS VOLK VON MÜNSTER:

Knipperdollinck
Judith, seine Tochter
Der Mönch
Wache
Heinrich Gresbeck, Sekretär des Bischofs
Metzger
Gemüsefrau
Langermann
Frau Langermann
Friese
Frau Friese
Helga | *ihre Töchter*
Gisela |

Veronika von der Recke, Äbtissin
Divara, Matthisons Frau
Kruse
Henker
Täuferinnen

DIE LANDSKNECHTE:

Ritter Johann von Büren
Ritter Hermann von Mengerssen
1. Landsknecht
2. Landsknecht

TEIL I

I. MÜNSTER IN WESTFALEN WIRD BEKEHRT

In der Stadt. Ägidiitor.
Matthison, Rothmann, Krechting, Bockelson, Vinne, Klopriß und Staprade, zerlumpte Propheten der Täufer betreten mit ihrer Habe Münster in Westfalen.

MATTHISON: Gott verhüllte sein Antlitz
Da verließ das Tier mit den sieben Köpfen seine Höhle
Vom Geklirr seiner Schwingen erbebte Himmel und Erde
BOCKELSON: Herr, Herr, laß uns nicht gänzlich im Stiche!
ROTHMANN: Der Papst, der Kaiser, der Fürst, der Lutheraner der Kaufmann, der Richter und der Landsknecht
Stahlen dem Volk zuerst das Land, dann das Vieh und endlich den Leib
KRECHTING: Zu den wilden Tieren im Wald, zu den Fischen, zu den Vögeln und zu den Weibern und Töchtern der Armen
Sprachen sie: Ihr seid unser
BOCKELSON: Herr, Herr, deine Feinde verspotten dich!
STAPRADE: Sie prägten Münzen und nahmen Zinsen und Zinsen von den Zinsen
VINNE: Sie machten Gesetze
Die Mächtigen vor den Ohnmächtigen zu schützen
KLOPRISS: Die Reichen vor den Armen, die Satten vor den Hungrigen
BOCKELSON: Herr, Herr, blicke nieder auf unser Elend!
MATTHISON: Sie beten Götzen an, die sie Heilige nannten, und verbreiteten Irrlehren jeglicher Art
Damit das Volk unwissend bleibe und gefügig ihrer Willkür
BOCKELSON: Herr, Herr, erleuchte uns!
ROTHMANN: Da rebellierten die Bauern und ergriffen die Waffen
Doch die Landsknechte der Fürsten waren mächtiger denn das arme Volk
BOCKELSON: Herr, Herr, erbarme dich unser!
KRECHTING: Die Leichen der Bauern verstopften die Flüsse und hingen in den Ästen der Bäume

STAPRADE: Die Totenvögel mästeten sich
Sie wurden feiß wie die Säue, daß sie nicht mehr fliegen konnten
BOCKELSON: Herr, Herr, in tiefster Not schrei ich zu dir!
MATTHISON: Da erbarmte sich der Herr der Bedrängten!
BOCKELSON: Jauchzet!
KLOPRISS: Er erhöhte, was erniedrigt worden war
BOCKELSON: Singet!
VINNE: Er machte wissend uns Unwissende
BOCKELSON: Preiset!
ROTHMANN: Er schickte uns aus, seine Propheten
Das Volk zu erlösen aus seiner Knechtschaft
Nicht durch die Waffen der Gewalt, sondern durch das Schwert des Geistes
BOCKELSON: Lobet den Herrn!
MATTHISON: Wir Täufer sind reinen Leibes
Wir haben die Sünden von uns geworfen wie der Bräutigam die Kleider von sich wirft, wenn die Nacht seiner Hochzeit gekommen
Wir sind getauft, wie Johannes es tat mit dem Gott
Wir sind friedfertig, und unsere Waffe ist das Gebet
BOCKELSON: Buße, tut Buße, bekehret euch!
ALLE: Buße, tut Buße, bekehret euch!
ROTHMANN: Zum Zeichen seines Bundes verhieß uns der Herr eine Stadt
Gesegnet sei Münster in Westfalen, das uns umgibt in der Morgensonne
BOCKELSON: Gesegnet!
KRECHTING: Bald werden dir die letzten Ungläubigen entfliehen
Der Bischof wird dich mit seinen Kebsweibern und Lustknaben verlassen
Und die erbärmlichen Lutheraner werden dir entweichen wie Schelme!
BOCKELSON: Fluch ihnen! Fluch!
ALLE: Fluch ihnen! Fluch!

MATTHISON: In deinen Mauern, Münster, wird uns ein neues Jerusalem erstehen
BOCKELSON: Halleluja!
MATTHISON: Wir werden sein tausend mal tausend und zehnmal hunderttausend
Ein großes Volk, das weder Reiche noch Arme kennt
Noch Mächtige und Ohnmächtige
BOCKELSON: Hosianna!
MATTHISON: Dann endlich wird der Tag kommen, der verheißen ist
Ein neuer Himmel wird sein und eine neue Erde
Wir werden eins sein mit ihm, der wiedergeboren ist in uns
BOCKELSON: Amen!
MATTHISON: Brüder, ich nehme als Prophet der Täufer im Namen des Herrn von der Stadt Münster Besitz. Verteilen wir uns, evangelisieren wir auf den Plätzen und in den Straßen, verkünden wir unsere heilige Lehre überall, das Reich Gottes in diesen Mauern zu errichten. Ehre sei Gott in der Höhe!
DIE ANDERN: Ehre sei Gott in der Höhe!
Matthison, Krechting, Rothmann, Vinne, Klopriß, Staprade ab.
BOCKELSON: Es gilt. Erzittere, Münster in Westfalen!
Klettert in einen Mistkarren.
BOCKELSON: Komme Volk! Du sollst von meiner Rednergabe verschlungen werden wie von einem brüllenden Löwen.
Kesselflicker Langermann und Schuster Friese treten auf.
FRIESE: Es ist ein frischer Morgen und ein Haufen Dreck und Staub am Boden.
LANGERMANN: Lutum und pulvis. Ich habe studiert.
FRIESE: Langermann, ihr gabt euch Mühe, Kesselflicker zu werden.
LANGERMANN: Ich mußte das Studium aufgeben, Schuster Friese. Ich höre Stimmen.
FRIESE: Das hören heute viele.
LANGERMANN: Es ist immer was im Kopf. Wie ein Stern oder wie ein Baum mit Ästen, Früchten und Blättern, versteht ihr?
FRIESE: Nein!
LANGERMANN: Das macht das Rappeln.

Stutzt. Bockelson schnarcht.

LANGERMANN: Hört ihr?

FRIESE: Rappelt's?

LANGERMANN: Es schnarcht.

FRIESE: Wache! Da liegt einer im Karren und schläft.

Eine Wache tritt auf.

WACHE: Der Mann wird arretiert. Artikel 24: Gegen die Völlerei. Der Mann ist voll. Artikel 29: Gegen den Aufenthalt an unanständigen Orten. Ein Mistkarren ist ein unanständiger Ort.

BOCKELSON: Ehre sei Gott in der Höhe!

LANGERMANN: Je!

DIE WACHE: Ihr seid arretiert.

BOCKELSON: Wo bin ich, ihr Leute?

FRIESE: Vor meinem Hause beim Ägidiitor.

BOCKELSON: Ich meine, in welcher Stadt?

LANGERMANN: Je!

FRIESE: Er weiß nicht, wo er ist.

DIE WACHE: Ihr seid in Münster in Westfalen.

BOCKELSON: In welcher Zeit nach Christi Geburt?

LANGERMANN: Je!

FRIESE: Er weiß auch die Zeit nicht.

DIE WACHE: Wir zählen das Jahr 1533.

BOCKELSON: Herr, ich danke dir, daß du so an mir getan!

Breitet die Arme aus.

DIE WACHE: Name?

BOCKELSON: Johann Bockelson.

DIE WACHE: Herkunft?

BOCKELSON: Von vornehmer Herkunft. Ich bin der natürliche Sohn des Dorfschulzen Bockel von Grevenhagen.

DIE WACHE: Herkommend?

BOCKELSON: Aus Leyden in den Niederlanden.

DIE WACHE: Beruf?

BOCKELSON: Zuerst war ich Schneidergeselle, dann Schankwirt, darauf Inhaber eines bescheidenen, aber anständigen Bordells, später Mitglied der Kammer der Rhetoriker, Verfasser einiger Schwänke und endlich Schauspieler.

LANGERMANN: Je!

FRIESE: Ein Schauspieler.
DIE WACHE: Beruf: Vagant.
BOCKELSON: Ich spielte in den Reichsstädten und Residenzen Deutschlands die großen Heldenrollen der Weltliteratur und sprach sogar Seiner Exzellenz, dem Bischof von Minden, Osnabrück und Münster in Westfalen, Fürst von Waldeck, in seiner Sommerresidenz Iburg vor.
DIE WACHE: Nach Eurem Zustande zu schließen, seid Ihr nicht engagiert worden.
BOCKELSON: Seine Exzellenz fiel mir nach dem Vorsprechen begeistert um den Hals, doch wie ich den armen König Oedipus spielen sollte und in der Hauptprobe gerade ausgerufen hatte:
Weh! Weh!
Ach Unseliger ich! Ach! Ach!
Wohin trägt mich mein Fuß?
Wohin verweht meine Stimme?
Wohin, ach wohin
Verschlägt das Schicksal mich!
erscholl Gottes Stimme so mächtig vom Himmel herab, daß die ganze Sommerresidenz erzitterte.
LANGERMANN: Vox Dei. Ich bin in der Theologie bewandert.
BOCKELSON: Täufer! Werde Täufer! befahl die Stimme, und ich ließ mich taufen.
DIE WACHE: Konfession: Wiedertäufer.
BOCKELSON: Ich hoffe, daß auch ihr diesem Glauben angehört.
FRIESE: Ich bin Schuster.
LANGERMANN: Ich habe das Rappeln.
DIE WACHE: Ich muß Euch arretieren. Das Gesetz ist das Gesetz. Ihr seid dagelegen in Völlerei.
BOCKELSON: Ich war nicht betrunken, mein Freund, ich war ohnmächtig.
LANGERMANN: Animus eum reliquit. Ich habe auch Medizin studiert.
DIE WACHE *mißtrauisch:* Ohnmächtig?

BOCKELSON: Vor einer halben Stunde predigte ich in den Straßen der Stadt Rotterdam.
DIE WACHE *streng:* Rotterdam ist sechs Tagereisen entfernt.
BOCKELSON: Exakt.
DIE WACHE: Ihr wäret in einer so kurzen Zeitspanne von wenigen Minuten aus Rotterdam nach Münster in Westfalen gekommen?
BOCKELSON: Der Erzengel Gabriel trug mich durch die Lüfte.
FRIESE: Durch die Lüfte?
BOCKELSON: Und zwar in einer derart sausenden Geschwindigkeit, daß wir ins Jahr 1533 zurückgeflogen sind, denn wir zählten schon das Jahr 1534, als wir in Rotterdam predigten.
LANGERMANN: Das Magie. Faustus, Paracelsus, Agrippa –
BOCKELSON: Wir schwebten eben über Münster, als den Erzengel die Morgensonne blendete. Er schneuzte und ließ mich in diesen Karren fallen, wo ihr mich ohnmächtig aufgefunden habt.
FRIESE: Schneuzt ein Erzengel denn auch?
BOCKELSON: Es ist dies ein sanftes und wohltönendes Getöse, einem Glockendreiklang nicht unähnlich, von einer rhythmischen Erschütterung des Leibes begleitet, wobei der Erzengel beide Arme auszubreiten liebt.
LANGERMANN: Je!
DIE WACHE: Weiß der Teufel, was sich der Erzengel Gabriel dachte, als er ausgerechnet Euch nach Münster in Westfalen trug.
BOCKELSON: Der Himmel hat Großes mit mir Unwürdigem vor, mein Freund. Die Täufer werden mich zu ihrem König wählen, der Kaiser wird mir seine Krone anbieten, der Papst von Rom nach Münster nackten Fußes wandeln, den Saum meines Mantels zu lecken, und Gott, auf seinem heiligen Richterthrone, wird mich zum Herrn der Erde erheben!

Knipperdollinck und seine Tochter Judith treten auf, beide in reicher Kleidung.

DIE WACHE: Platz dem Bürgermeister Bernhard Knipperdollinck.

KNIPPERDOLLINCK: Nach den kummervollen Nächten voll Seufzer der Reue und voll Furcht vor der ewigen Verdammnis, voll Skrupel über Handlungen, zu denen mich der Tag und das Geschäft zwingt, liebe ich diesen täglichen Gang aufs Rathaus früh am Morgen.
JUDITH: Du hast Sorgen, Vater.
KNIPPERDOLLINCK: Kümmere dich nicht darum, mein Kind. Nach dem Tode deiner Mutter bin ich ein alter Mann geworden, Gespinsten zugeneigt und grüblerischen Gedanken.
BOCKELSON: Heil dir, Lutheraner, der du wandelst in deiner Gnade und in deinem kostbaren Pelz, eine goldene Kette auf dem Bauch und eine Tochter am Arm, keusch und wohlerzogen!
KNIPPERDOLLINCK: Wer ist dieser Mann?
DIE WACHE: Ein Schauspieler.
JUDITH: Laß uns weitergehen, Vater.
KNIPPERDOLLINCK: Er ist in Lumpen.
DIE WACHE: Er behauptet, ein großer Prophet der Täufer zu sein, und ein Engel habe ihn hergeflogen.
KNIPPERDOLLINCK: Warum, verspottest du mich, Täufer?
BOCKELSON: Warum verfolgst du mich, Bürgermeister?
KNIPPERDOLLINCK: Ich verfolge die Täufer nicht, ich dulde sie.
BOCKELSON: Ach, daß du kalt oder warm wärest! Weil du aber lau bist und weder kalt noch warm, spricht der Herr, werde ich dich ausspeien aus meinem Munde.
KNIPPERDOLLINCK: Was willst du von mir?
BOCKELSON: Ich will von deinem Brot und ich will von deinem Wein. Ich will ein Kleid für meinen Leib und ein Bett für meinen Schlaf. Ich will von deinem Gold und ich will von deiner Macht.
KNIPPERDOLLINCK: Du forderst viel.
BOCKELSON: Ich biete mehr.
KNIPPERDOLLINCK: Das wäre?
BOCKELSON: Könnte es nicht sein, daß ich dir die ewige Seligkeit verschaffe?

Schweigen.

KNIPPERDOLLINCK: Ich gewähre dir, was du verlangst. Ich werde dich empfangen wie einen König. Komm, mein Kind.

Knipperdollinck mit Tochter ab.

BOCKELSON: Nun?

LANGERMANN: Je!

FRIESE: War das 'ne Einladung!

BOCKELSON: Meine Weltherrschaft nimmt ihren Lauf!

DIE WACHE: Ich arretiere Eure Gnaden besser nicht.

BOCKELSON: Es ist noch früh am Morgen, meine Guten – ich bitte den Karren in den Schatten zu schieben und mich noch ein wenig schlafen zu lassen.

WACHE: Zu Befehl, Eure Gnaden.

Schiebt den Karren mit Bockelson hinaus. Friese folgt.

LANGERMANN: Er hört Stimmen. Ich höre Stimmen. Ich werde auch Prophet.

2. DER BISCHOF MUSS DIE STADT VERLASSEN

Im bischöflichen Palast. Heinrich Gresbeck rollt den Bischof herein.

BISCHOF: Ich bin der Bischof von Minden, Osnabrück und Münster in Westfalen
Fürst Franz von Waldeck
99 Jahre 9 Monate und 9 Tage alt
Ich bin an beiden Beinen gelähmt, und dies seit einem Jahrzehnt
Wie es bisweilen bei Leuten meines Alters vorkommt
Ich spreche fließend Latein und Griechisch und liebe Homer und Lukian
Doch am liebsten sind mir die nichtsnutzigen Komödien
Meine Theatertruppe ist die beste und teuerste im Heiligen Römischen Reiche Deutscher Nation
Das Possenspiel unseres Lebens
Das mühsame Herumstolpern auf der Flucht vor der Wahrheit und auf der Suche nach ihr
Wird auf den Brettern leicht, ein Tanz, ein Gelächter, ein wohliger Schauer
Mitspieler in Wirklichkeit, verstrickt in Schuld, Mitwisser von Verbrechen
Brauchen wir die Täuschung loser Stunden Zuschauer nur zu sein.

Heinrich Gresbeck bringt das Abendbrot. Ein Teller Suppe, ein Stück Brot, ein Glas Wein.

Mein Sekretär, der einsilbige und verschlossene Kerl, der mich bedient
Heißt Heinrich Gresbeck
Der einzige, der mir noch treu geblieben ist
Aber ich höre Schritte
Es ist Bernhard Knipperdollinck, der reiche Mann
Ich bin ihm Geld schuldig
Ich kann euch leider diese auch für einen Bischof peinliche Szene nicht ersparen

Knipperdollinck tritt auf.

KNIPPERDOLLINCK: Exzellenz.

BISCHOF: Kommt Ihr als Bürgermeister oder als Knipperdollinck?

KNIPPERDOLLINCK: Als Bürgermeister *und* als Knipperdollinck.

BISCHOF: Erlaubt, daß Wir Euch einen Sessel holen lassen. Er wurde zur Verrammelung des Hauptportals gegen vorwitzige Täufer benötigt, nun ist er nicht zur Stelle.

KNIPPERDOLLINCK: Ihr habt nichts zu befürchten.

BISCHOF: Wir wissen nicht so recht. Gestern wurden immerhin zwei Diakone zertrampelt und die Fenster unseres Palastes eingeschlagen. Wir waren dreißig, als Wir Bischof von Münster wurden, und selbst Luther vermochte Unsere Stellung nicht zu erschüttern. Da kommt dieser düstere Prophet Jan Matthison mit seinen Predigern, und siebzig Jahre Seelsorge lösen sich in drei Wochen ins Nichts auf. Sogar Unsere geliebten Töchter, die Nonnen des Überwasserklosters, sind zu den Täufern übergelaufen samt ihrer Äbtissin Veronika von der Recke.

Gresbeck bringt einen Sessel.

KNIPPERDOLLINCK: Erlaubt, daß ich stehe.

BISCHOF: Wir sind Euch Geld schuldig, Knipperdollinck.

Löffelt Suppe, bricht Brot usw.

KNIPPERDOLLINCK: Behaltet das Geld.

BISCHOF: Die Kirche wird für das Heil Eurer Seele eine feierliche Messe lesen.

KNIPPERDOLLINCK: Erspart sie Euch.

BISCHOF: Wie Wir vernommen haben, beherbergt Ihr in Eurem Hause einen gewissen Johann Bockelson aus Leyden.

KNIPPERDOLLINCK: Ein heiliger Mann, ein treuer Anhänger des großen Propheten Jan Matthison.

BISCHOF: Ein dilettantischer Schauspieler, der sich vergeblich bemühte, in meiner Truppe ein Unterkommen zu finden.

KNIPPERDOLLINCK: Sein Herz trachtet nicht mehr nach dem Ruhme dieser eitlen Welt.

BISCHOF: Dann wird es nach Üblem trachten. Was beschloß der Rat?
KNIPPERDOLLINCK: Exzellenz haben Münster zu verlassen.
BISCHOF: Wann?
KNIPPERDOLLINCK: Diese Nacht.
BISCHOF: Es bleibt Uns nichts anderes übrig, als zu gehorchen.
KNIPPERDOLLINCK: Exzellenz haben in dieser Stadt ausgespielt.
BISCHOF: Euer Werk, Bürgermeister.
KNIPPERDOLLINCK: Ich überzeugte den Rat.
BISCHOF: Und was wünschst du als Knipperdollinck von Uns?
KNIPPERDOLLINCK: Die Wahrheit.
BISCHOF: Die glaubst du von einem Sohn der Kirche zu erhalten?
KNIPPERDOLLINCK: Ich glaube sie von einem hundertjährigen Menschen zu erhalten.
BISCHOF: Rede.

Wendet sich vom Abendbrot Knipperdollinck zu, der sich setzt.

KNIPPERDOLLINCK: Warum bekämpft Ihr die Täufer, Bischof von Münster?
BISCHOF: Zuerst hast du dich zu Luther bekehrt, bist du nun auch noch ein Täufer geworden?
KNIPPERDOLLINCK: Der Prophet Johann Bockelson überzeugte mich.
BISCHOF: Der Schauspieler macht sich.
KNIPPERDOLLINCK: Ihr kennt unsere Schriften.
BISCHOF: Sie sind schlecht geschrieben.
KNIPPERDOLLINCK: Wir ringen um die Gnade Gottes.
BISCHOF: Gerade das macht Uns mißtrauisch. Wir beten um die Gnade als unsere Erlösung und fürchten sie als Unsre Ausrede.
KNIPPERDOLLINCK: Wer wider uns ist, ist wider Christus.
BISCHOF: Wir pflegen auf solche Sprüche nicht einzugehen. Aber Wir möchten dir sagen, was Wir denken, Wir sind es dir als dein Hirte schuldig. Daß ihr nicht mehr an die Heiligen glaubt, ist gleichgültig, Wir glauben vielleicht auch nicht mehr

daran. Doch daß ihr Täufer an euch selbst glaubt, Knipperdollinck, wird euer Untergang sein.

KNIPPERDOLLINCK: Ich verstehe Euch nicht.

BISCHOF: Die Kirche glaubte an sich und vergoß Blut in Seinem Namen, jetzt glaubt ihr an euch und werdet Blut in Seinem Namen vergießen.

KNIPPERDOLLINCK: Der Kampf zwischen uns ist notwendig.

BISCHOF: Neunundneunzig Jahre waren Wir kein Held und müssen mit Hundert einer sein. Wir werden mit dem Gelde, das Wir dir schulden, ein Heer wider euch aufstellen, Knipperdollinck.

KNIPPERDOLLINCK: Ihr seid deutlich.

BISCHOF: Wir lieben die Klarheit.

KNIPPERDOLLINCK: Ihr habt kein Recht, uns zu richten.

BISCHOF: Das Recht dazu werdet ihr uns schon liefern.

Schweigen.

KNIPPERDOLLINCK: Was soll ich tun?

BISCHOF: Halte, was für Täufer und Bischof gilt: Liebe deine Feinde, verkaufe, was du hast, und gib's den Armen und widerstehe nicht dem Übel.

KNIPPERDOLLINCK: Exzellenz sind unerbittlich.

BISCHOF: Mein Amt.

Schweigen.

KNIPPERDOLLINCK: Gebt mir den Segen.

BISCHOF: Wir können dir den Segen nicht geben.

KNIPPERDOLLINCK: Bin ich so sündig, daß ich nicht mehr ein Mensch bin?

BISCHOF: Halte ich seine Gebote? Schließen sich nicht goldene Ringe um meine Finger? Bekämpfe ich nicht meine Feinde? Lebe *ich* in der Gnade? Bin ich mehr als du, daß ich dich segnen könnte?

Knipperdollinck ab.

BISCHOF: Roll mich aus der Stadt, Gresbeck.

GRESBECK: Ich bleibe.

Räumt das Abendbrot ab.

BISCHOF: Du auch?

GRESBECK: Johann Bockelson predigt wortgewaltig.
BISCHOF: Ich hätte den Schauspieler doch engagieren sollen.
GRESBECK: Ich heirate.
BISCHOF: Kein Grund, ein Täufer zu werden.
GRESBECK: Die Äbtissin.
BISCHOF: Sind die Weiber in Münster toll geworden?
GRESBECK: Sie sind gläubig geworden.
BISCHOF: Sie ist eine Reichsfürstin, und dich las ich eigenhändig aus der Gosse zusammen.
GRESBECK: Vor Gott sind wir alle gleich.
BISCHOF: Du bist ein fünfundzwanzigjähriger Bursche, und sie ist doppelt so alt.
GRESBECK: Angesichts der Ewigkeit spielt das keine Rolle.
BISCHOF: Gresbeck! Soll ich mich denn eigenhändig aus dieser verrückten Stadt rollen?
GRESBECK: Rollt Euch zum Teufel, Bischof.

Der Bischof rollt sich hinaus.

3. DER MÖNCH KANN SICH RETTEN

Marktplatz. Das Volk von Münster. Ein Metzger, Gemüsefrau, Langermann mit Frau, Friese mit Frau und Helga und Gisela. Langermann und Friese tragen Inschriften: «Tod den Herren», «Mit Gott und den Wiedertäufern», «Durch die Taufe zur Gnade», «Tut Buße, bekehret euch».

LANGERMANN: Münster ist gesäubert.
METZGER: Würste! Würste! Kauft Würste!
FRIESE: Die Katholiken und die Protestanten davongejagt.
LANGERMANN: Jan Matthison Bürgermeister!
METZGER: Kalbswürste! Schweinswürste!
FRIESE: Einer von uns kam in Deutschland an die Macht, einer vom armen Volk. Jan Matthison ist Bäcker in Harleem gewesen, der Prediger Staprade Kürschner und der Prophet Klopriß Schuster wie ich.
METZGER: Bratwürste! Bratwürste!
LANGERMANN: Wir gehen gewaltigen Zeiten entgegen.
FRIESE: Friedenszeiten.
LANGERMANN: Sechs Jahre saß ich im Schuldenturm mit Frau und Gören, Schuster Friese. Das ist jetzt vorbei, das ist nicht mehr möglich.
FRIESE: *Wir* machen nun die Weltgeschichte.
LANGERMANN: Je!
METZGER: Leberwürste! Blutwürste! Knackwürste!
GEMÜSEFRAU: Ihr Leute von Münster! Männer, Weiber und Jungfrauen! Seht diese Salatköpfe! Seht diese Wunder der Natur! Kugelrund und grün! Zart wie Säuglingshinterchen! Frisch wie junge Mädchen! Wer seinen Mann liebt, kauft Salatköpfe!
METZGER: Gemüsefrau! Ihr schreit, daß ich meine eigene Stimme nicht verstehe.
GEMÜSEFRAU: Ich schreie im Namen der Gesundheit, Metzger, und im Namen der guten Verdauung! Kohlköpfe! Kauft Kohlköpfe! Das Ideale für Festessen, für Taufessen, für Hochzeitsessen, für Begräbnisessen, für Henkersmahlzeiten! Kohlköpfe! Kauft Kohlköpfe!

FRAU LANGERMANN: Ihr habt stattliche Töchter, Frau Friese.
METZGER: Schaffleisch, billiges Schaffleisch!
FRAU FRIESE: Helga und Gisela. Sie schwärmen für den Propheten Bockelson.
METZGER: Kalbshirn, zartes Kalbshirn.
HELGA: Er war Schauspieler, Frau Langermann.
GISELA: Er entsagte der Welt, Frau Langermann.
FRAU LANGERMANN: Für uns gewöhnliches Volk sind die Andachten des Propheten Rothmann immer noch die besten, nicht wahr, Hellmuth?
METZGER: Schmalz! Schmalz! Kauft Schmalz!
FRAU FRIESE: Die öffentlichen Sündenbekenntnisse in der Lambertikirche sind aufregender, Frau Langermann. Ihr hättet hören sollen, was die Kupplerin beim Buddenturm, die Schlachtschäf, bekannte und die Namen, die sie nannte.
METZGER: Ochsenmaulsalat! Frischer Ochsenmaulsalat!
LANGERMANN: Am schönsten sind die Massentaufen.
GEMÜSEFRAU: Äpfel! Äpfel! Direkt aus dem Paradies! Direkt vom Baume der Erkenntnis! Sie rutschen in den Magen und scheuern die Därme! Ganz billig, extra billig, spottbillig!

Heinrich Gresbeck mit der ehemaligen Äbtissin Veronika von der Recke am Arm tritt auf. Einige entlaufene Nonnen mit ihren Verlobten folgen.

DIE VON DER RECKE: Gesegnet seien die Täufer, gesegnet seist du, bekehrtes Volk von Münster. Gesegnet, gesegnet!
FRIESE: Es lebe unsere ehemalige Äbtissin, die Reichsgräfin Veronika von der Recke! Es lebe ihr Verlobter Heinrich Gresbeck!

Beifall. Der alte Kruse tritt auf.

KRUSE: Friede auf Erden. Ehre sei Gott in der Höhe und den Menschen ein Wohlgefallen.
LANGERMANN: Der alte Kruse. Er hat noch nie bei einer Hinrichtung gefehlt.
GEMÜSEFRAU: Birnen! Kauft Birnen! Gelb wie der Neid! Lecker wie Weiberfleisch! Saftig wie Hurentitten! Birnen! Kauft Birnen!

Die Wache und der Scharfrichter treten auf.

HELGA: Mama, der Scharfrichter!
GISELA: Papa, wird geköpft, gehängt oder gerädert?
FRIESE: Geduld, Töchterchen.
GISELA: Ich hab noch nie gesehn, wie einer gerädert wurde.
HELGA: Ich habe köpfen lieber.
METZGER: Kutteln! Kutteln!

Die Wache hat das Blutgerüst bestiegen.

DIE WACHE: Der Rat zu Münster in Westfalen dem Volk zu Münster in Westfalen. Eingesetzt, die Bürger zu mahnen, nicht nachzulassen, das Reich Gottes zu erlangen, haben wir das Urteil gefällt, den ehemaligen Hilfslehrer für Mathematik am hiesigen ehemaligen päpstlichen Gymnasium, Hans Zicklein, vom Volke Ziegenhannes genannt, vom Scharfrichter durch das Schwert vom Leben zum Tode zu bringen –
KRUSE: Ehre sei Gott in der Höhe.
DIE WACHE: weil er behauptete, der Lehrsatz des Heiden Pythagoras sei ebenso wahr wie die Bibel.
DIE VON DER RECKE: Humanist!
HELGA: Er wird geköpft! Er wird geköpft!
METZGER: Ochsenfleisch! Billiges Ochsenfleisch!
DIE WACHE: Angezeigt wurde Ziegenhannes durch seine ehemalige Schülerin Helga Friese, der hiermit vom Rat öffentlich gedankt wird. Seid wachsam und betet!
HELGA: Er wird geköpft! Er wird geköpft!
FRIESE: Ich bin stolz auf dich, meine Tochter.
GEMÜSEFRAU: Rüben! Wer kauft Rüben! Das ist Philosophie, das ist Gelehrsamkeit, das ist Liebe, die durch die Seele geht! Kauft Rüben, kauft Rüben!
MÖNCH: Ihr könnt mir die Zunge herausreißen, ihr könnt mich millionenfach erwürgen, ihr könnt mir den Kopf abhauen und ihn tausend Klafter in die Erde graben, er wird bis in alle Ewigkeit schreien: Der Lehrsatz des Pythagoras *ist* ebenso wahr wie die Bibel.
KRUSE: Friede auf Erden. Den Menschen ein Wohlgefallen.
MÖNCH: Die Schande wird über dich kommen, Münster!
DIE WACHE: Aufs Blutgerüst mit dir, Mönchlein.

MÖNCH: Ich bin kein Mönch mehr. Ich bin meinem Kloster längst entlaufen. Ich trage die Kutte nur, weil mir zu einem weltlichen Kleide die finanziellen Mittel fehlen.
DIE WACHE: Wir köpfen dich nicht deines Standes, sondern deiner Irrlehren wegen.
MÖNCH: Ich protestiere im Namen der Vernunft!
METZGER: Schinken! Schöner westfälischer Schinken!
MÖNCH: Ihr macht euch auf ewig lächerlich. Ich bin Humanist. Ein Intellektueller. Man kennt mich unter dem Namen Johannes Magnus Capella auch in Köln und Osnabrück.
DIE VON DER RECKE: Hilfslehrer! Bei meinem Vater, dem Reichsgrafen, durfte der arme Sünder vor der Hinrichtung sein Paternoster murmeln und hatte im übrigen die Klappe zu halten.
GEMÜSEFRAU: Schnittlauch! Prima Schnittlauch!
MÖNCH: Volk von Münster!
KRUSE: Friede auf Erden! Friede auf Erden!
GEMÜSEFRAU: Rettich! Schöner roter Rettich! Wer kauft Rettich? Rot wie Blut und gut wie 'ne Zeugung!
MÖNCH: Weib, sei still! Ich will eine Ansprache halten! Es geht um mein Leben!
GEMÜSEFRAU: Knoblauch! Prächtiger Knoblauch!
MÖNCH: Hör mich an, Volk von Münster! Ich will dich überzeugen. Ich kläre deine Blindheit auf. Ich bekehre dich zur Vernunft. Ich demonstriere dir die ewige Wahrheit des Pythagoras, des großen Griechen! Wenn du ein Dreieck zeichnest, dessen Seiten 3,4 und 5 Handbreiten lang sind, so fällt dieses Dreieck –

Das Volk begleitet die Ansprache des Mönchs mit ironischen Hoch- und Hurrarufen, unterdessen hat die Gemüsefrau das Blutgerüst bestiegen.

GEMÜSEFRAU *mit riesenhafter Stimme:* Zwiebeln! Schöne frische Zwiebeln! Wer seine Nachkommen liebt, kauft Zwiebeln! Da werden die Weiber von selbst schwanger, da gibt es Kinder, Zwillinge, Drillinge, Vierlinge, Fünflinge [*Volk: Sechslinge, Siebenlinge, Achtlinge*], da gibt es Familie! Eßt Zwiebeln! Wir stehen erst in der Mitte der Weltgeschichte, eben erst ist das dunkle Mittelalter zu Ende gegangen. Bedenkt, was wir noch zu schuften haben, was für Hungersnöte [*beginnt zu klatschen*],

Pestilenzen [*das Volk klatscht mit, beginnt um das Blutgerüst zu tanzen*], Pleiten, Feuersbrünste, Erdbeben, Überschwemmungen, Schändungen, Kindermorde, Brudermorde, Elternmorde, Lustmorde, Raubmorde, Umstürze und Kriege [*beim Volk Schrecksekunde*] für uns in der neblichten Zukunft bereit liegen; Bürgerkriege [*das Wort «Kriege» in den folgenden Aufzählungen wird vom Volk geschrien*], Bauernkriege, Glaubenskriege, Wirtschaftskriege, Verteidigungskriege, Angriffskriege, Ausrottungskriege, Weltkriege! Da sind Kinder nötig, meine Damen und Herren, da sind Leichen nötig! Darum: Wer den Fortschritt liebt, ißt Zwiebeln, da hilft er der Weltgeschichte! Zwiebeln! Kauft Zwiebeln! Denkt an die Zukunft! Kauft Zwiebeln!

MÖNCH: Fahr dahin, Mathematik! Fahr dahin, Humanität! Scharfrichter, schlag zu!

Mönch kniet nieder, Scharfrichter öffnet den Mantel. Aufschrei.

HELGA: Mein Gott, welch ein Scharfrichter!

GISELA: Mama, ich sehe nichts!

KRUSE: Den Menschen ein Wohlgefallen! Den Menschen ein Wohlgefallen!

DIE VON DER RECKE: Die Beinstellung gefällt mir gar nicht.

FRIESE: Der neue spanische Stil, Reichsgräfin.

HELGA: Schlag zu! Schlag zu! Schlag zu!

Knipperdollinck im Büßergewand.

KNIPPERDOLLINCK: Buße! Buße! Buße! Wehe! Wehe! Wehe! Tut Buße und bekehret euch, damit ihr nicht den Zorn des himmlischen Vaters über euch reizet!

Wirft Münzen.

Nehmt! Nehmt! Da! Da! Gold! Gold! Du verfluchtes Metall, was willst du mich hindern, die ewige Seligkeit zu erlangen? Volk von Münster! Dieses Mönchlein, das da neben mir auf dem Blutgerüste schlottert, lebte im Irrtum. Es allein? Ich war dein Bürgermeister, Volk von Münster. Meine Schiffe fuhren über die Meere, Könige und Herzöge waren meine Schuldner, ja selbst der Kaiser, der stolze Karl, verschmähte es nicht, an meinem Tische zu speisen. Ich war fromm. Ich ging in die Kirche und gab Almosen. Ich war ein guter Sohn der Kirche, doch mein Gewissen peinigte mich wie Feuer. Ich wurde Lutheraner, mein

Gewissen peinigte mich weiter, ich wurde ein Täufer, und immer noch peinigte mich mein Gewissen. Aber jetzt, wie ich die Schätze von mir geworfen habe, welche die Motten und der Rost fressen und denen die Diebe nachgraben, sie zu stehlen, erst jetzt erzittere ich nicht mehr vor Gottes gräßlichem Zorn! Du aber, Volk von Münster? Stürztest du nicht auf das Gold, das ich in deine Mitte warf? Wahrlich, wo dein Schatz ist, ist dein Herz. Bekehre dich! Köpfe nicht diesen kleinen Sünder, köpfe die großen Missetäter! Siehe, wie sie sich vor dir aufrecken, stolz, gotteslästerlich und dunkel, der Dom, die Lambertikirche, die Ägidiikirche, die Überwasserkirche, die Ludgerikirche, die Martinikirche, die Salvatikirche, die Maurizikirche. Sie sind deine großen Verführer, Volk von Münster, sie reden dir ein mit ihrem Glockengedröhne, ein christliches Volk zu sein, und hindern dich an der wahren Bekehrung und an der wahren Taufe! Auf! Wirf dich ihnen entgegen! Erklettere ihre Türme mit Steigeisen! Durchsäge ihr Gebälke! Schmettere ihre mit Kupfer und Blei gedeckten Turmspitzen in den Staub! Köpfe sie zum Zeichen, daß das Hohe von Gott erniedrigt wird! Auf! Auf!

Stürzt davon.

DIE VON DER RECKE: Volk von Münster, mein braver Gresbeck, meine Töchter! Der Mann hat recht. Marschiert mit mir eurem Bürgermeister nach.

Marschiert davon.

FRAU LANGERMANN: Die Türme herunter!

DAS VOLK: Die Türme herunter! Die Türme herunter!

Alle mit dem Blutgerüst Knipperdollinck nach. Nur die Gemüsefrau und der Mönch bleiben zurück.

MÖNCH: Seht, Gemüsefrau, einen Gulden! Er brachte mir Glück! Und seht meinen Kopf auf meinen Schultern, wie er gerade sitzt, weil mich die Mathematik liebt.

GEMÜSEFRAU: Abwarten! Kommt Zeit, kommt Gelegenheit. Wer nicht geköpft wird, wird gehängt. Das soll spanischer Stil gewesen sein? Sonst sprang mir bei jeder Hinrichtung ein Kopf in den Schoß. Ich legte ihn zwischen meine Kohlköpfe, und das war deutscher Stil.

MÖNCH: Meine Vernunft wird diese unvernünftige Welt bezwingen.
GEMÜSEFRAU: Traut euch nur nicht zuviel zu. Die Welt ist nicht nur unvernünftig, sie ist auch dreigeteilt. Katholiken, Lutheraner, Wiedertäufer. Die Frage ist nur, wo liegt das Geschäft? Mönchlein, machen wir, daß wir aus der Stadt kommen.
Beide ab.

4. DAS NEUE JERUSALEM

Sakristei. Matthison, Bockelson, Rothmann, Krechting, Staprade, Vinne und Klopriß treten einer hinter dem andern in einer Prozession auf, von Matthison angeführt, große Kreuze tragend.

MATTHISON: Ehre sei Gott in der Höhe.
DIE ANDERN: Ehre sei Gott in der Höhe.
MATTHISON: Berichtet, Brüder.
ROTHMANN: Es treffen immer noch Täufer aus ganz Deutschland ein.
KRECHTING: Besonders Weiber.
STAPRADE: Zuviele Weiber.
MATTHISON: Freuen wir uns über jede Seele, Bruder Staprade. Nachrichten aus dem Reich?
VINNE: In Lübeck ist der Bürgermeister zu uns übergetreten.
KLOPRISS: In Straßburg sammeln sich die Täufer wieder.
STAPRADE: Im Schwarzwald wird evangelisiert.
ROTHMANN: In Böhmen und Mähren werden wir aufs neue verfolgt.
KRECHTING: Unsre schweizerischen Brüder beten für uns in den Verliesen der Zwinglianer.
MATTHISON: Wehe dir, Zürich!
ROTHMANN: Deutschland ist in Aufruhr.
MATTHISON: Brüder, während der Prozession durch die Straßen der Stadt in die Sakristei der Überwasserkirche erleuchtete mich Gott.
BOCKELSON: Amen.

Sammelt die Kreuze ein.

MATTHISON: Brüder, die Lutheraner und die Päpstlichen fürchten die Bibel und zittern, daß man sie anwende, wir Täufer fürchten uns nicht davor. Wir führen die Restitution durch, die Wiederherstellung der Kirche, wir gründen ein neues Jerusalem, damit das menschliche Geschlecht wieder hergestellt werde in seiner Unschuld auf Grund des Alten und des Neuen Testamentes. Darum aber müssen wir nicht nur den Glauben, sondern auch das Gesetz erneuern, denn was hülfe es dem Glauben, wenn

unser Gesetz das alte Gesetz des Kaisers und des Papstes bliebe, ein Gesetz, welches die Eigensucht unter den Menschen fördert und deren Zerfall in Arm und Reich, in Ohnmächtige und Mächtige? Daher soll im neuen Jerusalem ein neues Gesetz herrschen. Es darf unter uns kein Kaufen und Verkaufen, keine Arbeit um Geld, keine Renten und keinen Wucher, kein Essen und Trinken von der Armen Schweiß mehr geben.
BOCKELSON: Amen.
MATTHISON: Brüder, wir haben in der Stadt Gottes die Gütergemeinschaft einzuführen, denn es steht geschrieben: Die Menge aber der Gläubigen war ein Herz und eine Seele; auch sagte keiner von seinen Gütern, daß sie sein wären, sondern es war ihnen alles gemeinsam.
BOCKELSON: Amen.
ROTHMANN: Noch hängt das Volk am Besitz, Bruder Matthison.
STAPRADE: Noch müssen wir Geduld mit ihm haben.
KRECHTING: Noch ist unsere Macht nicht unerschütterlich.
VINNE: Noch befinden sich viele heimliche Anhänger des Bischofs in der Stadt.
KLOPRISS: Führen wir die Gütergemeinschaft später durch.

Matthison teilt große brennende Kerzen aus.

MATTHISON: Das Reich Gottes drängt. Es rüttelt ungeduldig an den Toren und fordert mit lauter Stimme Einlaß. Wir dürfen nicht zögern. Geht wieder auf die Straßen und in die Kirchen, bereitet das Volk mit Belehrungen und Gebeten vor: ihr habt drei Tage Zeit, und das neue Gesetz wird eingeführt.
BOCKELSON: Amen.

Die Prozession setzt sich erneut in Bewegung, nun je zwei nebeneinander, mit Matthison als letztem.

MATTHISON: Nachrichten vom Bischof, Bruder Klopriß?
KLOPRISS: Brüder in Köln bestätigen, daß er dort ein Heer sammelt.
STAPRADE: Achttausend Landsknechte.
KRECHTING: An der Stadtmauer sind Verbesserungen vorzunehmen, und die Bürger müssen aufgeboten werden. Wir können viertausend Mann stellen.

MATTHISON: Die Stadtmauer wird nicht ausgebessert, und die Bürger werden nicht aufgeboten.

Die Prozession kommt zum Stillstand. Alle wenden sich Matthison zu.

BOCKELSON: Amen.

ROTHMANN: Gedenkt Bruder Matthison Verhandlungen mit dem Bischof aufzunehmen? Noch sind seine Forderungen nicht ganz unannehmbar. Er würde unsere Regierung bestätigen, wenn wir seine Oberhoheit anerkennen.

MATTHISON: Bruder Rothmann weiß, daß ich jede Forderung des Bischofs zurückweise, ohne sie zu prüfen. Wir überlassen die Verteidigung der Stadt dem, dessen Sache sie ist.

KRECHTING: Und wessen Sache ist sie nach Bruder Matthisons Meinung?

MATTHISON: Gottes Sache.

BOCKELSON: Amen.

KRECHTING: Wenn Bruder Matthison glaubt, der Allmächtige bemühe sich persönlich –

ROTHMANN: Auch theologisch ist das zu riskant.

MATTHISON: Es ist Gotteslästerung, zu denken, Er, der unser aller Vater ist, ziehe seine Hand von uns, wenn wir wehrlos und in Demut den Feind erwarten.

STAPRADE: Bruder Matthison! Angesichts von achttausend wohlbewaffneten Landsknechten –

VINNE: Du sollst Gott, deinen Herrn, nicht versuchen! Das steht schließlich auch geschrieben.

KLOPRISS: Ein Wunder läßt sich nicht erzwingen!

MATTHISON: Aber erflehen! Wer Münster wider den Bischof verteidigt, wird vor Gericht gestellt!

BOCKELSON: Amen.

MATTHISON: Er soll durch das Schwert umkommen, und wäre er einer unter uns.

BOCKELSON: Als unmittelbar erleuchtet von Gott hat Bruder Matthison das Recht, seine Entschlüsse auch gegen die Mehrheit des Rates durchzuführen.

MATTHISON: Die Gemeinde wartet.

BOCKELSON: Amen.

MATTHISON: Ehre sei Gott in der Höhe.
DIE ANDERN: Ehre sei Gott in der Höhe.

Alle ab.

Lager. Johann von Büren und Hermann von Mengerssen mit einer Leiter treten auf.

VON BÜREN: Die Käfige!

Drei Käfige senken sich von oben herunter.

VON BÜREN: Das Rad.

Der 1. Landsknecht rollt ein Rad zum Foltern herein.

VON BÜREN: Der protestantische Galgen.

VON MENGERSSEN: Der katholische Galgen.

Zwei Galgengerüste senken sich von oben herunter. Von Büren untersucht die Käfige, von Mengerssen besteigt die Leiter, fettet die Stricke des katholischen Galgens ein.

VON BÜREN: Morgen, beim Aufgang der Sonne, brechen wir unser Lager in Köln ab und wenden uns mit dem Heere gegen Münster. Ritter von Mengerssen, Ihr seid vom Bischof zu meinem Unterfeldherrn bestimmt worden, ich setze Euch davon in Kenntnis.

VON MENGERSSEN: Laßt uns den Zweikampf vergessen, Ritter von Büren, den wir, es sind jetzt neun Jahre her, vor Pavia im Anblick der versammelten Heere ausgefochten haben.

VON BÜREN: Es kostete Euch das rechte Ohr.

VON MENGERSSEN: Euch drei Finger der linken Hand.

VON BÜREN: Ich schwor, Euch das nächste Mal in Grund und Boden zu hauen.

Untersucht den protestantischen Galgen. Beim Kontrollieren der Stricke reißt einer.

VON BÜREN: Landsknecht, noch einen Strick!

Der 1. Landsknecht bringt verlangten Strick.

VON MENGERSSEN: Ihr seid Protestant und ich Katholik. Ich diente damals einem welschen König und Ihr heute einem Bischof.

VON BÜREN: Es kommt nicht darauf an, wem wir dienen. Es kommt darauf an, daß wir verdienen. Euer Franzosenabenteuer brachte Euch nicht viel ein.

VON MENGERSSEN: Zwanzig Dukaten.

VON BÜREN: Wenig. Wenig.
VON MENGERSSEN: Und neun Kinder daheim, Ritter von Büren.
VON BÜREN: Dafür fiel ich einer paduanischen Signorina in die Arme, Verehrtester, und meine Kriegsbeute schwand dahin, darunter vier Raffael.
VON MENGERSSEN: Seid froh, die moderne Malerei hält sich nicht. Meinen Michelangelo nimmt kein Mensch. Ich war gezwungen, am Bauernkrieg teilzunehmen, um die gröbsten Schulden zu tilgen.
VON BÜREN: Unrentabel, unrentabel. Bei meinem Tarif gebe ich mich mit Bauern gar nicht mehr ab. Das Gelichter ist mausearm und saugrob, man schlägt es tot und hat nichts, oder wird tot geschlagen und hat erst recht nichts.
VON MENGERSSEN: Ich stand immer auf der falschen Seite. Als Ihr Rom plündern durftet, verteidigte ich den bankrotten Papst Clemens.
VON BÜREN: Päpste sind immer schlecht.
VON MENGERSSEN: Der Heilige Vater vergab mir die Sünden, das ist alles.
VON BÜREN: Mager, mager.
VON MENGERSSEN: Gott sei's geklagt.

Von Büren untersucht das Rad.

VON BÜREN: Die Plünderung Roms war mein letztes gutes Geschäft, seitdem nichts als Bagatellen. Die Packschen Händel, lächerlich, die Verteidigung von Wien, man zahlte Hungerlöhne, und für die Verteidigung von Güns schuldet mir König Ferdinand zwanzigtausend Gulden. Dabei haben mir die Türken ein Angebot gemacht: Oberbefehl, zweihunderttausend Goldstücke im Jahr, ein Viertel der Beute, ein Sommer- und ein Winterpalais, Harem, und Christ kann ich auch bleiben.
VON MENGERSSEN: Ich erhielt schon lange kein ausländisches Angebot mehr.
VON BÜREN: Kopf hoch.
VON MENGERSSEN: Das Gold Münsters ist meine letzte Hoffnung.

VON BÜREN: Weiß nicht, weiß nicht. Ich habe lange gezögert, das Geschäft zu übernehmen. Die Täufer haben die Gütergemeinschaft eingeführt, da verflüchtigen sich die größten Vermögen.
VON MENGERSSEN: Ritter von Büren, Ihr nehmt mir jeden moralischen Mumm.
VON BÜREN: Habt Ihr die Landsknechte inspiziert?
Die zwei Landsknechte und der Mönch sind aufgetreten.
VON MENGERSSEN: Gewiß, Ritter von Büren.
VON BÜREN: Was denkt Ihr?
VON MENGERSSEN: Sie sehen schäbig aus.
VON BÜREN: Viele haben die Franzosenkrankheit.
VON MENGERSSEN: Die Bewaffnung stammt von einer kaiserlichen Armee, die vor mehr als dreißig Jahren von den Schweizern zusammengedroschen wurde.
VON BÜREN: Wenn der Bischof nicht bessere Truppen auftreibt, nehmen wir Münster nur mit Hunger.
1. LANDSKNECHT: Ein entlaufener Mönch, Feldherr.
2. LANDSKNECHT: Er will Euch sprechen, Feldherr.
VON BÜREN: An den protestantischen Galgen.
1. LANDSKNECHT: Zu Befehl, Feldherr.
VON MENGERSSEN: An den katholischen Galgen.
2. LANDSKNECHT: Zu Befehl, Unterfeldherr.
VON BÜREN: Ritter von Mengerssen, der Mönch entlief dem Kloster und damit seinem Glauben. Er ist für den protestantischen Galgen bestimmt.
VON MENGERSSEN: Für den katholischen Galgen. Als entlaufener Mönch stellt er eine Versündigung gegen die alleinseligmachende Kirche dar.
MÖNCH: Ist die Welt aus den Fugen? Hat sich die Vernunft verzogen? Ist jeglicher Verstand verfinstert?
VON BÜREN: Vortreten!
Der Mönch tritt vor.
VON BÜREN: Mönchlein, was hast du zu meckern?
MÖNCH: Ich bin Hilfslehrer für Mathematik im Dienste des Bischofs.
VON BÜREN: Uns egal.

MÖNCH: In Münster wollten sie mir den Kopf abschlagen, und hier soll ich hangen.

VON BÜREN: Wir hängen jeden auf, der uns über den Weg läuft.

MÖNCH: Ich bin gekommen, meine Dienste anzubieten. Im Feldzug gegen den münsterischen Wahnsinn hat auch der Intellektuelle an die Front zu eilen, hat auch der Mathematiker seine Pflicht zu tun!

VON BÜREN: Brauchen keine Mathematik.

MÖNCH: Ich vermag genau die Bahn einer Kanonenkugel vorauszuberechnen.

VON BÜREN: Ich habe einen Schweizer, einen Zwinglianer, der stellt vor mein Geschütz zwei schweizerische Nationalheilige, spuckt zwischen sie und richtet die Kanone nach der Spucke. Er trifft immer. Abtreten!

Der Mönch tritt zurück.

MÖNCH: Ich verhungere, wenn niemand meine Wissenschaft braucht.

VON BÜREN: Du verhungerst nicht, weil du gehängt wirst. An den protestantischen Galgen.

1. LANDSKNECHT: Zu Befehl, Feldherr.

VON MENGERSSEN: An den katholischen Galgen.

2. LANDSKNECHT: Zu Befehl, Unterfeldherr.

VON BÜREN: Ritter von Mengerssen: Ich hätte größte Lust, Euch den Handschuh ins Gesicht zu schleudern.

VON MENGERSSEN: Und ich Euch die restlichen Finger herunterzuhauen.

VON BÜREN: Als Oberfeldherr bestimme ich den Galgen!

VON MENGERSSEN: Nicht gegen mein katholisches Gewissen!

VON BÜREN: Dann zieht!

VON MENGERSSEN: Ritter von Büren! Da wir uns über den Galgen nicht einigen können, schlage ich vor, den Mönch zum Feldgeistlichen zu ernennen.

VON BÜREN: Wozu?

VON MENGERSSEN: Feldherr! Ihr befehligt eine bischöfliche Armee!

VON BÜREN: Ein Feldgeistlicher kostet.
VON MENGERSSEN: Nicht der Mönch!
VON BÜREN: Vortreten!
Der Mönch tritt vor. Von Büren betrachtet ihn.
VON BÜREN: Mönchlein, du bist zum Feldgeistlichen des bischöflichen Heeres ernannt, ohne Sold, doch mit dem Recht, mitzuplündern.
MÖNCH: Feldherr! Ich bin für diesen Posten ungeeignet.
VON BÜREN: Ins Lager mit dir!
MÖNCH: Ich bin kein Theologe.
VON BÜREN: Abtreten!
Der Mönch tritt zurück.
MÖNCH: Ich bin überhaupt kein religiöser Mensch.
VON BÜREN: Macht nichts. Noch heute wird bei der Kavallerie gepredigt. Abführen!
MÖNCH: Ich protestiere, ich bin ein Humanist!
Wird abgeschleppt.
VON MENGERSSEN: Ein Humanist! Eine Schande, daß er dem Galgen entgangen ist!
VON BÜREN: Diese ewige deutsche Uneinigkeit!

6. DER SCHAUSPIELER HAT SICH INSTALLIERT

Im bischöflichen Palast.
Bockelson und Täuferinnen im Chorgestühl.

BOCKELSON: Wohlan!
Ich werde mit all ihren Göttern
Die thebanischen Tempel auf meinen Leib laden
Und unter der zerstörten Stadt mich begraben
Und wenn meinen Schultern aufgebürdet
Die Stadtmauern
Mir ein zu leichtes Gewicht
Und die sieben Tore einsinken
So will ich die ganze Last des Weltgebäudes
Den Himmlischen entgegenschmettern
Mich mit ihnen zu vernichten!

Krechting tritt auf.

BOCKELSON: Bruder Krechting, Ihr scheint verwirrt. Ich rezitiere meine alten Rollen. Seneca.

KRECHTING: Bruder Bockelson! Ihr seid ein heiliger Mann, und ich finde Euch von halb entblößten Weibern umgeben!

BOCKELSON: In Ehren, Bruder Krechting, in Ehren, Ihr braucht Euch nicht abzuwenden. Meine zukünftigen Ehefrauen, den besten Familien des Reiches entlaufen: die Tochter eines Bürgermeisters, die Nichte eines Kardinals, eine Holländerin dazwischen, einst ein strammes Freudenmädchen aus Leyden – jetzt ist die Dirne bekehrt –, eine Baronin, ein Reichsfräulein, und die dicke Blonde ist eine richtige Prinzessin von Trübchen aus der Schachener Linie.

KRECHTING: Ihr wollt sechs Weiber heiraten?

BOCKELSON: Noch zehn weitere.

KRECHTING: Bruder Bockelson!

BOCKELSON: Ihr seid ein zaghafter Täufer, Bruder Krechting. Soll in Münster nur der lumpige Besitz abgeschafft werden? Keucht unser krankes Christentum nicht auch unter dem Joche der unnatürlichen Einehe? Ist nicht auch sie auf Grund des Alten Testamentes zu restituieren? Habt Ihr nicht von Salomo gelesen? Er brachte es auf tausend Weiber und ist weiser denn alle Philosophen gewesen. Ich werde dem Rat der Täufer beantragen, gestützt auf das Vorbild der Patriarchen und auf das Zeugnis der Apostel, die Vielweiberei wieder einzuführen, damit das Gebot des Herrn, seid fruchtbar und vermehret euch, nach besten Kräften erfüllt werden kann.

KRECHTING: Ihr macht die Täufer zum Gespött der ganzen Christenheit!

BOCKELSON: Um so mehr Zulauf werden wir haben!
Nur dem Tollkühnen, der Größtes wagt
Blutig Göttliches, heilig Wahnsinniges auch
Stürzt sich die Menge blindlings nach des Volks
Und sei es in des Tartarus finsteres Loch.
Auch Seneca. Nero. Ein gigantischer Durchfall in Amsterdam.
Ich wurde ausgepfiffen, aber es lag am Stück.

KRECHTING: Ihr seid ein Schauspieler geblieben und habt eine neue Rolle gefunden.

BOCKELSON: Die Rolle meines Lebens, Bernhard Krechting. Aber auch Ihr habt Euch eine neue Rolle ausgesucht. Ihr gebt Euch als ehemaliger Leutnant der kaiserlichen Armee aus und seid in Wirklichkeit ein davongejagter Prediger aus Gildehaus.

KRECHTING: Ihr wißt?

BOCKELSON: Ich schweige.

KRECHTING: Ich bin Euch ausgeliefert.

BOCKELSON: Verlaßt Euch auf meinen schauspielerischen Instinkt: Eine Komödie, die nur halb gewagt wird, ist schlecht, auch unsere Komödie müssen wir ganz wagen.
Ich fege – Prometheus; meine erfolgreichste Rolle. Ich spielte sie in Leyden siebenmal. Das Publikum tobte –
Ich fege mit einem einzigen gewaltigen Fausthieb
Von ihren Sitzen die alten Götter
Den tyrannischen Jupiter
Den Heuchler Apoll
Den trügerischen Pluto
Und Venus, die geile Metze
Oder
Geschmiedet an den schwarzen Kaukasus

Zerhacken blutgefärbt
Die Geier
Meine Leber!

KRECHTING: Ihr träumt, König von Münster zu werden.

BOCKELSON: Den Täufern ist ein König verheißen.

KRECHTING: Ein König, nicht ein Komödiant.

BOCKELSON: Meint Ihr? Laßt den Bischof mit seinen Landsknechten Münster umzingeln, dann wird dem eingeschlossenen Volk nichts bleiben als Hunger und Phantasie, mit der Mixtur werden sie mich zu ihrem König salben.

KRECHTING: Die Landsknechte werden Münster nicht umzingeln, sondern im ersten Ansturm erobern. Jan Matthison ordnete Gewaltlosigkeit an. Die bischöfliche Armee steht vor Hamm, und unsere Stadtmauern sind immer noch schadhaft.

BOCKELSON: Wißt Ihr nicht von der schönen Divara, dem jungen Weibe des alten Propheten?

KRECHTING: Wie bringt Ihr die mit unserer verzweifelten Lage zusammen?

BOCKELSON: Der eine bewundert in den Nächten den Busen seiner Frau, der andere stopft Löcher in der Stadtmauer aus.

KRECHTING: Das wäre Verrat.

BOCKELSON: An Matthisons Verschrobenheit, nicht an unserer Sache.

KRECHTING: Ich muß es wagen.

BOCKELSON: Verlassen wir uns auf die schöne Divara, Leutnant!

Krechting ab.

BOCKELSON: Doch ihr, meine Töchter, verkündet, ihr hättet einen König gesehen, Salomo nicht unähnlich und mir gleichend, sitzend auf einem Throne, schwebend in einer goldenen Wolke, einen König, der da kommen werde, Gericht zu halten über diese arme Erde.

DIE TÄUFERINNEN:

Uns wird ein König kommen
Aus Gottes großer Huld
Zu lösen alle Frommen
Von Armut und von Schuld

Er kommt mit seinem Trosse
Geritten auf die Nacht
Auf einem weißen Rosse
Zur letzten großen Schlacht

Die Fürsten und die Reichen
Sie sinken in den Staub
Vom Sturmwind ohnegleichen
Verweht wie dürres Laub

Doch wird der Kampf sich legen
Bevor der Hahn noch schreit
Und er kommt uns entgegen
In goldnem Königskleid

Von ihm erwählt als Bräute
Wir ziehen zu ihm ein
Mit festlichem Geläute
Sein Eigentum zu sein

7. KNIPPERDOLLINCK UND JUDITH

Ägidiitor. Knipperdollinck und Judith, beide in Bettelkleidern.

JUDITH: Du verbirgst dich, Vater.
KNIPPERDOLLINCK: Ich habe mich in die Finsternis verkrochen.
JUDITH: Du frierst.
KNIPPERDOLLINCK: Die Nacht ist kalt.
JUDITH: Der Morgen kommt bald.
KNIPPERDOLLINCK: Ich schickte dich immer wieder fort, und du folgst mir immer wieder nach.
JUDITH: Du bist mein Vater.
KNIPPERDOLLINCK: Dein Vater ist der reiche Mann Bernhard Knipperdollinck, und ich bin der arme Lazarus.
JUDITH: Ich bin die Tochter des armen Lazarus, in Fetzen und Lumpen gekleidet wie du.
KNIPPERDOLLINCK: Die Fenster des reichen Mannes sind erleuchtet.
JUDITH: Bockelson feiert mit seinen Weibern.
KNIPPERDOLLINCK: Der Wind bläst. Ich liebe sein Sausen. Der Himmel rötet sich.
JUDITH: Die Landsknechte sind nahe der Stadt.
KNIPPERDOLLINCK: Der Tod auch.
JUDITH: Gott wird sich erbarmen.
KNIPPERDOLLINCK: Er hat sich erbarmt. Er schickte die Armut, er schickte die Kälte, er schickte die Finsternis und er wird den Hunger schicken.
JUDITH: Ich fürchte mich.
KNIPPERDOLLINCK: Fürchte dich nicht. Steigen wir zum Ufer der Aa hinab, predigen wir den Ratten das Kommen des Friedensfürsten, des glorreichen Königs der Täufer.
Beide ab.

8. DER TOD DES PROPHETEN

Vor der Stadt.
Die beiden Ritter, die Landsknechte und der Mönch.

VON BÜREN: Münster in Westfalen, regiert von einem Bäckermeister und von einem Schauspieler!
VON MENGERSSEN: Von Ketzern, welche selbst von den Ketzern Ketzer genannt werden!
VON BÜREN: Sehr gut.
Du Stadt, von der der große Doktor Martin Luther schreibt, daß der Teufel daselbst haushalte und gewiß ein Teufel auf dem andern sitze wie die Kröten!
VON MENGERSSEN: Ausgezeichnet.
Du Stadt, von der der gelehrte Doktor Johannes Eck sagt, daß die Ewigkeit der Hölle nicht lange genug daure, um dich für alle deine Sünden garzukochen!
MÖNCH: Stadt der Unvernunft!
VON BÜREN: Maulhalten, Feldgeistlicher, Beleidigungen sind Vorrecht der Armee. Legt los, Landsknechte!
1. LANDSKNECHT: Stadt der Unvernunft:
2. LANDSKNECHT: Stadt der Unfreiheit, Stadt der Ungerechtigkeit!
VON BÜREN: Nicht doch, Kerl, Unfreiheit ist eine Bürgertugend, und Ungerechtigkeit ziert den Soldatenstand.
2. LANDSKNECHT: Verzeihung, Feldherr, wird nicht wieder vorkommen. Stadt der Freiheit! Stadt der Gerechtigkeit!
1. LANDSKNECHT: Stadt der Gleichheit!
2. LANDSKNECHT: Stadt der Volksgemeinschaft!
1. LANDSKNECHT: Stadt der Gütergemeinschaft!
2. LANDSKNECHT: Stadt der Nächstenliebe!
VON BÜREN: Gut, Landsknechte, gut, das nenne ich prächtige Beleidungen. Jetzt komme ich wieder.
Stadt der Humanité!
VON MENGERSSEN: Humanité? Was soll denn das bedeuten, Ritter von Büren?

VON BÜREN: Keine Ahnung, ein saftiges französisches Schimpfwort! Jetzt einschüchtern. Los!

1. LANDSKNECHT: Ritter Johann von Büren ist vor deinen Mauern erschienen, Stadt der Humanité, dich zu zertrümmern wie eine hohle Nuß!

2. LANDSKNECHT: Ritter Hermann von Mengerssen ist vor deinen Toren aufgerückt, Stadt des Friedens, dich auszublasen wie ein Kerzenlicht!

VON BÜREN: Ich erdolchte den König der Franzosen in den Armen seiner teuersten Kurtisane!

VON MENGERSSEN: Ich knüpfte den Sultan der Türken an das Minarett seiner erhabensten Moschee!

VON BÜREN: Ich ersäufte den Papst –

VON MENGERSSEN: Ritter von Büren! Ihr seid der Feldherr einer bischöflichen Armee –

VON BÜREN: Ich ersäufte den Papst zu Rom eigenhändig im Fasse seines kostbarsten Meßweines!

VON MENGERSSEN: Schön. Dann sag ich auch etwas gegen die Lutheraner. Ich verbrannte zu Wittenberg tausend Lutheraner auf einem wohlgeschichteten Haufen von tausend Lutherbibeln!

1. LANDSKNECHT: Ergib dich, Stadt!

2. LANDSKNECHT: Pariere, Münster!

In der Stadt. Ägidiitor. Matthison und der Rat der Täufer treten auf, Divara am Arme Matthisons.

MATTHISON: In der Stadt Gottes herrscht Friede.

ROTHMANN: Das Volk vertraut auf Gott und verrichtet seine tägliche Arbeit.

MATTHISON: Bruder Bockelson, ich vertraue Euch mein Weib Divara an, sie ist schwanger. Meine Abwesenheit dauert kurze Zeit, doch wird sie Hilfe im Gebet brauchen.

VON BÜREN *hinter dem Tor:* Fleht um Gnade, ihr trotzigen Täufer, Rebellen gegen Kaiser und Reich, oder ich schlachte euch hin!

MATTHISON: Reicht mir das Schwert, Bruder Staprade!
Herr!
Du hast mir diese Stadt übergeben

Ich habe gehandelt in Deinem Namen
Ich ließ töten in Deinem Namen
Ich bin schuldig geworden in Deinem Namen
Laß mich weiterhin die Schuld tragen
Damit Dein Volk nicht schuldig werde
Herr! Herr!
Du hast denen geholfen, die an Dich glaubten
Ich stehe vor Dir im Angesicht Deiner Feinde
Breitbeinig stehen sie vor unseren Toren
Sie verhöhnen uns
Sie sind gekommen, Dein Volk zu vernichten
Ihre violetten Fahnen sind entbreitet
Ihre Belagerungstürme ragen gen Himmel
Ihre Geschütze sind gegen Deine Stadt gerichtet
Hilf, Herr!
Du ließest Simson mit einer Eselsbacke Tausend schlagen
Laß mich jezt mit diesem Schwert das Heer des Bischofs besiegen

Zieht durch das von Bockelson geöffnete Tor aus der Stadt.

BOCKELSON: Es ist ein feierlicher Augenblick, Bruder Matthison in den Tod schreiten zu sehen.

Schließt das Tor wieder.

DIVARA: Sie schlagen ihn tot! Sie schlagen ihn tot!

Rennt zum Tor.

DIVARA: Laßt mich zu ihm! Laßt mich zu ihm!

BOCKELSON: Meldet, weil er in seinem Hochmut den Sieg allein habe erringen wollen, der doch nur dem Volke Gottes zukomme, sei Jan Matthison, der Prophet, nach tapferem Kampfe dem Feind erlegen; verkündet, daß in dieser Stunde der Not der Herr mich, Johann Bockelson aus Leyden, zum König über Münster eingesetzt habe, damit ich, umgeben von den vier Erzengeln und den Cherubim, dem Antichrist widerstehe; ruft ferner zu meinem Statthalter und obersten Richter Bernhard Knipperdollinck aus, den heiligen Mann, zum Zeichen, daß mein Königtum sich nicht auf Reichtum und Macht, sondern auf Armut und Ohnmacht gründe; fordert endlich die Männer und Weiber dieser Stadt auf, mit Waffen und Pechkränzen und heißem Kalk die Mauer zu besetzen, ja die steinernen Heiligen aus den Kirchen zu reißen, um damit jene zu zerschmettern, die an sie glauben und die jetzt, uns zu vernichten, die Wälle Jerusalems berennen!

Täufer stürzen hinaus.

DIVARA: Mein Mann! Mein Mann!

BOCKELSON: Was Euch widerfahren, Königin, war widerwärtig
Allein
Von einem vergangen Helden mit einem zukünftigen schwanger
Faßt neue Hoffnung jetzt durch einen Helden, welcher gegenwärtig
Antonius!

Beide ab.

9. DIE NIEDERLAGE

Vor der Stadt.
Ritter von Büren und der Mönch wanken über die Bühne.

VON BÜREN: Ich werde katholisch!
MÖNCH: Wir sind zusammengeschlagen! Wir sind jämmerlich in Stücke gehauen!
VON BÜREN: Steding tot, Westerholt tot, Oberstein tot!
MÖNCH: Eine kapitale Niederlage, Feldherr.
VON BÜREN: Alles tot. Dabei las ich dem versammelten Heere vor dem Angriff mit lauter Stimme aus der Bibel vor, eine prächtige Siegeslosung, Prophet Micha, ganz zufällig gefunden: Er aber wird auftreten und weiden in der Kraft des Herrn und im Sieg des Namens des Herrn.
MÖNCH: Ihr habt die Losung falsch interpretiert, Feldherr. Er aber wird auftreten – damit war der Schauspieler gemeint.
VON BÜREN: Als Katholik wäre mir das nicht vorgekommen!
MÖNCH: Ihr hättet zuerst einen Scheinangriff ausführen sollen und dann mit der Hauptmacht –
VON BÜREN: Laßt mich mit Eurem Intellekt in Frieden!
MÖNCH: Einen kleinen Sieg habt ihr dennoch erfochten: Eure Landsknechte hieben den Täuferpropheten Jan Matthison in Stücke.
VON BÜREN: Ich konvertiere auf der Stelle. Marsch, Feldgeistlicher! Bekehrt mich zum Glauben der alleinseligmachenden Kirche! Gießt Weihwasser in Kübeln über mich, laßt mich Heiligenbilder umarmen, häuft Berge von Ablaßzetteln auf mein sündiges Haupt, stellt mit mir an, was dazu nötig ist, los, los!

Ritter von Mengerssen und 2. Landsknecht hinken über die Bühne.

VON MENGERSSEN: Ich werde protestantisch!
2. LANDSKNECHT: Wir sind radikal zerschmettert.
VON MENGERSSEN: Verraten, hintergangen, verspottet, invalid. Ich war ein treuer Sohn der Kirche, da prasselt mir, von Weibern heruntergekippt, mein Schutzpatron auf den Leib, der heilige Augustin, und mein Bein schwindet von mir wie der Schnee von den Feldern, wenn der Frühling kommt.

2. LANDSKNECHT: Dahin Euer Bein, dahin Euer Heer.

MÖNCH: Gedenkt Eurer Sünden, Unterfeldherr. Der heilige Augustin hätte schlimmer mit Euch verfahren können, bei Eurer vertrottelten Strategie.

VON MENGERSSEN: Feldgeistlicher, Ihr seid zum protestantischen Feldprediger ernannt. Bekehrt mich flugs zum Glauben des großen Martin Luther, schlagt mir den Katechismus um die Ohren, brüllt mich mit Kirchenliedern um, bläut mir die Gnade ein!

1. LANDSKNECHT *rennt über die Bühne:* Die Täufer fallen aus der Stadt! Sie vernageln unsere Geschütze!

VON BÜREN: Steht mir bei, ihr Heiligen!

VON MENGERSSEN: Steh mir bei, Huß! Steh mir bei, Luther! Steh mir bei, Zwingli!

VON BÜREN: Ritter von Mengerssen! Keine ketzerischen Sprüche!

VON MENGERSSEN: Ritter von Büren, seht meine Wunde! Ihr blickt auf einen protestantischen Stumpf!

VON BÜREN: Humpeln wir ins Lager zurück!

10. DIE SIEGER

Marktplatz.
Das Volk trägt Bockelson als König durch die Stadt und singt das Täuferlied.

DIE MENGE:
Allein Gott in der Höh' sei Ehr
Und Dank für seine Gnade
Darum, daß nun und nimmermehr
Uns rühren kann ein Schade
Ein Wohlgefallen Gott an uns hat
Nun ist erfüllt sein Friedensrat
All Fehd' hat nun ein Ende.

ROTHMANN: Es lebe König Bockelson!
DIE MENGE: Hosiannah!
KRECHTING: Es lebe sein Statthalter Bernhard Knipperdollinck!
DIE MENGE:
Halleluja! Alleluja!
Wir beten an und loben dich
Wir bringen Ehr und danken
Daß Du, Gott Vater, ewiglich
Regierst ohn alles Wanken
Ganz unbegrenzt ist Deine Macht
Allzeit geschieht, was Du bedacht:
Wohl uns solch eines Herren.

Lager.
Der Bischof mit einem Schreiben Bockelsons und ein Landsknecht mit einem kleinen Tisch, darauf ein verhüllter Gegenstand in einer Schüssel.

BISCHOF: Verdammt.
LANDSKNECHT: Zu Befehl, Exzellenz.
BISCHOF: Dieser Fluch ließ sich nicht unterdrücken. Der lumpige Täuferkönig fordert meine Unterwerfung.
LANDSKNECHT: Jawohl, Exzellenz.
BISCHOF: Ich gebe diesen Krieg nicht auf, und sollte ich wie ein Bettler von einem Fürst zum andern ziehen.
LANDSKNECHT: Ich bringe den Kopf Jan Matthisons, des falschen Propheten, sehr wohl präpariert.
BISCHOF: Stell ihn hin.
LANDSKNECHT: Zu Befehl, Exzellenz.
BISCHOF: Geh.
Rollt sich zum Tischchen, enthüllt den Kopf, betrachtet ihn.
Das bist du also, Jan Matthison
Das sind deine Augen, und das ist dein grauer Bart
Länger als der meine, nur nicht mit der gleichen Sorgfalt gepflegt
Deine Niederlage ist besser als meine
Du zogst mir entgegen
Allein, grandios in deinem Glauben
Ein Grobian, vielleicht, voll finsterer Irrlehren, möglich
Voll Plänen nach Umsturz der Dinge, sicher
Doch besessen von Gerechtigkeit, getrieben von Hoffnung
Ich dagegen wollte die Welt nicht ändern wie du
Ich wollte im Unvernünftigen vernünftig bleiben
Nun muß ich weiterhin an einer faulen Ordnung herumflicken
Ein Narr, ein hoffnungsloser Diplomat
Ein Greis, dem nichts mehr bleibt als greisenhafte Zähigkeit
Behaftet mit einem neuen Gegner

Welche Poß!
Als Komödienfreund stehe ich nun einem Komödianten gegenüber
Süchtig nach großen Rollen, getrieben von einer gemeinen Phantasie
Auf Brettern eingeübt, mit Literatur gefüttert und mit ausgedroschenen Phrasen
Ist er gefährlicher als du
Sei zufrieden, Bäcker aus Harleem:
Dein Tod war lächerlich, kümmere dich nicht darum
Nur das bleibt bestehen, Prophet
Was uns ärgert und worüber wir lachen.

TEIL II

12. DIE FÜRSTEN

Worms.
Kaiser Karl V. in einer Sänfte.

KAISER: Ich bin Kaiser Karl der Fünfte in seinem fünfunddreißigsten Lebensjahr
Eben ist die Nachricht eingetroffen, daß mein Feldherr Pizarro in dem neuentdeckten Kontinent über dem Meere
Die Stadt Cuzco eingenommen habe
Zwei Jahre brauchte die Nachricht, bis sie zu mir gelangte
Und ich weiß immer noch nicht so recht, wo denn dieses Cuzco eigentlich liegt
Mein Imperium ist dermaßen gewaltig
Daß die Sonne stets einen Teil meines Reiches röstet
So wie die glühenden Holzkohlen das Hähnchen am Spieß
Den mein niederländischer Leibkoch sorgsam dreht
Ich bin Aargauer
Meine Urahnen verließen die kleine schäbige Festung Habsburg
Nahe bei Brugg in der Schweiz
Ein Weltgeschäft zu machen: Mit Familienpolitik
Ein Unterfangen, das Disziplin, Härte, unglückliche Ehen und Frömmigkeit verlangt
Diese besonders, denn Völker sterben nur für religiöse Dynastien gern
Nur so haben sie das Gefühl, nicht für irgendeine Sippe zu leiden
Sondern für Gott, für seine Kirche und für die Einheit des Abendlandes
Das, meine ich, ist ihr Recht, das dürfen Völker wirklich verlangen
So sehe ich denn vor meinem inneren Auge meine Länder
Sauber aufgeräumt von meinen Landsknechten und reingefegt von jeder Ketzerei durch die heilige Inquisition
Ohne Menschen meinetwegen, ein Kammerdiener genügt mir in meinem Weltreich
Einige Lakaien, ein Beichtvater, ein Kanzler, der Koch, den ich schon erwähnte, und ein Henker für alle Fälle

Auf die Untertanen kann ich verzichten, Untertanen stören nur die erhabenen Spiele der Macht
Mein Wunsch ist, einmal in ein Kloster zu gehen
Es muß ein Kloster sein abgelegen in kahlen Bergen
Und in der Mitte seines Hofes muß ein Standbild der Gerechtigkeit stehen
Eine Gerechtigkeit, wie man sie überall sieht, bunt bemalt, mit verbundenen Augen, mit einer Waage sowie mit einem Schwert
Es muß eine gewöhnliche Gerechtigkeit sein
Um diese will ich kreisen zehn Stunden am Tage
In immer gleichem Abstand, wie um eine Sonne, jahrelang und nichts anderes
Bevor ich, müde vom Weltregieren und fröstelnd in der Septemberhitze
Meine kalten Augen schließe

Der Kanzler tritt auf.

KAISER: Noch aber ist es dumpfer Mittag, und noch bin Ich die Sonne, um die sich alles dreht

KANZLER: Majestät!

KAISER: Wo sind wir, Kanzler?

KANZLER: In Deutschland, Majestät.

KAISER: In Deutschland? Wir vergaßen, Wir vergaßen. Wir glaubten Uns in Unserem Palaste zu Madrid.

KANZLER: Majestät halten sich in Worms auf. Der Reichstag ist einberufen.

KAISER: Der Reichstag! Scheußlich! Wir lieben diese deutschen Angelegenheiten nicht, sie sind so – unplastisch.

KANZLER: Majestät haben die Mitglieder der Kaiserlichen Akademie für Malerei in Wien zu bestimmen. Die Liste, Majestät.

KAISER: Tizian, gut, Tintoretto, möglich, Maarten van Hemskerk, tüchtig, Marinus von Roymerswaele, brav, Jan van Amstel, wacker, Altdorfer, na ja, Holbein, geht auch noch, Hagelmeier aus Wien – Kanzler, unmöglich. Wir sind zwar Habsburger, doch diese wienerische Phantasielosigkeit ist nicht akzeptabel. Müssen wir schon Bäume abgebildet sehen statt Menschen, wie uns der Kerl zumutet, sollten wir eine Ahnung der Kraft verspüren, mit der die Natur diese großen Pflanzen aus ihrem Schoße treibt, statt dessen erblicken wir nichts als tote Haufen pedantisch gemalten Laubes. Sonst noch was?

KANZLER: Unwichtiges. Majestät haben vor, die Fürsten zu empfangen.

KAISER: Vorführen.

Kanzler meldet die Fürsten an, die von Pagen in Sänften hereingetragen werden.

KANZLER: Seine Eminenz, der Kardinal

KARDINAL: Mein Sohn

KAISER: Eminenz

KANZLER: Seine Durchlaucht, der Landgraf von Hessen

LANDGRAF: Mein lieber Karel

KAISER: Mein lieber Flips

KANZLER: Seine Durchlaucht, der Kurfürst

KURFÜRST: Tag, Karlchen

KAISER: Kurfürst

KURFÜRST: Ein Bier

KAISER: Ein Bier für den Kurfürsten

KANZLER: Der Bischof von Minden, Osnabrück und Münster

KAISER: Rollt den Bischof in die Ecke.

Ein Page rollt den Bischof in die Ecke.

KAISER: Nun?

KARDINAL: Da dieser mickrige Bischof, mein Sohn, uns unter Anrufung der Reichsverfassung gezwungen hat, die lächerlichen Wirren seines Ländchens zu behandeln, eines klipp und klar: Waldeck soll von meinen Schauspielern die Finger lassen!

BISCHOF: Ich löste meine Truppe auf, Eminenz.

KARDINAL: Wenn Ihr Eure Truppe auflöst, dann nur, um eine bessere zu gründen! Habt Ihr mit meinem ersten Charakterdarsteller gesprochen oder nicht?

LANDGRAF: Und meine Salondame? Ist sie bei Euch aufgetaucht, ja oder nein?

BISCHOF: Die Feldstiefel ist mir zu unbegabt.

LANDGRAF: Zu unbegabt! Karel, er hält die Feldstiefel für unbegabt.

KURFÜRST: Tiefste Provinz!
LANDGRAF: Kurfürst, das wirst du büßen. Karel, ich besetze Eisenach.
KURFÜRST: Dann falle ich in Gießen ein.
KARDINAL: Friede.
KAISER: Ich dachte, es ginge um eine konfuse innerdeutsche Rivalität; es geht um die Feldstiefel.
KURFÜRST: Noch ein Bier!
Ein Page bringt Bier.
KARDINAL: Waldeck, ich bewunderte in Eurem Theater den schönsten Plautus meines Lebens, doch was Euer Urteil über Schauspieler betrifft, so habt Ihr diesen Johann Bockelson auch für unbegabt gehalten; eine meiner Nichten weilt an seinem – na ja, an seinem Hof – sie schrieb meiner Schwester, er rezitiere den Seneca hinreißend.
BISCHOF: Er rezitiert übertrieben, pathetisch, gräßlich!
LANDGRAF: Waldeck, komm mir nicht mit deinem Geschmack!
KARDINAL: Und was die Wiedertäufer betrifft, da habt Ihr Euch auch geirrt.
KAISER: Wiedertäufer?
KARDINAL: Harmlose Leutchen, mein Sohn, fleißig und fromm, die überall in deinem Reiche herumlaufen.
BISCHOF: Eminenz!
KARDINAL: Keine Widerrede, Bischof von Münster! Daß die Wiedertäufer die Erwachsenentaufe fordern, mein Gott, ein uralter christlicher Gedanke. Die Deutschen sind nun mal ein frommes Volk, dem Grübeln zugeneigt, jeder ist ein heimlicher Mystiker.
KURFÜRST: Noch ein Bier!
KARDINAL: Hauptsache, daß die Wiedertäufer gegen Luther sind. Sie betonen, wie ich höre, daß des Menschen Seligkeit nicht allein auf dem Glauben fuße. Erfreulich, gefällt mir außerordentlich, positives Christentum. Ich wette, sie sind im Grunde Katholiken, ohne es zu wissen, nicht in allen Details, gewiß, aber wir sind nicht engherzig. Waldeck verstand es bloß nicht, mit seinen Schäfchen umzugehen und ihre An-

fälligkeit fürs Phantastische in den Schoß der Kirche zurückzusteuern. Ein tüchtiger Dominikaner hätte da längst Ordnung geschaffen und die Angelegenheit friedlich im Sinne Roms geklärt.

BISCHOF: Eminenz sind völlig falsch informiert.

KARDINAL: Informiert? Solche Modetorheiten mach ich nicht mit. Ich informierte mich noch nie in meinem Leben, das habe ich als Kardinal nicht nötig, ich verlasse mich auf meine Intuition.

BISCHOF: Eminenz! Eure harmlosen Wiedertäufer köpfen in Münster täglich Leute.

KARDINAL: Tun wir auch.

BISCHOF: Im Namen Gottes!

KARDINAL: Tun wir auch!

BISCHOF: Sie betreiben Vielweiberei!

KARDINAL: Bischof! Wer betreibt sie nicht! Jedem von uns wird Vielweiberei vorgeworfen, meine Mätressen werden von den Protestanten in ihren Schriften aufgeführt, die Katholiken weisen darauf hin, daß der Landgraf mit zwei Frauen verheiratet ist, der Kurfürst schläft mit jeder Stallmagd, die galanten Abenteuer unseres Karl sind bekannter als die römische Geschichte, und Ihr, Waldeck, habt Eure ewige Anna Pölmann.

BISCHOF: Ich bin über hundertjährig, Eminenz.

KARDINAL: Aber verflucht rüstig.

BISCHOF: Bockelson ehelichte sechzehn Weiber.

KAISER: Sechzehn?

LANDGRAF: Genial.

KURFÜRST: Mensch, ist der Kerl sinnlich.

KARDINAL: Großartig, das finde ich großartig. Dieser Bursche ist ein echter Schauspieler, komödiantisch bis zum Exzeß. Der schmeißt uns eine Rolle hin, daß wir nur so staunen. Die sechzehn Weiber sollen wir tragisch nehmen? Wir können uns unmöglich empören, wo wir schmunzeln müssen. Nein, nein, keine Widerrede. Normalisiert sich die Lage, löst sich der Harem von selber auf. Deshalb: Keinen einzigen Landsknecht für die Belagerung von Münster.

BISCHOF: Kurfürst! Ihr müßt mir helfen!

KURFÜRST: Keinen Schwanz.

BISCHOF: Landgraf von Hessen! Ich appelliere an euren politischen Instinkt.

LANDGRAF: Mein guter Waldeck, ich gebe zu, die Wiedertäufer sind für uns Protestanten eine peinliche Angelegenheit, sie parodieren geradezu unseren evangelischen Glauben. Doch mein politischer Instinkt, an den du appellierst, sagt mir: Was sich hier zusammenbraut, ist bedenklicher: Eine katholische Verschwörung gegen die protestantischen Fürsten.

BISCHOF: Landgraf, ich gebe Euch mein Wort –

LANDGRAF: Gib es nicht, Bischof, ich kenne Karel und seinen Kardinal, und auch du wirst mitmachen. Die Wiedertäufer, die ich in meinem Lande auftreibe, knüpfe ich an die Bäume, ich verfuhr mit den rebellischen Bauern auch nicht anders, verfahr du mit deinen Täufern ebenso, doch verlange nicht, daß ich dir dabei helfe. Was einen katholischen Fürsten schwächt, stärkt mich. Keinen einzigen Landsknecht für die Belagerung von Münster.

KURFÜRST: Keinen Schuß.

BISCHOF: Ich benötige Geld, ich bin ruiniert. Wenn ich die Söldner nicht bezahle, verwüsten sie mein Land.

KARDINAL: Geld haben wir keines.

KURFÜRST: Noch ein Bier.

BISCHOF: Ich muß den Krieg so schnell als möglich beenden. Denkt an die Unschuldigen! Denkt an Frauen und Kinder!

KARDINAL: Es ist nicht unser Krieg.

BISCHOF: Denkt an das Volk.

LANDGRAF: Waldeck, jetzt wird's peinlich.

KURFÜRST: Ordinär.

KARDINAL: Bischof, ich muß mich schon fragen: In welchen Kreisen verkehrt Ihr eigentlich?

LANDGRAF: Das Volk hat zu parieren, wir dafür zu sorgen, daß pariert wird, und für das Seelenheil aller sorgt die evangelische oder die katholische Kirche, je nach dem, das ist die christliche Weltordnung. Ich wüßte nicht, weshalb wir da noch an das Volk denken sollten.

BISCHOF: Dann denkt wenigstens an Euch, an Eure Ländereien, an Eure Schlösser, an Eure Leibeigenen, an Euren Reichtum. Die Wiedertäufer führten die Gütergemeinschaft ein.

Schweigen.

KAISER: Eminenz, das sind keine treuen Katholiken.

KARDINAL: Mein Sohn, ich bin perplex.

KURFÜRST: Noch ein Bier.

LANDGRAF: Gütergemeinschaft! Ekelhaft!

KARDINAL: Das kommt bloß von Luthers Bibelübersetzung. Die Bibel ist keine Lektüre für das Volk. Wir bewilligen tausend Landsknechte.

KURFÜRST: Wir auch.

LANDGRAF: Wir zweitausend.

KARDINAL: Pagen!

Die Pagen treten auf und tragen die Fürsten hinaus.

LANDGRAF: Karel, beim Mittagsmahl sehen wir uns wieder.

KURFÜRST: Ich gehe schlafen, Karlchen.

KARDINAL: Mein Sohn. In nomine patris et filii et spiritus sancti.

Gibt ein Zeichen, die Sänftenträger bleiben stehen.

KARDINAL: Waldeck, die Landsknechte habt Ihr nun, doch was Bockelson angeht, Ihr hättet ihn engagieren sollen.

BISCHOF: Ich bereue es, Eminenz, das Unheil, das er jetzt anstellt, übertrifft bei weitem das Unheil, das er auf der Bühne hätte anrichten können.

KARDINAL: Waldeck: Sollte sich Bockelson als der Schauspieler erweisen, für den ihn meine Nichte hält, die Kirche und die deutsche Nation könnten Euch nie verzeihen.

Wird auch hinausgetragen.

KAISER: Was wollt Ihr noch, Bischof von Münster?

BISCHOF: Noch mehr Landsknechte, Majestät!

KAISER: Unmöglich.

BISCHOF: Viertausend sind zu wenig.

KAISER: Wir regieren über ein Weltreich, Wir sind mit wesentlicheren Dingen beschäftigt als mit deutschen Wirren.

BISCHOF: Die Fürsten sind blind.

KAISER: Ihr seid alt, Bischof von Münster, uralt.

BISCHOF: Und Majestät sind blutjung, das ist das Tragische.
KAISER: Wir bekämpfen die Täufer, indem Wir sie nicht beachten.
BISCHOF: Johann Bockelson ließ öffentlich das Bildnis Eurer Majestät verbrennen.
KAISER: Öffentlich?
BISCHOF: Öffentlich, Majestät.
KAISER: Ich erwarte von Euch, Bischof, als seinem Landesherrn, daß Ihr diesen Frevler an Unserer Majestät vor Gericht stellt und ihn, den Verruchten, wie es das Gesetz verlangt, nach endlosen Folterungen zum Tode durch das Rad verurteilt, um seinen Leichnam dann, eingeschlossen in einen Käfig aus Eisen, an der höchsten Spitze der Kathedrale in Münster aufzuhängen. Damit aber Eure Exzellenz imtande sind, Unseren Willen gegen den Rebellen durchzusetzen, sind Wir gewillt, Euch hundertfünfzig Landsknechte abzutreten. Kaiserliche Landsknechte.
BISCHOF: Der Verdurstende ist für jeden Tropfen dankbar und zu schwach, zurückzuweisen, was nicht helfen kann.
KAISER: Rollt den Bischof hinaus!

Pagen rollen den Bischof hinaus.

Kanzler!
KANZLER: Majestät!
KAISER: Ein maßlos hartnäckiger Greis.
KANZLER: Er rennt in sein Verderben, Majestät.
KAISER: Laßt hundertfünfzig Landsknechte aussuchen, jämmerliche Kerle, Dummköpfe, mit allen Krankheiten behaftet, mit Beulen und Gebresten, die zum Himmel stinken, denen bald ein Arm fehlt, bald ein Bein. Schickt sie nach Münster.
KANZLER: Jawohl, Majestät.
KAISER: Im übrigen imponiert Uns der Schauspieler in seiner Narrheit.
KANZLER: Eine echte Begabung, Majestät.
KAISER: Das winzige Königreich dieses lausigen Komödianten, so sehr Wir es verlachen, scheint Uns dennoch ein Abbild Unserer eigenen Macht, kommt Uns doch unser Imperium nicht minder zerbrechlich vor.

KANZLER: Sehr wohl, Majestät.

Der Kaiser klatscht in die Hände, die Pagen tragen ihn hinaus, halten auf ein Zeichen des Kaisers an.

KAISER: Was jedoch den unbegabten Dilettanten aus Wien betrifft –

KANZLER: Der Maler Hagelmeier ist aus der Liste der Akademiemitglieder gestrichen, Majestät.

KAISER: Ein Fehler, Kanzler. Nehmt ihn auf in Gnaden, als Mitglied der Kaiserlichen Akademie kann er außer der Malkunst niemandem schaden.

13. DER VIERFÜRST DANKT AB

Marktplatz.
Knipperdollinck und Judith treten auf.

KNIPPERDOLLINCK: Gräfin Gilgal.
JUDITH: Vierfürst?
KNIPPERDOLLINCK: Du siehst mich, Töchterchen, in einer lächerlichen Verfassung: Nur mit einem Hemde bekleidet schreite ich über den Marktplatz.
JUDITH: Mein Vater ist nie in einer lächerlichen Verfassung.
KNIPPERDOLLINCK: Doch, Gräfin Gilgal, doch. Ich übe mich in Armut. Oh, sie ist eine große Kunst, die Armut. Ich dringe immer tiefer und tiefer in ihre Feinheiten ein, ihr Elend ist auf eine wundersame Weise abgestuft: die Köstlichkeiten des grimmigen Hungers und des quälenden Durstes, die Herrlichkeiten der Kälte und der Nässe sind kaum zu beschreiben. Ich entdecke immer neue Wunder, schauerliche Abgründe der Verzweiflung, Sümpfe des Jammers und Meere der Not! Und erst das Ungeziefer! Diese wunderbaren Wanzen, diese herrlichen Flöhe! Gott sei gepriesen, ich kratze mich andauernd.
Stutzt.
Das Schwert in meinen Händen, was ist das für ein Schwert?
JUDITH: Es ist das Schwert der Gerechtigkeit.
KNIPPERDOLLINCK: Ich küsse dich, Schwert! Ich küsse dich, Gerechtigkeit! Es ist ein heiliges Schwert, nicht wahr, meine Tochter?
JUDITH: Ja, Vater.
KNIPPERDOLLINCK: Wie kommt es in meine Hände, Gräfin Gilgal?
JUDITH: Der König gab es Euch, Vierfürst von Galiläa. Es ist das Zeichen des Richters.
KNIPPERDOLLINCK: Richtig! Sehr richtig! Ich soll das Schwert der Gerechtigkeit wider die Menschen brauchen! Habe ich es gebraucht, meine Tochter? Blutig gebraucht?
JUDITH: Ja, Vater.
KNIPPERDOLLINCK: Habe ich viele hingerichtet?

JUDITH: Ja, Vater.
KNIPPERDOLLINCK: Warum?
JUDITH: Um ihre unsterbliche Seele zu retten.
KNIPPERDOLLINCK: Rettete ich ihre unsterbliche Seele, rettete ich sie?
JUDITH: Ich weiß es nicht.
KNIPPERDOLLINCK: Du weißt es nicht, und ich kann es auch nicht wissen. Was ist dann Gerechtigkeit, Gräfin, wer ist dann gerecht auf dieser runden Erde?
JUDITH: Es kommt dem Menschen nicht zu, gerecht zu sein.

Das Volk von Münster tritt auf in schwarzen, zerschlissenen Kleidern. Langermann und Friese führen den Metzger herbei.

KNIPPERDOLLINCK: Weise! Sehr weise! Hört, ihr Menschen, hört, was meine Tochter, Gräfin Gilgal, sagt: Es kommt euch nicht zu! Ungerechtigkeit ist euer Los, ihr Menschen, und Irrtum. Seht mein blutiges Richtschwert, ihr Täufer. Seht die menschliche Gerechtigkeit! Sie zerhackte ohne Wissen, sie köpfte blind. Sie sei verflucht, die menschliche Gerechtigkeit.
FRIESE: Statthalter des Königs!
KNIPPERDOLLINCK: Wer seid Ihr?
FRIESE: Der Graf von Gilboa, vormals der Schuster Friese.
LANGERMANN: Der Kesselflicker Langermann, jetzt der Fürst von Sichem.
FRIESE: Wir klagen den Vicomte von Gê-Hinnom an.
KNIPPERDOLLINCK: Klagt.
DIE VON DER RECKE: Er zweifelte an Gottes Güte vor allem Volk.
KNIPPERDOLLINCK: Tretet vor, Vicomte, zittert und tretet vor.
METZGER: Gnade, Majestät, Gnade, Vierfürst von Galiläa! Ich bin ein ehrlicher Durchschnittstäufer, der seine Güter verteilte wie jedermann und vier Weiber ehelichte auch wie jedermann. Gnade!
KNIPPERDOLLINCK: Seid Ihr nicht der Großherzog von Bethsaida am See Genezareth, den ich vor achtundvierzig Stunden erst zum Vicomte von Gê-Hinnom, zum Tale der stinkenden Kadaver, degradierte, weil er vor allem Volke Gottes Weisheit in Frage stellte?

METZGER: Ich bin es, o Sonne der Gerechtigkeit, Mond der Gnade und Blitz der Rache.

KNIPPERDOLLINCK: Ihr sündigtet aufs neue, Vicomte.

METZGER: Nur eine Sekunde lang bezweifelte ich Gottes Güte, Erhabener, nur eine Sekunde lang.

KNIPPERDOLLINCK: Eine sündige Sekunde, und des Menschen Seligkeit fährt auf ewig dahin, Vicomte.

METZGER: Aus Verzweiflung, Statthalter des Königs, ich sündigte aus Verzweiflung. Weil das Volk des neuen Jerusalems vor Hunger Hunde, Katzen und Ratten verspeist statt Manna, wie es ihm verheißen!

KNIPPERDOLLINCK: Ich sollte Euer verworfenes Haupt mit einem einzigen gewaltigen Hieb von Eurem lasterhaften Leibe trennen.

METZGER: Vierfürst von Galiläa! Laßt mich nicht meine Sünden büßen. Gnade! Greift nicht zum Schwert, welches wie der Zorn des Herrn vor mir aufragt! Degradiert mich nur lustig drauflos, so bin ich zufrieden.

KNIPPERDOLLINCK: Weiter hinab kann ich Euch nicht degradieren, Vicomte. Den natürlichen Adel kann ich Euch nicht vom Leibe degradieren.

METZGER: Ernennt mich zum Marquis vom Abtritt oder zum Chevalier vom Misthaufen, nur nicht das Schwert, o Sonne der Gerechtigkeit!

KNIPPERDOLLINCK: Vicomte, Ihr seid auf der Leiter der Würden so bodenlos hinuntergerutscht, daß Ihr die erbärmlichste Figur der Täufer darstellt.

METZGER: Ich weiß, o Vierfürst.

KNIPPERDOLLINCK: Es steht geschrieben: Die Ersten werden die Letzten und die Letzten werden die Ersten sein! Nehmt das Schwert! Mein Hemd genügt mir, meine Armut und meine Tochter, die Gräfin Gilgal. Ich ernenne Euch zum Vierfürsten von Galiläa, zum Statthalter des Königs und zum obersten Richter der Täufer.

METZGER *starr:* Ihr wollt mich verlausten Vicomte vom Tale der stinkenden Kadaver zum obersten Richter ernennen? Bedenkt meine schwarze Seele, meine sündigen Gedanken!

KNIPPERDOLLINCK: Wer kann gerecht sein? Der Erste und der Letzte, Gott oder Ihr, Statthalter.

Küßt ihn.

Kommt, Gräfin Gilgal. Ich werde den König bitten, mich zum Vicomte von Gê-Hinnom zu degradieren.

Ab.

DIE VON DER RECKE: Heinrich, ich bin stolz, eine Täuferin zu sein!

METZGER: Ich bin Statthalter geworden, ihr Täufer! Ich werde unnachsichtig gegen jeden vorgehen, der nicht an unsere gerechte Sache glaubt. Es lebe Johann Bockelson, der König des neuen Jerusalems, der Stadt Gottes.

14. KÖNIG BOCKELSON

Im bischöflichen Palast. Bockelson auf Thron.

BOCKELSON: Ich speiste eben ausgezeichnet
Schlang Koteletts, Entrecôtes und blutige Roastbeefs
In mich hinein, stopfte mich, so schien es, mit der ganzen Tierwelt voll
Begrub sie unter Mais und Sauerkraut und Bohnen und unter Körben von Salat
Die wiederum begrabend unter runden Käseleibern
Und deckte alles zu mit einem See von Schnaps
Und einem Ozean von Bier
Die Hungerjahre, dahingelebt auf kleinen Bühnen
Erfolglos, ausgepfiffen, mit magerer Gage, sind vorüber
Nie nährte mich die Kunst, bescheiden bloß Zuhälterei
Nun mästet mich Religion und Politik: Doch sitz ich in der Falle
Ich wurde Täufer aus beruflicher Misere
Ich brachte, arbeitslos, verworrenen Bäckern, Schustern, Schneidermeistern
Rhetorik bei, sah zu, wie sie die Welt aufwühlten
Mit gläubigen Ideen, als wär sie Schlamm
Ließ endlich sie den Krieg entfesseln
Ja wurde aus einem losen Einfall gar ihr König.
Jetzt, hol's der Teufel, glauben sie an mich
Mit Titeln überhäuft, grotesken Würden, Ämtern, Idealen
Und die erzürnten Fürsten, aufgeschreckt
Weil ihre installierte Ordnung wankt
Verwechseln mich mit meinen Rollen
Halten mich für einen rasenden Herakles, für einen blutigen Nero, finsteren Tamerlan
Noch seh ich keinen Ausweg, laß mich treiben
Wohin mein Spiel mich treibt
Umstellt von Frömmigkeit und grausem Plunder
Es machen alle mit. Das ist das Wunder

Täuferinnen treten auf.

DIE ELF: Ehre sei Gott in der Höhe.

BOCKELSON: Nein, nein, nein, nein. Wie kommt ihr wieder herein. Im Gänsemarsch!

Springt auf, beginnt zu inszenieren.

Zuerst Königin Divara und dann die andern, immer zwei nebeneinander, und schreitet königlich, gelöst, in natürlicher Majestät. Wer königlich schreitet, gleitet in den Saal. *So* gleitet er, ihr aber kommt *so*, ihr schreitet nicht, ihr trottet wie müde Ackergäule. Zurück. Die Vielweiberei ist ein Regieproblem.

Täuferinnen stellen sich auf.

Ich klatsche, und ihr tretet noch einmal auf. Ihr seid nicht irgendwo, am Hofe eines Kleinfürsten oder in irgendeiner heruntergekommenen Reichsstadt, ihr seid im neuen Jerusalem, meine Teuren, im *neuen* Jerusalem. Das verpflichtet. Die Welt um uns ist schauerlich, schon vor dem Portal unseres Palastes liegen die Leichen haufenweise herum, verschlingt man Unbeschreibliches, um am Leben zu bleiben, herrscht Verzweiflung und irre Hoffnung, foltert und mordet man einander, doch hier in diesem Saale, wem steht ihr gegenüber? Mir steht ihr gegenüber, einem Volkskönig, einem Friedensfürsten. Darum: Seid erhaben, seid feierlich, seid wahr. Auftreten!

Klatscht in die Hände.

DIE ELF: Ehre sei Gott in der Höhe.

BOCKELSON: Herzogin von Ephraim, marsch, marsch, wackelt nicht mit dem Hintern, marsch, marsch, gleiten, gleiten. Ihr seid ein majestätisches Weib, nicht mehr die dreiste Dirne aus Leyden. Schön. Gruppiert euch. Los, los!

Seltsam. Ihr seid nur noch elf. Stimmt. Vier schmachten im Kerker, sie waren ungehorsam, und die Erzherzogin von Sinai, die schöne Königin Wandscherer mußten wir auf dem Domplatz eigenhändig hinrichten:

Schweigend betrachtete der König noch einmal das blutige Haupt
Die Kebsen tanzten, und ungeduldig warteten
Auf dem Gerüste die Geier.

Kaiser Tiberius. Das Stück ist vergessen, erwies sich gar nicht als ein Seneca, war eine glatte Fälschung. Gräfin von Endor mehr nach rechts. Noch mehr. Jetzt hat's geklappt.

Setzt sich.

Regie war stets mein größter Wunsch, ihr Weiber. Als Schauspieler bedeutend, bin ich als Regisseur genial. Auftritt der Täufer!

Der Rat der Täufer mit dem Metzger als Statthalter tritt auf.

DIE TÄUFER: Ehre sei Gott in der Höhe.

BOCKELSON: Täufer, Propheten des Herrn, wären wir nicht Christen, müßten wir verzweifeln, gar arg bedrängt uns die abgefallene Welt. Die Endzeit ist angebrochen, wir stehen in einem Glaubenskampf ohnegleichen, Inszenierung steht gleichsam gegen Inszenierung. Denn wie wir mit unserer Regiekunst den Heiligen Geist unterstützen, seine Herrschaft unter uns im Lichte der Heiligen Schrift, so unterstützen mit ihren oft grandiosen Theatereinfällen der Kaiser und der Bischof die Mächte der Finsternis, die Herrschaft der Fürsten und Pfaffen, die Leibeigenschaft. Die Not ist groß, doch haben wir auszuharren, Brüder, wie Schauspieler, wenn Pfiffe gellen und faule Eier niederprasseln. Siebenundzwanzig Apostel schickten wir aus, Hilfe herbeizuschaffen, unter Glockengeläute, mit unserer Fürbitte und mit unserem Segen versehen: sie liefen sämtliche den Landsknechten in die Hände, die Scheiterhaufen vor unseren Toren machten die Nacht zum Tage, und die Gebete der Märtyrer vermischten sich mit unseren Gebeten. Doch nicht genug der harten Prüfung. Der Priesterkönig Johannes, mir vom Erzengel Gabriel angekündigt, ist mit seinem unermeßlichen Heere aus dem Innern Asiens noch nicht vor unserer Stadt erschienen, uns zu befreien und unsere Feinde zu vernichten. Wahrlich, Brüder, Gott verfährt mit uns unerbittlich. Er sei gelobt ob seiner Strenge: Noch sind wir nicht gänzlich würdig seiner Gnade, noch sind wir nicht schlackenlos. Wir ermahnen euch deshalb: Seid nicht hochmütig, seid nicht ungläubig, haltet euch an das Gebet und vergeßt nicht die wunderbaren Werke Gottes! Denn obgleich wir ein geringes Volk sind, so herrschen wir doch über die Erde, jetzt im Geheimen, einst im Sichtbaren, wenn wir auch noch nicht in allen Teilen begreifen können, wie solches durch die Kraft des Glaubens und durch die weise Vorsehung Gottes möglich sein wird …

Stutzt, weil er Judith erblickt.
Locken, wie des Erebos Dunkel aus dem sich die Welt emporschob
Augen nicht minder nächtlich und die Brüste noch unschuldig
Bereit schon zu allem –
Seneca. Was führt Euch zu Eurem König, Gräfin von Gilgal?
JUDITH: Eure Soldaten haben meinen Vater verhaftet, König der Täufer.
BOCKELSON: Wir wissen, Gräfin von Gilgal. Wir hatten Euren Vater im Angesicht des Volkes zum Statthalter Jerusalems ernannt, doch verfiel er immer hemmungsloser einem unwürdigen und lächerlichen Treiben, bis wir zu unserem Schmerze gezwungen waren, ihn von jenem Vicomte von Gê-Hinnom zum Tode verurteilen zu lassen, den er selbst zu seinem Richter ernannt hat und dessen Namen er jetzt trägt.
JUDITH: Seid gnädig, König der Täufer, seid barmherzig.
BOCKELSON: Es erschüttert deine Liebe Agamemnons Herz
Und deine Unschuld bewegt den König der Achäer
Tief rührt ihn deine Schönheit
Sophokles. Es sei, Gräfin von Gilgal. Er ist frei. Wir ernennen Euch zur neuen Erzherzogin von Sinai.
Zu den andern:
Wir aber, meine Lieben und Getreuen, wollen uns in das ehemals bischöfliche Theater begeben. Ich dichtete ein biblisches Trauerspiel, «Judith und Holofernes», das will ich vorrezitieren und alle Rollen ganz allein spielen. Kommt meine Fürstinnen, kommt meine Fürsten, kommt!
Jerusalem erbleiche, Holofernes steht vor deinen Toren
Es wanken deine Mauern, und dein Glaube ist erschüttert
Da tritt eine Heldin auf, die nicht erzittert
Des Unholds Leib in ihrem Schoße bettet
Den Tod ihm gibt und dich errettet
Alle ab.

15. JUDITH

Lager. Winter. Der Bischof wärmt sich über einem Kohlenbecken die Hände. Ein Landsknecht.

1. LANDSKNECHT: Zwei Überläufer, Exzellenz. Sie wollen Euch sprechen.

BISCHOF: Der erste?

1. LANDSKNECHT: Heinrich Gresbeck, Euer ehemaliger Sekretär.

BISCHOF: Führ ihn her.

1. LANDSKNECHT: Vortreten!

Gresbeck tritt auf, fällt auf die Knie.

BISCHOF: Wenn Wir nicht heruntergekommen wären, verarmt und von den Landsknechten ausgeplündert bis auf die Knochen, würden Wir sagen: Scher dich zum Teufel, Heinrich Gresbeck!

GRESBECK: Ich bin wieder ein treuer Sohn der Kirche geworden, Exzellenz.

BISCHOF: Bitte, bitte.

GRESBECK: Ich bereue aufrichtig. Ihr werdet mir als Bischof meinen Übertritt zu den Täufern verzeihen müssen.

BISCHOF: Das mag ein anderer Priester tun, Wir können ihn nicht hindern. Von Uns erwarte keine Vergebung. Wir streiken.

GRESBECK: Die Reichsgräfin war furchtbar.

BISCHOF: Die Äbtissin wird bis zum letzten Blutstropfen für ihren neuen Glauben kämpfen.

GRESBECK: Ich kam nie zu Wort.

BISCHOF: Wir verzeihen dir trotzdem nicht.

GRESBECK: Wenn Ihr nicht verzeiht, richten mich die Landsknechte hin.

BISCHOF: Menschlichkeit zwingt Uns zu fauler Gnade. Sei wieder Unser Sekretär. Deine Visage wird Uns täglich an Unsere schändliche Ohnmacht erinnern.

1. LANDSKNECHT: Abtreten!

BISCHOF: Der zweite?

1. LANDSKNECHT: Eine schöne Dame, Exzellenz.

BISCHOF: Führ sie her.
I. LANDSKNECHT: Vortreten!
Judith tritt auf.
BISCHOF: Laß uns allein.
I. LANDSKNECHT: Zu Befehl, Exzellenz.
BISCHOF: Du bist Judith Knipperdollinck. Was willst du von deinem alten Bischof?
JUDITH: Ich weiß es nicht.
BISCHOF: Du bist ein Weib geworden, Judith.
JUDITH: Ich bin ein Weib geworden, ehrwürdiger Vater.
BISCHOF: Du bist ein schönes Weib geworden. Dein Mann?
Schweigen.
BISCHOF: Der Schauspieler?
JUDITH: Um das Leben meines Vaters zu retten.
BISCHOF: Hast du es gerettet?
JUDITH: Er lebt.
BISCHOF: Und warum bist du zu mir gekommen, Judith?
Schweigen.
Willst du es mir nicht sagen? Du bist nicht gekommen, Buße zu tun. Dein Kleid ist ein wenig aus der Mode, aber es steht dir gut. Du willst doch nicht etwa – sieh mich an. Komm näher, noch näher.
Judith kommt näher.
BISCHOF: Dein Schauspieler – rezitiert er viel?
JUDITH: Ja, ehrwürdiger Vater.
BISCHOF: Erhabene Geschichten, heldenhafte Geschichten?
JUDITH: Nur, ehrwürdiger Vater.
BISCHOF: Auch die Geschichte von der tapferen Judith und dem bösen Holofernes?
JUDITH: Ihr wißt alles, ehrwürdiger Vater.
BISCHOF: Die verfluchte Literatur.
JUDITH: Es tut mir leid, ehrwürdiger Vater.
BISCHOF: Du wolltest mich töten?
JUDITH: Ja, ehrwürdiger Vater.
BISCHOF: Um die Stadt zu befreien?
JUDITH: Ja, ehrwürdiger Vater.

BISCHOF: Wäre ich nicht an diesen Rollstuhl gefesselt, würde ich dich eigenhändig übers Knie legen.
JUDITH: Verzeiht, ehrwürdiger Vater.
BISCHOF: Erstens bin ich nun doch etwas gar zu alt, um einen glaubhaften Holofernes abzugeben, und zweitens hättest du die Stadt vom Schauspieler erretten müssen, um sie zu befreien.
Schweigen.
Doch du konntest ihn nicht töten, weil du ihn liebst.
JUDITH: Ja, ehrwürdiger Vater, ich liebe ihn.
BISCHOF: Mein Kind, ich lasse dich morgen nach Hamburg schaffen. Zu vernünftigen Leuten in ein vernünftiges Milieu. Landsknecht!
I. LANDSKNECHT: Exzellenz?
BISCHOF: Führ die Dame in ein Zelt. Sie ist Unser Gast.
I. LANDSKNECHT: Zu Befehl, Exzellenz.
JUDITH: Ich wollte den Bischof töten.
BISCHOF: Unsinn.
JUDITH: Mit diesem Dolch.
BISCHOF: Sie lügt, Landsknecht.
I. LANDSKNECHT: Weshalb hat sie denn einen Dolch bei sich, Exzellenz? Die Dame führ ich dem Ritter von Büren vor.
BISCHOF: Der wird sie kurzerhand hinrichten lassen.
I. LANDSKNECHT: Nicht kurzerhand, Exzellenz, schön langsam. Aber wenn die Dame widerruft, will ich ihr glauben, und sie mag bei Euch bleiben.
BISCHOF: Widerrufe Judith. Sonst bist du verloren. Ich vermag nichts gegen die Landsknechte.
JUDITH: Ich wollte den Bischof töten.
BISCHOF: Judith!
I. LANDSKNECHT: Seht Ihr, Exzellenz, da ist nichts zu machen.
BISCHOF: Verwünschtes Heldentum der Weiber.
JUDITH: Lebt wohl!
BISCHOF: Du mußt sterben, Judith.
JUDITH: Ich weiß.
BISCHOF: Ich kann nichts mehr für dich tun.
JUDITH: Betet für meine Seele.
BISCHOF: Seit ich Priester bin, habe ich für die Seelen der

Menschen gebetet. Achtzig Jahre lang habe ich zu Gott geschrien. Jetzt bin ich verstummt. Jetzt bete ich nicht mehr für die Seelen der Menschen.

Rollt ab.

LANDSKNECHT: Marsch, schöne Dame, zum Feldherrn!

Führt sie ab.

16. DER BLINDE FELDHERR

Marktplatz. Die Weiber von Münster schleppen das Blutgerüst herein. Auf ihm der Metzger mit dem Schwert des Statthalters. Die Männer stehen Wache.

METZGER: Beten, beten!

DIE WEIBER *singen:*

Von dieser Welt des Bösen
Mit ihrer großen Macht
Wird uns der Herr erlösen
Der alles möglich macht

Der Rat der Täufer tritt auf. Der blinde Krechting wird von Rothmann geführt.

KRECHTING: Der Winter ist gekommen.

ROTHMANN: Der Schnee.

STAPRADE: Und die Kälte.

KRECHTING: Doch der Priesterkönig Johannes ist nicht gekommen mit seinen zehnmal hunderttausend Helden.

VINNE: Sie sind uns jetzt auf Ostern versprochen.

KRECHTING: Wenn es den Priesterkönig überhaupt gibt.

KLOPRISS: Gott wird unsere Hoffnung nicht zuschanden machen.

METZGER: Glauben! Glauben!

WEIBER *singen:*

Vorm Tod wir uns nicht bangen
Auch nicht vor Hungersnot
Wir sind von Gnad umfangen
Sind eins mit unserm Gott

KRECHTING: Wache! Die Aa?

WACHE: Zugefroren, Feldherr?

KRECHTING: Was siehst du?

WACHE: Um die Stadt den Wall der Landsknechte.

KRECHTING: Weiter.

WACHE: Zwischen unserer Mauer und dem Wall die Weiber und Kinder, die Münster zu verlassen begehrten.

KRECHTING: Viele?
WACHE: Fast alle.
ROTHMANN: Der König war gnädig und ließ sie ziehen.
STAPRADE: Ein guter König.
VINNE: Ein nachsichtiger König.
KLOPRISS: Ein christlicher König.
KRECHTING: Sicher. Doch ließen die Landsknechte die Weiber und Kinder nicht passieren.
WACHE: Leider, Feldherr.
KRECHTING: Was geschieht mit ihnen, denen unser christlicher König gnädig war?
WACHE: Sie verrecken nach und nach.
ROTHMANN: Sie gehen ein in die Herrlichkeit des Herrn.
METZGER: Hoffen, hoffen!
WEIBER *singen:*

Im ungeheuren Lichte
Erglänzt der Jüngste Tag
Macht alle Pein zunichte
Mit einem Donnerschlag

KRECHTING: Es stinkt.
WACHE: Dein Volk hält Wache, Feldherr.
STAPRADE: Ein gutes Volk.
VINNE: Ein geduldiges Volk.
KLOPRISS: Ein Gottesvolk.
ROTHMANN: Der Herr wird seinem Volk Kraft geben, der Herr wird sein Volk segnen mit Frieden, ruft der Psalmist David aus.
KRECHTING: Es stinkt trotzdem.
GISELA: Hunger. Wir haben Hunger.
KRECHTING: Der König verschanzt sich im Rathaus, und mir bleiben fünfhundert mäßig erhaltene Skelette, die Stadt zu verteidigen.
WACHE: Jawohl, Feldherr.
KRECHTING: Du da, komm her!
WACHE: Zu Befehl, Feldherr.
KRECHTING: Die Lage ist hoffnungslos.

WACHE: Und wie, Feldherr.
KRECHTING: Stütze mich!
WACHE: Ein verfluchter Pfeil, der Euch blind gemacht hat.
ROTHMANN: Er hat seinen Bogen gespannt und mich dem Pfeil zum Ziel gesteckt, heißt es in den Klageliedern Jeremias'.
KRECHTING: Es ist schrecklich zu wissen, daß ein alter Mann ohne Augen der einzig Sehende ist.
WACHE: Jawohl, Feldherr.
KRECHTING: Wie heiße ich?
WACHE: Ihr seid der Erzherzog von Sinai.
KRECHTING: Bin ich nicht in Wahrheit der Prediger Krechting aus Gildehaus?
WACHE: Freilich.
KRECHTING: Und der Kerl neben mir mit seinen Bibelsprüchen?
WACHE: Der Erzbischof von Kapernaum oder so.
KRECHTING: Ist er nicht eigentlich der Stadtpfarrer Bernhard Rothmann?
WACHE: Eigentlich.
KRECHTING: Du selbst?
WACHE: Ich heiße Hänsgen von der Langenstraate, aber man nennt mich immer Wache.
KRECHTING: Nicht geadelt?
WACHE: Gewöhnliches Volk muß es auch geben.
KRECHTING: Vor zwei Jahren sind wir Täufer nach Münster gekommen.
WACHE: Ihr habt gepredigt, das Reich Gottes komme bald.
KRECHTING: Glaubtest du uns?
WACHE: Ich hörte euch eben gerne zu.
KRECHTING: Und du, geadeltes Volk von Münster, ihr Barone und Fürsten, glaubtet ihr uns?
LANGERMANN: Wir hörten Euch eben auch gerne zu.
KRECHTING: Ihr hörtet uns gerne zu, und dann habt Ihr uns gehorcht.
FRIESE: Wir sind eben hineingeschlittert.
KRECHTING: Doch jetzt?

METZGER: Jetzt glauben wir an Euch, Feldherr. An Euch, an die Täufer und an den Endsieg.

KRECHTING: Eure Weiber und Kinder gingen ein wie Tiere.

FRIESE: Gerade deshalb glauben wir an Euch.

LANGERMANN: Sonst wären wir ja nicht mehr ein Gottesvolk.

METZGER: Ein auserwähltes Volk.

FRIESE: Sonst wären unsere Leiden ja sinnlos.

KRECHTING: Sie sind sinnlos.

METZGER: Hoffen, hoffen!

WEIBER *singen:*

Was sterblich war hienieden
Wird wieder auferstehn
Gehüllt in Gottes Frieden
Die neue Erde sehn

KRECHTING: Ich sage euch: Seine Tische biegen sich unter der Last köstlichster Speisen, und seine Weiber tanzen nackt vor seinen Großen.

WACHE: Wen meint Ihr, Feldherr?

KRECHTING: Ist meine Rede nicht deutlich genug? Soll ich den Namen unserer Not in die Nacht schreien?

WACHE: Die Antwort, Feldherr.

Stößt ihn nieder.

ROTHMANN: Leben wir, so leben wir im Herrn, sterben wir, so sterben wir im Herrn.

FRIESE: Gott sei seiner Seele gnädig.

WACHE: Wer kann zurück in diese Stadt? Wer kann zurück?

Schleppt Krechting ab.

METZGER: Frohlocken, frohlocken!

WEIBER *singen:*

Die Wölf und Lämmer kosen
Wohl unterm wilden Wein
Versteckt in roten Rosen
Schläft fromm der Henker ein

Sie schleppen das Blutgerüst ab.

Lager. Die beiden Ritter werden von den Landsknechten massiert. Die beiden Galgen voller Leichen.

MÖNCH *tritt außer Atem auf:* Ritter von Büren, Ritter von Mengerssen!
VON BÜREN: Mönchlein, du bist pflotschnaß.
MÖNCH: Ich schwamm über die Aa.
VON BÜREN: Gesund.
MÖNCH: Ich erkletterte die Stadtmauer in der Sommerhitze.
VON MENGERSSEN: Wacker.
MÖNCH: Kein Mensch hinderte mich.
VON BÜREN: Sonst wärst du ja auch nicht mehr am Leben.
MÖNCH: Ich erbrachte den Beweis: Münster ist mit Leichtigkeit zu nehmen.
VON MENGERSSEN: Gratuliere.
MÖNCH: Die Täufer sind mehr oder weniger verhungert.
VON BÜREN: Hoffentlich.
MÖNCH: Seit Monaten wäre Münster gefallen, hättet Ihr angegriffen.
VON MENGERSSEN: Offensichtlich.
MÖNCH: Dann handelt.
VON BÜREN: Wozu?
MÖNCH: Es ist unmenschlich, einen Krieg weiterzuführen, der mit Leichtigkeit beendet werden könnte.
VON BÜREN: Münster ist eingeschlossen, die Beute sicher, und solange wir die Stadt nicht erobern, muß uns der Bischof den Sold zahlen.
MÖNCH: Ihr plündert sein Land leer. Ihr habt Ahlen überfallen und Albersloh eingeäschert.
VON MENGERSSEN: Der Sold ist schäbig.
MÖNCH: An euern Galgen hangen Bauern, nicht Täufer.
VON BÜREN: Kriegsgewinnler.
MÖNCH: Sie lieferten euch Ware, nicht Münster.
VON MENGERSSEN: Sollten wir sie etwa dafür bezahlen?
VON BÜREN: Das wäre ein schöner Krieg.

MÖNCH: Die Fürsten sind ungeduldig.
VON MENGERSSEN: Geschwätz.
MÖNCH: Das wißt Ihr genau.
VON BÜREN: Wir wissen von nichts.
MÖNCH: Sie beschlossen auf dem Reichstag in Koblenz, hierher zu kommen und mit dem Kriege Schluß zu machen.

Die Ritter setzen sich auf, starren einander an.

VON BÜREN: Ritter von Mengerssen, habt Ihr gehört? Kaum haben wir den Krieg liebevoll aufgepäppelt, kaum beginnt er zu rentieren, wollen die Fürsten mit ihm Schluß machen.
MÖNCH: Sie beabsichtigen, Euch beide durch den Ritter Wirrich von Dhaun zu ersetzen.
VON MENGERSSEN: Ich verlor für Deutschland ein Bein und ernte nichts als Undank.
VON BÜREN: Die Fürsten sind unser Unglück.
VON MENGERSSEN: Weg mit ihnen!
VON BÜREN: Zum Teufel mit ihnen!
MÖNCH: Richtig!

Schweigen.

VON BÜREN: Mönchlein, was meinst du mit diesem «richtig»?
MÖNCH: Weg mit ihnen! Zum Teufel mit ihnen! Die Fürsten sind unser Unglück!
VON MENGERSSEN: Sag das noch einmal!
MÖNCH: Die Fürsten sind unser Unglück.
VON BÜREN: Noch einmal.
MÖNCH: Die Fürsten sind unser Unglück. Ich bin mit Euch einverstanden. Ich stimme jedem vernünftigen Satz bei.
VON BÜREN: Landsknechte!
1. LANDSKNECHT: Feldherr?
VON BÜREN: Der Feldprediger ist verhaftet.
VON MENGERSSEN: Er lästerte gegen Kaiser und Reich.
VON BÜREN: Er ist schuldig befunden des Hochverrats.
2. LANDSKNECHT: Zu Befehl.
MÖNCH: Ritter von Büren! Ich teilte doch bloß Eure Meinung über die Fürsten.
VON BÜREN: Mathematiker, du hast dich verrechnet. Unsere Meinung über die Fürsten können wir uns leisten, wir sind die

Feldherren, du jedoch bist ein Humanist, du kannst dir unsere Meinung nicht leisten. Wir kritisieren unseresgleichen, du deine Obrigkeit, das ist ein Unterschied. Du baumelst morgen am Galgen.

VON MENGERSSEN: Am protestantischen Galgen.

VON BÜREN: Ordnungsgemäß durch ein Kriegsgericht verurteilt.

MÖNCH: Ich protestiere!

VON MENGERSSEN: Bei wem?

Die Gemüsefrau tritt mit einem Karren auf.

GEMÜSEFRAU: Eine Bewilligung, im Auftrag von Kaufleuten aus Bremen Delikatessen nach Münster für König Bockelson zu karren.

VON BÜREN: Zwanzig Goldstücke.

GEMÜSEFRAU: Was ist los mit euch beiden? Der Krieg floriert und ihr werdet teurer?

VON BÜREN: Unser schöner Krieg hat ausfloriert. Die Fürsten wollen ihn beenden.

GEMÜSEFRAU: Ich weiß.

VON MENGERSSEN: Sie wollen uns durch den Wirrich von Dhaun ersetzen.

GEMÜSEFRAU: Ich weiß.

VON BÜREN: Ganz Deutschland weiß davon und nur wir wissen nichts.

GEMÜSEFRAU: Feldherren sind nie auf dem laufenden.

VON MENGERSSEN: Wir sind geschäftlich erledigt.

VON BÜREN: Unser Renomee ist versaut.

VON MENGERSSEN: Ich werde wieder Raubritter.

VON BÜREN: Hätt' ich nur das Angebot der Türken angenommen! Hätt ich nur!

GEMÜSEFRAU: Ihr Gauner flennt, daß man mitheulen möchte vor Mitleid.

VON BÜREN: Uns bleibt nichts anderes übrig, als Münster zu erobern. Ritter von Mengerssen, laßt zum Sturmangriff blasen.

GEMÜSEFRAU: Was denn, ihr Maulhelden, was denn? Da habt ihr einen kleinen komfortablen, anständigen Krieg mit gemütlichem Lagerleben und wollt ihn abstechen. Und warum?

Weil die Fürsten für den Frieden sind. Fürsten sind immer für den Frieden, damit ihnen die Völker nicht davonlaufen, merkt euch das, aber weiter gehen sie keinen Schritt, wirklich geschadet haben die Fürsten noch keinem Krieg. Nein, nein, da braucht ihr nichts zu befürchten und was den Wirrich von Dhaun angeht, schon gar nicht: Der käme den Fürsten viel zu teuer, das ist ein richtiger Feldherr. Bitte: Wenn es gegen die Türken ginge, gegen den Papst oder die Franzosen, da leistet man sich so eine Kapazität, doch gegen Münster – glaubt mir, da seid ihr beide gerade richtig.

VON BÜREN: Ich atme auf, liebe Frau, ich atme auf.

VON MENGERSSEN: Das verdammte Mönchlein hat uns einen verdammten Schrecken eingejagt.

GEMÜSEFRAU: Bekomme ich jetzt meine Bewilligung oder bekomme ich sie nicht?

VON BÜREN: Wir sagten schon: Für zwanzig Goldstücke.

GEMÜSEFRAU: Und mein Trost? Gilt der nichts?

VON BÜREN: Neunzehn Goldstücke.

GEMÜSEFRAU: Fein. Den Kaufleuten aus Bremen rentiert das Geschäft nicht mehr.

VON MENGERSSEN: Ihre Sache.

GEMÜSEFRAU: Ich verliere meine Provision.

VON MENGERSSEN: Eure Sache.

GEMÜSEFRAU: Meint ihr? Doch in Münster, ihr zwei Lokalgrößen von Feldherren, was glaubt ihr, was wird in Münster geschehen, wenn wir König Bockelson nicht mehr mit Delikatessen beliefern, was wird geschehen? Der König wird hungern.

VON BÜREN: Soll er! Soll er!

GEMÜSEFRAU: Wird er! Wird er! Doch König Bockelson wird nicht verhungern wie sein armes Volk, er wird kapitulieren und ihr habt euren lieben einkömmlichen Krieg gesehen.

Geht ab. Von Büren holt sie zurück.

VON BÜREN: Gute Frau, Ihr gebt uns zehn Goldstücke wie bisher und beliefert den König wie bisher.

GEMÜSEFRAU: Das Geschäft rentiert für die Kaufleute aus Bremen immer noch nicht.

VON BÜREN: Fünf Goldstücke.
GEMÜSEFRAU: Immer noch nicht.
VON MENGERSSEN: Eine Schande, wie man uns arme Frontschweine behandelt.
GEMÜSEFRAU: Nun?
VON BÜREN: Schön. Schön. Ihr bekommt die Bewilligung gratis.
GEMÜSEFRAU: Das Geschäft rentiert für die Kaufleute aus Bremen immer noch nicht.
VON BÜREN: Immer noch nicht?
GEMÜSEFRAU: Sie verlangen zwanzig Goldstücke für eure Bewilligung, den König mit Leckerbissen vollzustopfen.
VON MENGERSSEN: Zwanzig Goldstücke?
VON BÜREN: Die sollen wir zahlen?
GEMÜSEFRAU: Ihr. Unsere christlichen Kirchen beladen jeden mit einem heiligen Fluch, der mit Münster Handel treibt. Für eine Höllenfahrt sind zwanzig Goldstücke nicht zuviel. Und weil auch ich dabei zur Hölle fahre, verlange ich fünf Goldstücke extra für meine Verdammnis, macht fünfundzwanzig Goldstücke im Ganzen, christlich gerechnet und christlich gehandelt.
VON MENGERSSEN: Ich protestiere!
GEMÜSEFRAU: Bei wem?
VON BÜREN: Eine hundskommune Erpressung.
GEMÜSEFRAU: Ihr zwei werdet mir langsam unsympathisch.
VON BÜREN: Gut. Gut. Nehmt die fünfundzwanzig Goldstücke und schert euch in die Stadt.
GEMÜSEFRAU: Topp. Das Geschäft wäre in Ordnung.
VON BÜREN: Hauptsache, der Krieg ist gerettet.
VON MENGERSSEN: Gehängt wird der Feldprediger trotzdem.

Von Büren und von Mengerssen ab.

GEMÜSEFRAU: Mönchlein, Zeit und Gelegenheit sind gekommen. Es steht schlimm mit dir.
MÖNCH: Ich wollte die Welt zur Vernunft bekehren, Gemüsefrau.
GEMÜSEFRAU: Hast du sie bekehrt? Ich merke nichts davon. Du hast zwei Schurken gedient mit deiner Vernunft und nun

bist du verloren. Doch was tut's! Machen wir, daß wir in die Stadt kommen.

Ab mit ihrem Karren.

2. LANDSKNECHT: Marsch, Mönchlein. Das Kriegsgericht wartet.

Will den Mönch abführen.

I. LANDSKNECHT: Nur nichts überstürzen.

Untersucht den Mönch.

I. LANDSKNECHT: Humanist, du hast ja noch einen Gulden.

MÖNCH: Er brachte mir Glück, Landsknecht. Er rettete mir das Leben.

I. LANDSKNECHT: So ein Pech, Humanist. Jetzt kannst du dir damit bloß deine Henkersmahlzeit bezahlen.

Steckt den Gulden ein. Die beiden Landsknechte führen den Mönch ab.

18. DER TANZ

Bühne des bischöflichen Theaters.
Bockelson mit Farbkübel und Pinsel, nackter Oberkörper, riesige rote Schleppe, Krone. Knipperdollinck.

KNIPPERDOLLINCK: Johann Bockelson von Leyden!
BOCKELSON: Wer stört mich auf der Bühne des ehemaligen bischöflichen Theaters?
Bestreicht sich mit roter Farbe.
KNIPPERDOLLINCK: Der ärmste deiner Untertanen.
BOCKELSON: Sei gegrüßt, ärmster meiner Untertanen.
KNIPPERDOLLINCK: Ich gab dir meinen Reichtum und meine Macht, und du nahmst mir meine Tochter.
BOCKELSON: Sie war mir die Liebste von meinen siebzehn Weibern.
KNIPPERDOLLINCK: Ich floh vor der Sünde und verstrickte mich in Schuld, ich suchte Gott in der Armut und bin verzweifelt.
BOCKELSON: Dem Himmel muß man kommandieren. Brauche ich den Erzengel Gabriel, ein Pfiff, und er flattert hernieder.
KNIPPERDOLLINCK *schreit:* Zeige dich, Herr, zeige dich, damit ich deine Gegenwart spüre!
Starrt nach oben.
BOCKELSON: Na?
KNIPPERDOLLINCK: Keine Antwort.
BOCKELSON: Versuche: Säusle, Gott, säusle! Das nützt immer.
KNIPPERDOLLINCK: Säusle, Gott, säusle, damit ich getröstet werde!
Starrt nach oben.
BOCKELSON: Tönte eindrucksvoll.
KNIPPERDOLLINCK: Nichts.
BOCKELSON: Tatsächlich. Nur ein zerborstenes Bühnendach und ein Mond, der durch die Wolken fegt. Donnere, Allmächtiger, donnere!

KNIPPERDOLLINCK: Donnere, Allmächtiger, donnere!
BOCKELSON: Gewaltiger!
KNIPPERDOLLINCK: Donnere, Allmächtiger, donnere, zerschmettere mich ob meiner Sünden!
BOCKELSON: Großartig. Wirkte echt verzweifelt. Gratuliere.
KNIPPERDOLLINCK: Gott schweigt.

Starrt nach oben.

BOCKELSON: Was soll er auch antworten?
KNIPPERDOLLINCK: Nichts als eine leere Bühne.
BOCKELSON: Es gibt nichts anderes.
KNIPPERDOLLINCK: Ich bin verloren.
BOCKELSON: Gepriesen sei deine Verzweiflung, ärmster meiner Untertanen, sie hält sich ans Religiöse und bordet nicht in politische Forderungen über. Du bist würdig, meine Schleppe zu tragen und mit mir über die Bühne des bischöflichen Theaters zu tanzen.

Sie beginnen zu tanzen.

BOCKELSON: Mond! Pockennarbig und fett
Faules Aas im Himmellotterbett
Sieh nieder! Da tanz ich schon
In zerschlissenem Mantel mit schiefer Kron
Der Täuferkönig Bockelson
KNIPPERDOLLINCK: Mondkoloß aus totem Stein
Dein Odem bläst mir Kälte ein
Ich tanze mit in deinem Schein
Vom Elend wie ein Hund gehetzt
Eine rote Schleppe trag ich jetzt
BOCKELSON: In Leyden im Stadttheater
Spielte ich den dritten Heldenvater
KNIPPERDOLLINCK: Bin ich auch fürchterlich verlumpt
Mich haben Fürsten angepumpt
BOCKELSON: In Münster vor dem Ägidiitor
Trug ich dem Volke Dichtung vor
KNIPPERDOLLINCK: Nach schwerem Essen mit verdorbenem Magen
Konnte ich nur noch die Bibel vertragen

BOCKELSON: Du dichtest, ärmster meiner Untertanen, du dichtest!
KNIPPERDOLLINCK: Aus Verzweiflung, nur aus Verzweiflung.
BOCKELSON: Ich Musensohn
Dichte aus Lust zur Produktion
Weiber mir und mein das Gold
Der liebe Gott hat's so gewollt
KNIPPERDOLLINCK: Meinen Reichtum warf ich weg
Ich suchte den lieben Gott im Dreck
BOCKELSON: Mit der Christen schlechtem Gewissen
Hab ich das neue Zion beschissen
KNIPPERDOLLINCK: Die Tochter zuschanden, verlaust und betagt
Werd ich von roten Ratten zernagt
BOCKELSON: Tanzen wir über das nicht mehr vorhandene Dach
KNIPPERDOLLINCK: Jagen wir wie die Katzen einander nach
BOCKELSON: Leicht wie sie
KNIPPERDOLLINCK: Schnell wie sie
BOCKELSON: Heiß wie sie
KNIPPERDOLLINCK: Mond! Wie das Rad gehängt über die Erde
An dem ich bald hangen werde
Gefoltert, zerschmettert, mit Zangen gezwackt
Zum Tode in vier Teile zerhackt
BOCKELSON: Hurenmond, gelb und voll
Von deinem Wahnsinn bin ich toll
Bin brünstig nach dir
Wie der buntscheckige Stier
Zieh dich, Lustlümmel, hernieder zu mir
KNIPPERDOLLINCK: Die Milchstraße hinauf, am Bären vorbei
BOCKELSON: Wir schlagen Himmel und Erde zu Brei!

Sie improvisieren das Spiel vom Jüngsten Gericht.

BOCKELSON: Am Jüngsten Tag, König Bockelson
Erschien vor Gottes Richterthron

KNIPPERDOLLINCK: Splitternackt und blutverschmiert
Hat er dem Herrgott vorrezitiert
BOCKELSON: Die Engel und Cherubim bleich und verdattert
Haben mit mächtigen Flügeln geflattert
KNIPPERDOLLINCK: Beeindruckt vom grausigen Welttheater
Demissionierte der himmlische Vater
BOCKELSON: Engel und Heilige stoben davon
KNIPPERDOLLINCK: Da setzte sich auf Gottes Thron
Der Täuferkönig Bockelson
BOCKELSON: Genoß einen himmlischen Augenblick lang
Den selbstinszenierten Weltuntergang
KNIPPERDOLLINCK: Und unter donnerndem Applaus
Ging die Weltgeschichte aus
BOCKELSON: Applaus. Das ist's. Applaus. Verlassen wir die Bühne des ehemaligen bischöflichen Theaters, ärmster meiner Untertanen, verlassen wir auch den königlichen Palast, begeben wir uns zum Ägidiitor.

Ab.

KNIPPERDOLLINCK: Kriechen wir ins Dunkel zurück.

19. DIE ÜBERGABE

Vor der Stadt. Ägidiitor. Bockelson tritt aus dem Tor.

BOCKELSON: Schäbiges, westfälisches Kaff
Verdreckt, verseucht, halb eingestürzt
Vollgestopft mit Welterlösern, tollen Weibern
Entzündet wie ein Bündel Stroh von meiner Phantasie
Du allzu deutsches Nest
Genügst mir nicht mehr
Applaus brauch ich, ein Publikum, das sich begeistert, Beifallstürme
Denn wer mir hier noch klatscht, den macht der Hunger schief
Und krumm die Furcht vor Niederlage, Folter, Tod am Galgen
Drum Kleinstadtschmiere Münster
Von Gott verlassen und von jeglichem Mäzen
Sei jetzt bedankt. Ich ziehe weiter

Die Fürsten treten auf, die Feldherren, die Landsknechte. Der Kardinal in der Sänfte, Bischof im Rollstuhl.

BOCKELSON: Ihr Fürsten, versammelt angesichts der Stadt
Die euch seit Jahren trotzt
Ich trete vor euch hin
Ich stellte einen König dar
Und rezitierte komödiantisch einen Possentext
Durchsetzt mit Bibelstellen und mit Träumen einer beßren Welt
Die halt das Volk so träumt
So trieb ich denn, euch zur Erheiterung, was ihr auch treibt
Regierte, übte Willkür und Gerechtigkeit
Belohnte Speichellecker, Schergen, blinden Ehrgeiz
Verführte durch Leutseligkeit
Nutzte Frömmigkeit und echte Not
Fraß, soff, lag Weibern bei
War eingekerkert – auch wie ihr – in die öde Langeweile jeder Macht
Die ich – was ihr nicht könnt – euch hier zurückerstatte
Das Spiel ist aus, ihr Fürsten ohnegleichen

Ich trug eure Maske bloß, ich war nicht euresgleichen
Öffnet das Ägidiitor weit.
Münster sei euch und eurer Wut
Noch leben einige. Nun gut
Sie mögen jetzt am Rad verbleichen
Doch ich, der das Spiel euch schuf, der kühne Denker
Ich erwarte einen Lorbeerkranz und nicht den Henker
Die Fürsten applaudieren.
KARDINAL: Bischof, den habt Ihr nicht engagiert?
KURFÜRST: Ein großer Künstler!
LANDGRAF: Ich engagiere ihn auf Lebenszeit.
KURFÜRST: Er gehört auf mein Theater.
KARDINAL: In unsere Arme, Bockelson.
Birgt Bockelson an seinen Busen.
KARDINAL: Den Künstler geben wir nicht mehr her Landgraf von Hessen
Bockelson, mit dreifacher Spitzengage, wirkt auf unsrer Bühne
Die erste jetzt durch ihn im lieben Heiligen Deutschen Reiche
Führt ihn zur Sänfte, in die sich Bockelson setzt.
Landsknechte, besetzt die Stadt, drei Tage dürft ihr wüten
Bestraft sie hart, Rechenschaft seid ihr keinem schuldig
Gott gab Münster auf, was ihr auch tut, ihr tut es ohne Sünde
Laßt übrig bloß einige Rädelsführer, gut fürs Hochgericht
Darunter irgendeinen, arg entstellt, der Sprache nicht mehr mächtig
Von dem wir sagen, er sei Bockelson
Pro forma so den Willen unseres gnädigen Kaisers treu erfüllend

Entfernt sich triumphierend mit Bockelson in der Sänfte, die Fürsten und Landsknechte dringen in die Stadt ein. Vor dem hilflosen Bischof schließt sich das Ägidiitor wieder.

Vor der Stadt wartet der Bischof.
Aus der Stadt kommen der Landgraf von Hessen und der Kurfürst, verneigen sich vor dem Bischof und gehen ab.
Dann verlassen die Ritter Johann von Büren und Hermann von Mengerssen die Stadt, treten vor den Bischof, verneigen sich.

VON BÜREN: Münster, Bischof, gehört Euch wieder!
Beide ab. Von oben senken sich die Käfige.
Die beiden Landsknechte schleppen das Blutgerüst mit dem aufs Rad geflochtenen Knipperdollinck vor den Bischof.
Die beiden Landsknechte salutieren und gehen ab.
KNIPPERDOLLINCK: Herr! Herr!
Sieh meine zerbrochenen Glieder, zermalmt von Deiner Gerechtigkeit
Du breitest Dein Schweigen über mich
Du tauchst Deine Kälte in mein Herz
Du hast keine meiner Gaben verschmäht
Nimm nun auch meine Verzweiflung entgegen
Die Qual, die mich zerfleischt
Der Schrei meines Mundes, der zu Deinem Lobe verröchelt
Herr! Herr!
Mein Leib liegt in diesem erbärmlichen Rad wie in einer Schale
Die Du jetzt mit Deiner Gnade bis zum Rande füllst
Stirbt.
BISCHOF: Der Begnadete gerädert, der Verführer begnadigt
Die Verführten hingemetzelt, die Sieger verhöhnt durch den Sieg
Das Gericht besudelt durch die Richter
Der Knäuel aus Schuld und Irrtum, aus Einsicht und wilder Raserei
Löst sich in Schändlichkeit
Die Gnade, Knipperdollinck, zwischen blutigen Speichen hervorgekratzt
Klagt mich an.
Aus deinem Rollstuhl, Bischof von Münster!

Erhebt sich.

Steh, Uralter, auf eigenen Beinen!
In Fetzen das Bischofskleid, das Kreuz verspottet durch deine Ohnmacht
Stampfe in die Erde
Diese unmenschliche Welt muß menschlicher werden
Aber wie? Aber wie?

ANHANG

Bühne:

Wichtig ist, daß ohne Vorhang gespielt werden kann, fließend, mit Überblendungen, die Requisiten bringen die Schauspieler auf die Bühne. Die Zürcher Wiedertäuferbühne: Der Bühnenraum wird durch einen hellen, wie aus großen Lederstücken zusammengenähten Prospekt abgeschlossen, in welchem sich eine Schiebetüre befindet. Vor diesem Prospekt ein Holzgerüst, die Stadtmauer anzudeuten. Das Holzgerüst kann durch einen zweiten Prospekt abgedeckt werden, der im Zuge hängt und wie der erste Prospekt aussieht, so daß die Bühne eine Hinter- und eine Vorderbühne aufweist. Auf der Vorderbühne stehen zwei bewegliche Torflügel, dunkelbraun aus Holz, Leder und Eisen, verschiebbar.

Bühne Grundbau

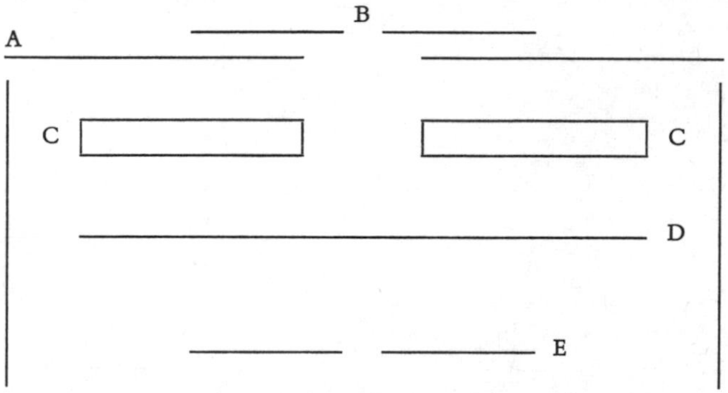

A = hinterer Prospekt. B = Schiebetüre. C = Gerüst. D = Prospekt im Zug. E = Stadttore verschiebbar.

DRAMATURGISCHE ÜBERLEGUNGEN ZU DEN WIEDERTÄUFERN

1. Einleitung. Modell Scott:

Shakespeare hätte das Schicksal des unglücklichen Robert Falcon Scott doch wohl in der Weise dramatisiert, daß der tragische Untergang des großen Forschers durchaus dessem Charakter entsprungen wäre, Ehrgeiz hätte Scott blind gegen die Gefahren der unwirtlichen Regionen gemacht, in die er sich wagte, Eifersucht und Verrat unter den anderen Expeditionsteilnehmern hätte das Übrige hinzugetan, die Katastrophe in Eis und Nacht herbeizuführen; bei Brecht wäre die Expedition aus wirtschaftlichen Gründen und Klassendenken gescheitert, die englische Erziehung hätte Scott gehindert, sich Polarhunden anzuvertrauen, er hätte zwangsläufig standesgemäße Ponnys gewählt, der höhere Preis wiederum dieser Tiere hätte ihn genötigt, an der Ausrüstung zu sparen; bei Beckett wäre der Vorgang auf das Ende reduziert, Endspiel, letzte Konfrontation, schon in einen Eisblock verwandelt säße Scott anderen Eisblöcken gegenüber, vor sich hinredend, ohne Antwort von seinen Kameraden zu erhalten, ohne Gewißheit, von ihnen noch gehört zu werden: Doch wäre auch eine Dramatik denkbar, die Scott beim Einkaufen der für die Expedition benötigten Lebensmittel aus Versehen in einen Kühlraum einschlösse und in ihm erfrieren ließe. Scott, gefangen in den endlosen Gletschern der Antarktis, entfernt durch unüberwindliche Distanzen von jeder Hilfe, Scott, wie gestrandet auf einem anderen Planeten, stirbt tragisch, Scott, eingeschlossen in den Kühlraum durch ein läppisches Mißgeschick, mitten in einer Großstadt, nur wenige Meter von einer belebten Straße entfernt, zuerst beinahe höflich an die Kühlraumtüre klopfend, rufend, wartend, sich eine Zigarette anzündend, es kann ja nur wenige Minuten dauern, dann an die Türe polternd, darauf schreiend und hämmernd, immer wieder, während sich die Kälte eisiger um ihn legt, Scott, herumgehend, um sich Wärme zu verschaffen, hüpfend, stampfend, turnend, radschlagend, endlich verzweifelt Tiefgefrorenes gegen die Türe schmetternd, Scott, wieder innehaltend, im Kreise herumzirkelnd auf kleinstem Raum, schlotternd, zähneklappernd, zornig und ohnmächtig, dieser Scott nimmt ein noch schreck-

licheres Ende und dennoch ist Robert Falcon Scott im Kühlraum erfrierend ein anderer als Robert Falcon Scott erfrierend in der Antarktis, wir spüren es, dialektisch gesehen ein anderer, aus einer tragischen Gestalt ist eine komische Gestalt geworden, komisch nicht wie einer, der stottert, oder wie einer, der vom Geiz oder von der Eifersucht überwältigt worden ist, eine Gestalt komisch allein durch ihr Geschick: Die schlimmst mögliche Wendung, die eine Geschichte nehmen kann, ist die Wendung in die Komödie.

2. Der Fall Bockelson:

Zur Person: Schneidergeselle, Schank- und Bordellwirt in Leiden in den Niederlanden, Mitglied einer Kammer der Rhetoriker – in den Schauspielen, die er entwarf, spielte er wohl selbst eine Rolle [Ranke] – wird einer der Führer der Wiedertäufer in Münster, läßt sich nach dem Tode Jan Matthisons zum König ausrufen. Nachdem er während seiner kurzen Herrschaft eine christliche revolutionäre Bewegung lächerlich gemacht, siebzehn Weiber geehelicht, eine Stadt ins Verderben gestürzt und nach seiner Gefangennahme der Täuferei wieder entsagt hatte, wurde er, neunundzwanzigjährig, vom siegreichen Bischof Franz von Waldeck einem Gericht überwiesen, dreimal mit glühenden Zangen gezwackt und endlich erdolcht [1536]. Sein Leichnam wurde, aufrechtstehend in einem eisernen Käfig, an der Westseite des Lambertiturmes aufgehängt, flankiert von den Käfigen mit Krechting und Knipperdollinck. Dramaturgischer Aspekt: Vorerst scheinen nur zwei Lösungen möglich, nämlich Bockelson entweder als einen positiven tragischen oder aber als einen negativen tragischen Helden darzustellen, entweder als einen der ersten christlich-kommunistischen Idealisten oder als einen klassischen Bösewicht, als einen vitalen nihilistischen Verführer einer christlichen Gemeinschaft. Beide Taktiken sind spektakulär. Die eine idealisiert, die andere dämonisiert.

3. Bockelson als positiver tragischer Held:

Wird Bockelson zum positiven Helden aufgewertet, wozu er gewisse Voraussetzungen besaß – «eine glückliche äußere Bildung, natürliche

Wohlberedenheit, Feuer und Jugend» [Ranke] –, so erweckt er Mitleid mit beigemischter Furcht [man zittert um sein Schicksal]. Ein positiver tragischer Held ist nicht schuldlos an seinem Untergang – der allgemeinen Gerechtigkeit zuliebe –, doch überwiegen die Tugenden, müssen überwiegen, will er Mitleid erwecken, soll um sein Schicksal gezittert werden. Ohne dieses Mitleid [des Zuschauers] und ohne diese Furcht [auch des Zuschauers] kommt keine Tragödie aus. Der Zuschauer leidet und fürchtet nur dort mit, wo er sich identifizieren, wo er mitfühlen kann. Ohne Identifikation des Zuschauers mit dem tragischen Helden keine Erschütterung.

4. Bockelson als negativer tragischer Held:

Wird Bockelson zum negativen Helden dämonisiert, so erweckt er Furcht mit beigemischtem Mitleid, aber auch mit beigemischter Bewunderung, denn so furchterregend ein Bühnenbösewicht auch sein mag, so ist er doch beim Publikum zu populär, so freut man sich doch allzusehr auf sein Erscheinen, so wird er doch von den Schauspielern allzu gern dargestellt, als daß seine Wirkung eine rein negative wäre. Brecht, auf der Suche nach einem nicht-aristotelischen Theater in der Absicht, den Zuschauer statt zum Mitfühlen, zum Erkennen zu verleiten, auf der Suche nach einer Bühne, auf welcher nicht das «Wie», sondern das «Warum» einer untergeht, das Wichtige sein soll, Brecht schuf immer wieder negative Helden, ihren Fall zu demonstrieren, doch nehmen wir meistens ihre Fehler gern in Kauf, sie erhöhen nur unsere Sympathie [Mutter Courage, Galileo], Held bleibt Held. Der Zuschauer identifiziert sich mit jedem, geht mit Freuden mit jedem der Helden und führe er mit Mephistopheles in die Hölle. Wer möchte nicht gern einmal Nero, wer nicht einmal gar der Teufel sein.

5. Die Tragödie als das Theater der Identifikation:

Das Dilemma der Tragödie: Nur das Wirkliche berührt uns tragisch. Ein wirklicher Todesfall usw. Wir brauchen die Illusion, auf dem Theater werde «wirklich» gestorben, wollen wir uns durch einen Theatertod erschüttern lassen. Die Tragödie braucht die Illusion des

Zuschauers, sein Mitspielen, für die Tragödie gilt: Theater = Wirklichkeit. Die Tragödie muß die Fiktion ablehnen, ohne die sie nicht möglich ist, denn jedes Theater ist eine Fiktion. Das Verhältnis der Tragödie zur Wirklichkeit ist naiv. Ihre Wirkung hängt von der Illusionskraft der Bühne ab, erreichte im Naturalismus letzte Höhepunkte, seitdem ist die Tragödie – da wir der Bühne ihre Illusionen nicht mehr so recht glauben – fast nur noch in Filmen heimisch. Die Tragödie neigt dazu, sich als abgebildete «Wirklichkeit» auszugeben, das Tragische der «Wirklichkeit» zu entlehnen, sie will zeigen, was war [oder was ist] Tragödie heute: Hochhuth: Endlose Belege, die geschichtlichen Fiktionen, die er macht, als «Wahrheit» zu installieren, statt sich auf die Wahrheit in der Fiktion zu verlassen. Sonderfall: Die Ermittlung von Peter Weiß – trotz der literarischen Tünche –, indem nur noch zu Worte kommen, die nur noch das Wort haben, die Henker, identifiziert sich der Zuschauer mit jenen, die nicht mehr das Wort haben können, mit den Opfern. Eigentümlichkeit der Tragödie: Die Handlung wird irrelevant. Der Untergang des Helden findet nur statt, um seine moralischen Qualitäten aufleuchten zu lassen, die Intrigen und Irrtümer, die seinen Fall verursachen, sind unwichtig. Die Sprache wird irrelevant, die Handlung ist die Wäscheleine, an der die Sprache im tragischen Winde knattert. Dramaturgie: Seit Aristoteles die Tragödie moralisch rechtfertigte [Katharsis, Reinwaschung des Zuschauers durch Furcht und Mitleid], wird mit den Kategorien des Identifikationstheaters das dramaturgische Handwerk an sich gemessen. Was nicht rührt, mit was man sich nicht identifizieren kann [und will], wird als unverbindliches Theater abgetan.

6. Der Verfremdungseffekt:

Aus Opposition gegen die Tragödie änderte Brecht den Bühnenstil. Sein Verfremdungseffekt reißt den Zuschauer immer wieder vom Spiel los und stellt ihn dem Spiel gegenüber. Der Verfremdungseffekt ist eine Notbremse, welche die Handlung zum Stehen bringt und Überlegungen möglich macht. Brechts Theater ist ein Drama zwischen der erstrebten Nicht-Identifikation des Publikums mit dem Stück und dem dem Zuschauer innewohnenden Trieb, sich immer wieder zu identifizieren. Es ist das Drama jedes modernen Theaters.

Der Zuschauer identifiziert sich unwillkürlich mit dem Geschehen auf der Bühne, während des Spiels nimmt er unwillkürlich an, das Geschehen sei «wirklich», aus dem simplen Grunde, weil er mitspielt.

7. Das Theater der Nicht-Identifikation:

Die Komödie. Beispiel Clown. Wir lachen über den Clown, weil er uns als ein so unbeholfener Mensch gegenübertritt, daß sich ihm jeder überlegen fühlt. Wir identifizieren uns nicht mit dem Clown, wir objektivieren ihn. Richten wir bei der Identifikation in unserem Ich den Helden als ein Objekt auf, integrieren wir den Helden in unser Ich, stoßen wir den «Clown in uns» aus unserem Ich und treten ihm gegenüber. Der Clown ist der «Einzelne», und nicht nur der Clown, jede komische Figur, was sie vereinzelt, ist das Komische [der tragische Held ist nicht «vereinzelt», er ist mit den Menschen durch deren Mitleid verbunden. Der Dramatiker des «Einzelnen»: Beckett. Bei mir die Gestalt, die dem «Einzelnen» am meisten entspricht: Schwitter]. Ferner: Es ist uns gleichgültig, ob das Komische erfunden oder «wirklich» sei, wir müssen gleichwohl lachen. Die Illusion ändert am Komischen nichts, gerade darum ist sie beim Komischen legitim. Das Komische tritt nur ein, wo wir objektivieren, das heißt, wo wir eine Gestalt oder eine Handlung als Ganzes überblicken, was nur möglich ist, wo wir Distanz bewahren: Darum ist es gleichgültig, ob das als Komisch erkannte «wirklich» ist oder fingiert. Das Komische muß uns nicht «nahe gehen» wie das Tragische, um auf uns zu wirken, das Komische wirkt auf uns, weil wir von ihm Abstand nehmen, unser Gelächter ist die Kraft, die den komischen Gegenstand von uns wegtreibt.

8. Die drei Arten der Komödie:

Das Komische kann in der Gestalt und in der Handlung liegen, in der Gestalt allein und in der Handlung allein. Beim Clown liegt das Komische allein in der Gestalt, er sieht komisch aus und ist läppisch, er tut alltägliche Dinge, aber macht sie verkehrt. Bei der sogenannten Gesellschaftskomödie [von der attischen neuen Komödie bis zum heutigen Boulevard-Theater ein einziger komödien-taktischer Trend] ist die Gestalt komisch – der Geizige, der Neureiche usw. – und die Handlung, die Situationen. Wird die Komödie zum Welttheater, braucht nur noch die Handlung «komisch» zu sein, die Gestalten sind im Gegensatz zu ihr oft nicht nur «nichtkomisch», sondern tragisch.

9. Dramaturgie der Komödie als Welttheater:

Liegt der Sinn einer tragischen Handlung darin, die Größe des Helden aufzuzeigen, wird die Handlung dadurch irrelevant, so wird eine Handlung dann komisch, wenn sie auffällt, wenn sie wichtig wird, wenn die Gestalten durch die Handlung ihren Sinn erhalten, nur durch sie interpretiert werden können. Die komische Handlung ist die paradoxe Handlung, eine Handlung wird dann paradox «wenn sie zu Ende gedacht wird». Die Komödie der Handlung und die Tragödie überschneiden sich, insofern als es auch Tragödien der Handlung gibt: Oedipus rex. Auch in den Peripetien der Tragödien: «In den Peripetien erreichen die Dichter, was sie erstreben, auf eine erstaunliche Weise. Denn dies ist gleichzeitig tragisch und menschlich. Das wird dann bewirkt, wenn etwa der Kluge, der schlecht ist, betrogen wird wie Sisyphos, oder wenn der Tapfere, der aber ungerecht ist, überwältigt wird. Denn dies entspricht der Wahrscheinlichkeit, wie Agathon sagt: denn es ist wahrscheinlich, daß vieles gerade gegen die Wahrscheinlichkeit geschieht» [Aristoteles]. Der Sinn der paradoxen Handlung «mit der schlimmst möglichen Wendung»: Er liegt nicht darin Schrecken auf Schrecken zu häufen, sondern darin, dem Zuschauer das Geschehen bewußt zu machen, ihn vor das Geschehen zu stellen. Der Verfremdungseffekt liegt nicht in der Regie, sondern im Stoff selbst. Die Komödie der Handlung ist das verfremdete Theater an sich [und braucht gerade deshalb nicht verfremdet gespielt zu werden, es kann es sich leisten, darauf zu verzichten]. Erreicht wird erstens: Dadurch, daß eine Handlung paradox wird, ist ihr Verhältnis zur «Wirklichkeit» irrelevant, ob wirklich oder fiktiv, die Handlung wirkt paradox, das Verhältnis zur Wirklichkeit ist bereinigt, weil es im alten Sinne keine Rolle mehr spielt. Die Frage nach der «Wirklichkeit» stellt sich anders. Eine paradoxe Handlung ist ein Sonderfall, die Frage lautet, inwiefern sich in diesem Sonderfall die andern Fälle [der Wirklichkeit] spiegeln. Die Tragödie als eine naive, die Komödie der Handlung als eine bewußte Theaterform. Zweitens: Die Identifikation, zu welcher der Zuschauer neigt, ist erschwert, weil der Zuschauer durch die paradoxe Handlung gezwungen wird, zu objektivieren, wird jedoch als Wagnis möglich. Der Zuschauer kann sich die Frage stellen, inwiefern der Fall auf der Bühne auch sein Fall sei und sich so die Gestalten auf der Bühne wieder aneignen. Die Möglichkeit zu diesem Wagnis ist vorhanden, doch braucht sie vom Zuschauer nicht ergriffen zu werden, er wird dann eine Komödie der Handlung als eine reine Groteske erleben oder als eine übersteigerte Tragödie. Die Komödie der Handlung ist die Theaterform, die Brecht von unserem Zeitalter der Wissenschaft fordert unter der Berücksichtigung der Tatsache, daß der Zuschauer zu Nichts gezwungen werden kann. Das Theater ist nur insofern eine moralische Anstalt, als es vom Zuschauer zu einer gemacht wird. Darin, daß viele der heutigen Zuschauer in meinen Stücken nichts als Nihilismus sehen, spiegelt sich nur ihr eigener Nihilismus wieder. Sie haben keine andere Deutungsmöglichkeit.

10. Auf Bockelson bezogen:

Indem Bockelson zu einem Schauspieler gemacht wird [«Nie nährte mich die Kunst, bescheiden bloß Zuhälterei / Nun mästet mich Religion und Politik: Doch sitz ich in der Falle / Ich wurde Täufer aus beruflicher Misere / Ich brachte, arbeitslos, verworrenen Bäckern, Schustern, Schneidermeistern / Rhetorik bei ... Ja wurde aus einem losen Einfall gar ihr König / Jetzt, hols der Teufel, glauben Sie an mich»], wird Bockelson «zu einem» schlimmst möglichen Fall: Er wird zu einer Fiktion. Dieser Fiktion wird die Geschichte unterworfen, der «historische» Bockelson wird in eine Fiktion verwandelt, wird zum «Theater» [Analog Scott im Kühlraum]. Er wird zur komischen Gestalt und damit zum Sonderfall. Ihn treibt nicht die Machtgier, sondern die komödiantische Lust, die Theatralik, ohne die keine Macht auskommt, auszunützen. Darum können die Fürsten ihn auch begnadigen: Nicht als ihresgleichen, sondern als einer, der ihresgleichen vollendet spielt: Als genialen Schauspieler, den sie begnadigen, weil sie ihn bewundern: Sie bewundern sich selber, das heißt, das was ihnen Bockelson vorspielte, indem sie ihn begnadigen. Bockelson als Fiktion ist nicht gleich einer Wirklichkeit, nicht gleich Hitler oder gleich irgendeiner historischen Persönlichkeit, er ist auch kein Parallelfall wie etwa Arturo Ui ein Parallelfall zu Hitler ist, er verhält sich als Sonderfall nur zur Theatralik, die in jedem Mächtigen innewohnt. Bockelson ist ein Thema jeder Macht: Ihre Begründung durch Theatralik.

11. Bockelson als Thema:

Die Dramatik – wie die übrige Kunst – hat einen bestimmten Weg eingeschlagen: Den Weg in die Fiktion. Ein Theaterstück stellt eine Eigenwelt dar, eine in sich geschlossene Fiktion, deren Sinn nur im Ganzen liegt. Die Aussagen des Dramatikers sind nicht Sätze, nicht Moralien oder Tiefsinn, der Dramatiker sagt Stücke aus, sagt etwas aus, was nicht anders gesagt werden kann als durch ein Stück. Die Sätze, welche die Personen des Stücks aussprechen, sind verständlich allein durch das Stück, verständlich nur durch die Situation, in der sie sich befinden. Sie sind weder Wahrheiten «an sich» noch Provokationen, sondern der Ausdruck der dramaturgischen Ironie, die das Stück fingiert und lenkt. Das Theater als Fiktion kann nichts anderes sein als Theater, ein Gleichnis, immer wieder neu zu erdenken, für die Tendenzen der Wirklichkeit. Das Theater als Eigenwelt enthält als seine Themen erdichtete Menschen, es entwickelt sich kontrapunktisch. Zu einem Thema tritt ein Gegenthema usw. [Zu Don Quichote tritt Sancho Pansa.] Zu Bockelson tritt der Bischof: Zum Schauspieler tritt der Theaterliebhaber, der Theaterfanatiker. [Bischof: Mitspieler in Wirklichkeit, verstrickt in Schuld, Mitwisser von Verbrechen / Brauchen wir die Täuschung loser Stunden, Zuschauer nur zu sein.] Zum Schauspieler tritt der Zuschauer, dessen Schicksal es ist, daß er auch der Welt gegenüber Zuschauer bleiben muß, wo er doch handeln wollte: Wie er auch handelt, er löst immer wieder Geschehen aus, die ihn in die Lage eines hilflosen Zuschauers zurückwerfen, eine Lage, die ihn am Ende zur Rebellion zwingt, zu einer ohnmächtigen Rebellion freilich. Zum verzweifelten Zuschauer, der ohne Überzeugung handelt, der um seine Hilflosigkeit weiß [Nun muß ich weiterhin an einer faulen Ordnung herumflicken] treten die zynischen Zuschauer [Kaiser, Fürsten] treten die zynisch Handelnden [Landsknechte, Gemüsefrau] treten aber auch jene, die die Welt verändern wollen und die er im Geheimen bewundert [Matthison, aber auch der Mönch] tritt endlich der Religiöse, der aufs Rad getrieben wird, der die Welt erleidet: Knipperdollinck usw. Die Welt der Fiktion ist eine in sich geschlossene Welt. Ihre Geometrie: Die Beziehung ihrer Gestalten zueinander. Ihre Dramatik: Die Schicksale, die sich auf dem abgesteckten Platz abspielen.

12. Über die Wiedertäufer im Ganzen:

Die Wiedertäufer stellen als Komödie eine Wiederaufnahme eines Versuchs dar, den ich im Jahre 1946 unternommen habe und der unter dem Titel «Es steht geschrieben» bekannt geworden ist. Einzelne Teile des früheren Werkes konnten übernommen werden. Die Wiedertäufer stellen eine Begegnung meiner heutigen Dramatik mit meiner ersten Dramatik dar. Es verlockte mich, noch einmal das alte Spiel, bewußter jetzt, durchzuspielen.

KÖNIG JOHANN

NACH SHAKESPEARE

PERSONEN

Johann Plantagenet, König von England
Königin Eleonore, seine Mutter
Isabelle von Angoulême, seine Gemahlin
Blanka von Kastilien, seine Nichte
Konstanze, seine Schwägerin
Arthur Plantagenet, Herzog von Bretagne, sein Neffe
Der Bastard Philipp Faulconbridge, später Sir Richard Plantagenet, natürlicher Sohn des Richard Löwenherz, Johanns Bruder
Lady Faulconbridge, dessen Mutter
Robert Faulconbridge, dessen Bruder
Philipp, König von Frankreich
Louis, Dauphin von Frankreich
Leopold, Herzog von Österreich
Pandulpho, Kardinal von Mailand, Legat des Papstes Innozenz III.
Graf von Pembroke, Johanns Minister
Chatillon, Philipps Gesandter
Lord Bigot
Lord Essex
Lord Salisbury
Erster Bürger von Angers
Englischer Herold
Französischer Herold
Erster Henker Johanns
Zweiter Henker Johanns
Henker Philipps
Wache Philipps
Bürger, Soldaten, Mönche usw.

ERSTE SZENE[1]

Northampton. Ein Staatszimmer im Palast.

König Johann, Königin Eleonore, Blanka, Pembroke, Chatillon.

KÖNIG JOHANN:
Nun, Chatillon, sag, was will Frankreich uns?
CHATILLON:
So redet Frankreichs König nach dem Gruß
Durch meinen Vortrag zu der Majestät,
Erborgten Majestät von England hier.
ELEONORE:
Erborgten Majestät? – seltsamer Anfang.
KÖNIG JOHANN:
Still, gute Mutter, hört die Botschaft an.
CHATILLON:
Philipp von Frankreich sieht das Recht verletzt.
Drei Brüder starben dir, vor dir geboren:
Der erste Heinrich, Gottfried dann und endlich
Der edle Richard Löwenherz.
ELEONORE:
Wir wissen.
Wir haben sie geboren. Laßt den Unsinn.
KÖNIG JOHANN:
Still, gute Mutter. Chatillon, fahr fort.
CHATILLON:
Philipp von Frankreich fordert an im Namen
Arthur Plantagenets, des Sohnes deines
Ums Reich geprellten ältern Bruders Gottfried,
Dies schöne Eiland samt den Ländereien,
Von Irland, Poitiers, Anjou, Touraine, Maine,
ELEONORE:
Arthur Plantagenet? Der kleine Arthur,

Kaum lernt er gehen, kaum ist er entwöhnt,
In Windeln noch, erhebt so großen Anspruch?

KÖNIG JOHANN:
Still, gute Mutter. Chatillon, sprich weiter.

CHATILLON:
Frankreich befiehlt: Gib frei das Erbe Arthurs,
Von dir geraubt und rechtlos ausgeplündert,
Damit dein Neffe es aus deiner Hand
Empfange als dein königlicher Herr.

KÖNIG JOHANN:
Und wenn wir dieses weigern, was erfolgt?

CHATILLON:
Krieg.

KÖNIG JOHANN:
Wir haben Krieg für Krieg und Blut für Blut,
Zwang wider Zwang. Wir treffen in zwei Monden
Mit unserer Armee in Anjou ein
Vor Englands Stadt Angers, erwarten Frankreich.
Antworte Philipp das und nun hinweg.
Gebt ehrliches Geleit ihm auf den Weg.
Besorg's, getreuer Pembroke – Chatillon leb wohl.

Pembroke geleitet Chatillon hinaus.

ELEONORE:
Mein lieber Sohn, das war vorauszusehen.
Ich kenn' den Ehrgeiz meiner Schwiegertochter
Konstanze von Bretagne. Mein Enkel Arthur
Soll Englands König sein, nicht du. Drum hetzt
Sie Frankreich und die ganze Welt auf uns.
Das Weib mit ihrem Söhnlein ist gefährlich.

KÖNIG JOHANN:
Uns schirmt, was ich besitze und mein Recht.

ELEONORE:
Uns schirmt, was du besitzest, nicht dein Recht,
Sonst müßt es übel gehn mit dir und mir,
Denn Recht hat Arthur ebenso wie du.
Warum so schroff mit diesem Chatillon?
Warum so schnell? Es wäre leicht gewesen,

Durch freundliche Vermittlung auszugleichen,
Was die Verwaltung zweier Reiche nun
In einen Krieg verstrickt, der schrecklich kostet.

KÖNIG JOHANN:
Die Klöster und Abteien sollen zahlen
Die Kosten dieses Krieges.

ELEONORE:
Das kostet uns
Die Freundschaft Roms.

KÖNIG JOHANN:
Es koste sie. Mir kostet
Der Krieg die Ehre und mein Land, fällt mir
Der Sieg nicht zu. Ich muß darauf bestehen,
Daß Frankreich mich als König anerkennt
Und nicht Arthur, ich brauche diesen Krieg,
Und wenn nicht einen Krieg, so doch den Sieg
Der Politik auf meine Drohung hin:
Denn bin ich vor Angers, lenkt vielleicht Frankreich,
Beeindruckt, doch noch ein. Ich muß es wagen.
Durch meines Bruders Richard genial
Verschlampte Heldenwirtschaft kam
Das Land in Unordnung. Der Adel murrt.
Er liebt nicht meine starke Hand. Er will
Die Freiheit, England auszuplündern,
Für sich allein, drum neigt er Arthur zu.
Die Kirche sucht mich zu erpressen, pocht
Auf ihre Pfründe, und des Himmels Gnade
Fließt bloß für bares Geld. Das Volk ist dumpf.
Gesund ist nur das Heer, und diese Waffe,
Bevor sie rostet, muß ich brauchen. Krieg
Den Lords wär Bruderkrieg, er schwächte mich,
Doch Krieg mit Frankreich eint die Nation
Und zwingt den Adel sich zu unterwerfen.

Pembroke kommt zurück.

PEMBROKE:
Mein Fürst, hier ist der wunderlichste Streit
Vom Land vor Euren Richterstuhl gebracht,

Wovon ich je gehört. Bring ich die Leute?
KÖNIG JOHANN:
Ihr Stand?
PEMBROKE:
Landadliges Pack, Hoheit.
KÖNIG JOHANN:
Schick sie fort.
ELEONORE:
Bring sie her.
Komm, lieber Sohn, und setz dich wieder.
Ein Sheriff bringt den Bastard und Robert Faulconbridge.
KÖNIG JOHANN:
Wer seid ihr beide?
BASTARD:
Ich euer Knecht, ein Edelmann
Aus Northamptonshire, und, nach meiner Mutter,
Der älteste Sohn des Robert Faulconbridge,
Den Richard Löwenherz zum Ritter schlug:
Nicht unbegreiflich, langsam schwant es mir.
KÖNIG JOHANN:
Und du?
ROBERT:
Der Erbe und der Sohn desselben Faulconbridge.
KÖNIG JOHANN:
Ist das der ältere, der Erbe du,
So scheint's, ihr seid von *einer* Mutter nicht.
BASTARD:
Gewiß von *einer* Mutter, Majestät,
Das weiß man, ob ich auch von *einem* Vater,
Die Kenntnis dieses delikaten Punktes
Macht mit dem Himmel aus und meiner Mutter;
Ich zweifle dran, wie jeder Sohn es darf.
ELEONORE:
Du schändest deine Mutter, grober Kerl.
BASTARD:
Ich, Königin? Ich schände nicht, die mich
Gebar, noch schändet meine Mutter mich,

Mein feiner Bruder fühlt geschändet sich
Durch meine Mutter, die auch seine ist,
Und wenn er es beweist, so prellt er mich
Um mindestens fünfhundert Pfund im Jahr.
Gott schütz mein Land und meiner Mutter Ehre!

KÖNIG JOHANN:
Und uns vor deiner Narrheit, Amen. Warum
Denn fordert nun der Jüngere dein Erbe?

BASTARD:
Ihm schwant's auch langsam, was mir langsam schwant.
Vergleicht nur die Gesichter, richtet selbst.
Gesetzt, der alte Herr, Sir Robert, zeugte uns,
Und diese Mißgeburt dem Vater gleicht:
Fällt auf die Knie.
O alter Robert, Vater! Siehe mich
Dem Himmel danken, denn ich gleich dir nicht!

KÖNIG JOHANN:
Ein toller Wirrkopf schießt da aus dem Mist.

ELEONORE:
Merkwürdig. Er gleicht meinem Sohne Richard.

KÖNIG JOHANN:
Jetzt du, der andre Kerl, tritt vor und sprich:
Was forderst du des ältern Bruders Land?

ROBERT:
Mein Fürst, kaum war mein Vater Faulconbridge
Mit meiner Mutter frisch getraut, als Euer
Erst jüngst verstorbner Bruder König Richard
Sir Robert plötzlich brauchte –

BASTARD:
Ei, Herr, damit gewinnt Ihr nicht mein Land!
Erzählt uns, wie der Held in fernen Kriegen
Und fremden Ehebetten, Richard Löwenherz,
Die plötzlich brauchte, welche meine Mutter wurde.

ROBERT:
Der König, plötzlich, schickte meinen Vater
Nach Deutschland, mit dem Kaiser zu verhandeln
Sechs Monde lang in wichtigen Geschäften.

Schief ging es aus, mein Vater war kein Diplomat.
Dem König war es einerlei. Er hatte
Sein Ziel erreicht, er nutzte flugs die Strecke
Von See und Land, die meine Eltern trennte,
Das frisch getraute Paar, verbrachte heimlich
In meines Vaters Hause Nacht um Nacht,
Und dieser muntre Herr da war erzeugt!
Wie solches möglich, schäm ich mich zu sagen.
Doch wahr ist wahr. Sir Robert selbst, im Sterben,
Trug mich als Erben ein ins Testament:
«Der, deiner Mutter Sohn, ist meiner nicht.
Und wenn er's ist, so kam er in die Welt
An zwanzig Wochen vor der rechten Zeit;
An dieses Wunder, Gott, das meine fromme Frau
Und deine Pfaffen mich zu glauben machten,
Vermag ich, todesmatt, nicht mehr zu glauben!»
So sprach mein armer Vater und verschied.
Drum gönnt mir jetzt, was mein ist, König Johann,
Des Vaters Land nach meines Vaters Willen.

KÖNIG JOHANN:
Das Urteil. Euer Bruder ist ein echtes Kind:
Des Vaters Weib gebar ihn in der Ehe.
Und wenn sie ihn betrog, ist's ihre Schuld,
Worauf es alle Männer wagen müssen,
Die Weiber nehmen. Sagt mir, wenn mein Bruder,
Der, wie ihr sprecht, sich diesen Sohn erschaffen,
Von Eurem Vater ihn gefordert hätte:
Sir Robert, Freund, sein Kalb von seiner Kuh,
Konnt er behaupten gegen alle Welt.
Das ist Gesetz! War er von meinem Bruder,
So konnt ihn der nicht fordern, Euer Vater
Ihn nicht verleugnen, war er auch nicht sein.
Kurz, meiner Mutter Sohn zeugt Eures Vaters Erben,
Dem Erben kommt das Land des Vaters zu.

BASTARD:
Mein Bruder, *den* Prozeß hab ich gewonnen.

ROBERT:
Hat meines Vaters Wille keine Kraft,
Das Kind, das nicht das seine, zu enterben,
Darf ungestraft ein König meinen Vater,
Der doch auch adlig ist, mit Hörnern schmücken
Und ungestraft darauf ein zweiter König
Das Land mir stehlen, weil's ihm so beliebt:
Dann herrscht in England Ungerechtigkeit.

ELEONORE:
He, erster Sohn der Lady Faulconbridge.

BASTARD:
Königin?

ELEONORE:
Wie heißt du?

BASTARD:
Philipp, nach einem Faß von Sohn genannt,
Von einer Tonne Frau, Sir Roberts Schwester.

ELEONORE:
Blanka, komme her.

Blanka tritt neben die Königin.

BLANKA:
Großmutter?

ELEONORE:
Kind, gefällt
Dir dieser junge Bursche?

BLANKA:
Er gefällt mir.

ELEONORE:
Gar sehr?

BLANKA:
Gar sehr, Großmutter.

ELEONORE:
Brav mein Kind.
Du aber, junger Faulconbridge, hör zu.
Wir brauchen Männer. Männer für den Krieg.
Du rühmst dich eines Siegs, den deine Mutter
In ihrem Bett entschied. Wohlan denn, wähle:

Was willst du lieber sein, ein Faulconbridge,
Ein reicher Herrscher über Kraut und Rüben,
Vermistet, ohne Bildung, ruhmlos, oder
Von meinem Sohn ein anerkannter Sohn,
Plantagenet wie wir. Dein Los: Wahrscheinlich
Der Tod, der Untergang. Vielleicht der Aufstieg,
Vielleicht noch mehr. Doch Ruhm ist dir gewiß.

Der Bastard kniet.

BASTARD:
O Königin, dein Enkel hat gewählt.
Gab mir mein Vater Adel, gebe ich mein Land.
Gesegnet schienen Sonne oder Sterne,
Als man mich zeugte in Sir Roberts Ferne!

ELEONORE:
Du bist so kühn, wie jener, der dich schuf.

BASTARD:
Madame, ich bin ein Wurf aus Eurem Stall.

ELEONORE:
Schlag ihn zum Ritter, Johann, es rentiert sich.

König Johann schlägt den Bastard zum Ritter.

KÖNIG JOHANN:
Als Philipp kniest du jetzt, erhebe dich erhöht.
Steh auf, Sir Richard und Plantagenet.

Der Bastard erhebt sich.

KÖNIG JOHANN:
Sir Faulconbridge, Ihr habt, was Ihr begehrt.
Das Land ist Euer. Laßt Euch nicht mehr sehn.

Robert ab.

KÖNIG JOHANN:
Den Arm, verehrte Mutter, gehn wir speisen.

König Johann, Eleonore und Pembroke ab.

BLANKA:
Verzeiht, Sir Richard. Ich gestand, daß Ihr
Mir sehr gefällt. Warum nicht? Ich bin reich,
Besitze Anjou und Tourraine. Johann
Verwaltet sie, er gäb mich ungern frei.
Wer mich will, der wagt viel. Ich wage mehr:

Ich wag die Hoffnung, daß Ihr alles wagt.

Blanka ab.

BASTARD:

Die Lady amüsiert sich gut mit mir.
Sie denkt ans Bett; ich denke, was mir blüht:
Um einen Schritt zur Ehre besser nun,
Doch schlimmer um viel tausend Schritte Lands,
Kann ich zur Dame jede Kuhmagd machen,
Mit der ich schlief, wie's eben kam im Heu,
Und umgekehrt zur Kuhmagd jede Dame;
Und kommt der Stallknecht her, mit dem ich jüngst
Die Nächte durchsoff, muß er höflich grüßen:
«Habt guten Tag, Sir Richard!», «Dank, Gesell!»
Grüß ich zurück, weil's vornehm ist, statt ihm
Mit einem Tritt den Hintern zu versohlen.
Kommt drauf ein Reisender herbeigelümmelt,
An meiner Gnaden Tisch die Zähne stochernd,
Und ist mein ritterlicher Magen voll,
So trink ich ihm manierlich zu, befrage
Den Schönbart aus der Fremde: «Bester Herr»,
– So auf den Arm mich stützend fang ich an –
«Ich möcht Euch bitten» – das ist Frage nun,
Und schon kommt Antwort wie aus einem Abc-Buch.
Und so, eh Antwort weiß, was Frage will,
Bloß mit dem Hin- und Herkomplimentieren,
Vom Schwatzen von den Alpen und dem Flusse Po,
Von fremden Pferden, Hunden, fremden Puffs,
Erschwinglich und mit Damen für den Adel,
Zieht es sich bis zur Abendmahlzeit hin.
Das ist hochadlige Gesellschaft nun,
Die strebenden Gemütern ziemt, gleich mir.
Doch wen die Mode nicht gedrechselt hat,
Der bleibt ein Bastard, auch wenn er geadelt.
Drum will ich, Bastard, auch ein Bastard bleiben!
Das Spiel mitspielend, das ich wählte,
Nach außen adlig, ganz ein echter Ritter,
Weiß doch mein Sinn, daß alles Hurerei,

Was diese noble Welt in Ehren treibt.
Verstellend mich, um mich nicht zu belügen,
Bleib ich, die Welt belügend, mir so treu,
Erklettere mit kühnen Heldentaten
Der Ehre Hühnerleiter voller Dreck.

Lady Faulconbridge tritt auf.

LADY FAULCONBRIDGE:
Philipp!

BASTARD:
Auch die noch! Meine Mutter! Donnerwetter!
Im Reitkleid und verschwitzt. Nun, gute Frau,
Was galoppierst du denn an diesen Hof?

LADY FAULCONBRIDGE:
Wo ist mein zweiter Sohn, der meine Ehre
Vor König Johanns Thron besudeln will,
Um dich um deine Äcker zu betrügen?

BASTARD:
Mein Bruder Robert? Alten Roberts Sohn?
Den Riesensohn von einem Riesenvater?
Ist es Sir Roberts Sohn, den du hier suchst?

LADY FAULCONBRIDGE:
Sir Roberts Sohn! Du unverschämter Bube,
Sir Roberts Sohn! Was höhnst du Sir Robert?
Er ist Sir Roberts Sohn, du bist es auch.

BASTARD:
Sir Roberts Sohn ist fort, Sir Roberts Sohn
Gewann Prozeß und Land, ich bin verarmt.

LADY FAULCONBRIDGE:
Bekam dein Bruder Recht, ist meine Ehre hin.

BASTARD:
Nicht hin, im Gegenteil. Sie leuchtet frei
Und nicht mehr unter einem Bauernschemel.

LADY FAULCONBRIDGE:
Philipp!

BASTARD:
Sir Richard, wenn ich bitten darf.

LADY FAULCONBRIDGE:
Sir Richard?
BASTARD:
Der König
Schlug mich zum Ritter, hochgeehrte Mutter.
LADY FAULCONBRIDGE:
Wie soll ich das verstehen? Soll das heißen –
BASTARD:
Soll heißen, daß wir dich verstehen, Mutter.
Sir Robert konnte was, Schweine mästen,
Karfreitags essen und doch Fasten halten.
Er konnte Zoten reißen, unter Röcke greifen
Und beten auch wie du. Doch konnte er mich zeugen?
Nein, Mutter, dazu war er nicht imstande.
Nie half Sir Robert meinen Leib zu machen,
Dies Bein, den Arm, die Schultern, diesen Kopf,
Du weißt es, deine Ehre weiß es auch:
Sir Roberts Sohn, der bin ich nie gewesen.
Ich gab mein Erbe auf, mein Land, mein Geld,
Den Namen und die ehrliche Geburt,
Entsagte all dem wie dem Teufel selbst,
Drum, gute Mutter, nenn mir meinen Vater,
Nur du kennst das Geheimnis und ganz England.
LADY FAULCONBRIDGE:
Mein Sohn, ich kann es nicht –
BASTARD:
Courage, Mutter.
LADY FAULCONBRIDGE:
Dich zeugte König Richard Löwenherz.
Durch lange, heiße Zumutung verführt,
Nahm ich ihn auf in meines Gatten Bett.
Ich bete Tag und Nacht für dich und mich.
Du bist die Frucht von sträflichem Vergehn,
Dem ich, bedrängt, nicht konnte widerstehn.
BASTARD:
Sir Robert hin, Sir Robert her, der lahme Kater,
Du bist mit einem Löwen in dein Bett gestiegen

Und machtest mich, statt ehrbar, mit Vergnügen.
Von Herzen, Mutter, dank ich dir für meinen Vater!
Kehr wieder heim nach Faulconbridge und bete weiter,
Doch nicht für dich und mich, für dieses arme Land:
Dich, Mutter, brauchte man zur Lust, den Sohn
Braucht man zum Krieg, doch was die Großen brauchen,
Sie werfen's fort, kaum haben sie's gebraucht,
Wie alte Kleider. Mutter packt Euch! Geht!
Die schöne Lady Blanka wartet meiner,
Ich muß zu ihr ins Bett, mein Dienst beginnt!

Lady Faulconbridge ab.

ERSTE SZENE[2]

Frankreich. Vor den Mauern von Angers.

In der Mitte der Bühne ein Verhandlungstisch.

König Philipp, Dauphin Louis, Isabelle, Konstanze, Arthur und Chatillon treten auf.

KÖNIG PHILIPP:
Zur Lage. Österreich, mit uns verbündet,
Ist eingetroffen, England vor Angers.
Als Antwort auf die Politik, die langsam,
Bald hart, bald weich, sich einen Ausweg sucht,
Erfolgt die überstürzte Landung Johanns.
Wir sind im Recht, doch nicht in Übermacht,
England in Übermacht, doch nicht im Recht.
Bevor der Kampf beginnt, sind eingeladen
Die feindlichen Parteien zu verhandeln.
Vielleicht kann so der Krieg vermieden werden,
Vielleicht sieht Johann seinen Irrtum ein,
Vielleicht geschieht ein Wunder, hoffen wir,
Denn dieser Krieg käm mir zu früh. Verschuldet,
Provinzen rebellieren, schlechte Ernte,
Viel Pech mit teuren Weibern; Österreichs Zug
Hieher ist nur ein Vorwand, unser Land
Zu plündern.
LOUIS:
Herzog Leopold von Österreich.
Österreich tritt auf.
KÖNIG PHILIPP:
Willkommen vor Angers, mein Österreich.
ÖSTERREICH:
Philipp von Frankreich, grüß dich Gott. Mein Dauphin

Und meine Damen, grüß euch Gott.

KÖNIG PHILIPP:

Arthur,
Dein edler Onkel Richard Löwenherz
Kam früh ins Grab durch diesen edlen Herzog,
Weil mit der Herzogin dein edler Onkel –
Doch das verstehst du noch nicht, liebes Kind.
Kurz, deinem Onkel war der Herzog böse.
Und nun ist alles wieder gut. Der Herzog,
Auf unser Drängen, kommt mit einem Heer
Von Schweizern und Tirolern anmarschiert,
Um dich zu schützen, für dein Recht zu kämpfen
Und deines unnatürlich schnöden Onkels,
Johann von England, Anmaßung zu dämpfen.
Umarm ihn, lieb ihn, heiß ihn hier willkommen.

ARTHUR:

Gott wird Euch meines lieben Onkels Tod vergeben,
Weil ihr mir gegen meinen bösen Onkel helft.

LOUIS:

Ein edles Kind. Wer stünde ihm nicht bei.

ÖSTERREICH:

Ich küsse dich auf beide Backen, Bub.
Verfuhr ich auch mit deinem lieben Onkel
Im Jähzorn halt ein bissel allzu streng,
Ich trage ihm nichts nach, denn tot ist tot,
Vergeben und vergessen, liebes Kind.
Ich will zur Heimat nimmer kehren, bis,
Ich deinen andern Onkel, deinen Schurkenonkel,
Den Johann, von der Lumpeninsel fege
Ins Meer und bis dich England König heißt.

KÖNIG PHILIPP:

Da kommt Johann. Ich freu' mich, ihn zu sehen.
Wir sind die selbe Rasse, wenn auch Feinde.
Um unsre Zwistigkeiten auszufechten,
Gibt's unsre Völker, gibt's die beiden Heere;
Doch uns, die wir einander hart bedrängen,
Trennt nur Geschäft, nicht Haß. Empfangen wir ihn herzlich.

König Johann, Eleonore, Blanka treten auf, ebenso der Bastard und Pembroke, die im Hintergrund bleiben.

KÖNIG PHILIPP:

Johann!

KÖNIG JOHANN:

Philipp!

Herzliche Begrüßung des Hochadels untereinander, Umarmungen, Küsse.

KONSTANZE:

Großmutter!

ELEONORE:

Konstanzchen! Arthurchen!

ISABELLE:

Blanka!

BLANKA:

Isabelle!

KÖNIG JOHANN:

Mein Dauphin! Edler Österreich!

KÖNIG PHILIPP:

Familien von England und von Frankreich,
Gegrüßt! Nehmt Platz, Plantagenets, setzt euch,
Ihr Capets. Die Verhandlung ist eröffnet!

Johann und Philipp setzen sich einander gegenüber, Pembroke und Chatillon mit dem Rücken gegen das Publikum an den Verhandlungstisch.

KÖNIG JOHANN:

Mit Frankreich Krieg, wenn es den Krieg begehrt.

KÖNIG PHILIPP:

Mit England Frieden, wenn es Frieden wünscht.

KÖNIG JOHANN:

Rede!

KÖNIG PHILIPP:

Wir lieben England, und wir stürzen uns
In große Kosten bloß um Englands willen,
Sind Waffen doch in diesem Jahre teurer.
Das hättest du uns leicht ersparen können,
Wenn du, wie wir, dein England liebtest. Doch

Was tust du? Du verdrängst den echten König,
Du wirfst die Folge der Regentschaft um,
Du höhnst den Staat und raubst der Krone Tugend.
Schau hier das Antlitz deines Bruders Gottfried!
Die Stirn, die Augen sind nach ihm geformt,
Der kleine Auszug da enthält das Ganze.
Dies ist sein Sohn, England war Gottfrieds Recht,
Und Gottfrieds Recht ist Arthurs erblich Recht.
Drum, wenn du England liebst, gib England her.

KÖNIG JOHANN:
Was unser Recht ist, geben wir nicht hin.
Es krönte uns zum König über England
Der König Richard, unser Bruder, diesen
Zum König krönte unser Vater Heinrich
Der Zweite, selbst ein König. Krönend ein
Plantagenet den andern, wurde so
Die Folge der Regentschaft nie gestört.
Von wem drum, Frankreich, stammt dir deine Vollmacht
Ein Recht zu fordern, das ich nicht verletzte?

König Philipp und Chatillon beraten sich kurz.

KÖNIG PHILIPP:
Von Gott!
Der setzte mich zum Vormund diesem Knaben.
Aus seiner Vollmacht zeih ich dich des Unrechts,
Mit seiner Hilfe hoff ich es zu strafen.

KÖNIG JOHANN:
Wer Unrecht hat, beruft sich stets auf Gott.

KÖNIG PHILIPP:
Wer Unrecht hat, der fürchte sich vor Gott.

ELEONORE:
Dann zittere, du ungerechtes Frankreich.

KONSTANZE:
Wenn jemand zittern sollte, bist es du.

ELEONORE:
Konstanze, Liebling, laß den Ehrgeiz endlich.
Dein Bastard ist kein König, sieh das ein.

KONSTANZE:
Mein Sohn ein Bastard! Liebe Schwiegermama,
Mein Bett war immer meinem Gatten treu,
Ob deines auch so treu, bezweifle ich.
ELEONORE:
Die Mutter schmäht den Vater ihres Kindes.
KONSTANZE:
Du schmähst den Enkel, männertolle Oma.
BLANKA:
Für deinen Sohn willst du mein Erbe stehlen,
Tourraine und Anjou, sie gehören mir.
KONSTANZE:
Gehören Arthur. Dir gehört der Stallknecht,
Der dich beschläft, gib dich mit ihm zufrieden.
ELEONORE:
Lagerhure.
KONSTANZE:
Kupplerin.
ÖSTERREICH:
Schandweib, Luder, Atheistin!
BASTARD:
Tiroler.
ÖSTERREICH:
Zum Teufel, wer ist dieser blonde Strizzi?
BASTARD:
Durch einen Teufelskerl das Gegenteil
Von Eurer Hoheit. Denn der Erstbesteiger
Der schönsten Mädchen aller schönen Länder,
Der, hoppla, Euer Weib bestieg, bestieg
Auch, hoppla, meine Mutter. Hahnrei Ihr
Und Bastard ich, gibt eine Rechnung, Kleiner,
Für einen Zweikampf: Was denn besser sei,
Des Hahnreis stets entehrte Ehre oder
Die Ehre eines ehrenlosen Bastards.
KÖNIG PHILIPP:
Ihr Narren und ihr Weiber laßt das Streiten.
Stille.

KÖNIG PHILIPP:
Zur Frage! König Johann, trittst du ab,
Im Namen deines Neffen Arthur, England
Samt Irland, Poitiers, Anjou, Touraine, Maine,
Legst du die Waffen nieder?
KÖNIG JOHANN:
Niemals!
Getreuer Pembroke.
PEMBROKE:
Sir?
KÖNIG JOHANN:
Stell das Heer zur Schlacht bereit.
Pembroke ab.
KÖNIG PHILIPP:
Chatillon, du auch.
Chatillon ab.
KÖNIG JOHANN:
Bevor der Krieg beginnt,
Bitt ich Arthur von Bretagne um Gehör.
Der Knabe trete vor, ich bin sein Onkel.
Die Könige erheben sich.
ARTHUR:
Du bist mein böser, nicht mein lieber Onkel.
Mein lieber Onkel war der König Richard.
KÖNIG JOHANN:
Dein lieber Onkel Richard Löwenherz, mein Neffe,
War deines Vaters Feind, ich deines Vaters Freund.
An meiner Seite focht dein Vater gegen
Den lieben Onkel Richard, denn es hatte
Dein lieber Onkel Richard sich verbunden
Mit diesem Philipp da von Frankreich, um
Den alten König Heinrich zu entmachten,
Den eigenen Vater, dem dein treuer Vater
Und ich gehorsam waren. In der Schlacht
Dein Vater fiel durch deinen lieben Onkel,
Er starb, durchbohrt von deinem lieben Onkel,
Von Richard Löwenherz. Dein Vater, Kind,

In meinen Armen ist er mir verblutet.

ARTHUR:

Du lügst! Mein lieber Onkel tat das nicht!
Mein Vater wurde nicht von ihm getötet.

KÖNIG JOHANN:

Ich lüge nicht. Ich bin dein Freund. Dein Feind
Ist König Philipp. Er ist ein Franzose.
Er will durch dich mein Land erobern, das
Auch deines ist. Komm Kleiner, komm, mein Arthur,
Mit deinem Onkel Johann mit nach England.
Ich habe keinen Sohn, sei du mein Sohn,
Mein großer Sohn.

ELEONORE:

Komm her zur Großmama,
Mein Kind.

KONSTANZE:

Geh hin zur Großmama, mein Kind!
Gib Königreich an Großmama! Sie gibt dir
Ein Holzschwert, Zinnsoldaten, eine Trommel:
Die gute Großmama!

ELEONORE:

Der arme Junge weint.

KONSTANZE:

So weine er.

ELEONORE:

Die Tränen deines Kindes rühren nicht
Dich Edelnutte. Richards letzter Wille
Schließt deinen Sohn von jedem Anspruch aus!

KONSTANZE:

Wer zweifelt dran? Ein Wille, Weiberwille,
Ein böser, tückischer Großmutterwille!

ELEONORE:

O du Verleumderin von Erd und Himmel!

KONSTANZE:

O du Verbrecherin von Erd und Himmel!
Nein, ich verleumde nicht! Mein armer Sohn,
Er höre sich die ganze Wahrheit an:

Sein Vater starb durch Richard Löwenherz,
Den gegen seinen eigenen Vater du,
Die Mutter, aufgewiegelt hattest. Was
Aus deinem sündenschwangeren Schoße stammt,
Das hetztest du auf deinen Gatten Heinrich,
Weil der bei seiner Rosamunde schlief
Von Clifford, schöner als du Schlampe, du!
Worauf in Kämpfen, Fehden, Überfällen
Sich deine Brut zerfleischte, Söhn' und Gatte!

BASTARD:

Ihr Fürsten!

KÖNIG PHILIPP:

Was will dieser Fant denn wieder?

KÖNIG JOHANN:

Mischt Euch nicht ein in diesen Fürstenstreit,
Bastard.

BASTARD:

In diesen Weiberstreit, in diesen
Verwandtenstreit im Haus Plantagenet!
Doch während ihr hier keift und euch beschuldigt,
Sind aufgestellt in Schlachtordnung die Heere.
Ihr, König Philipp, habt die bessere Stellung,
Ihr, König Johann, habt die stärkere Armee.
Doch überlegt, bevor viel tausend Männer
Zur Hölle fahren, oder, ist Gott gnädig,
Zwar lebend, aber ohne Arm und Bein,
In Körben in die Sonne glotzen werden,
Bloß Rümpfe noch, entstellt, verbrannt, zerhackt;
Ob nicht den Frieden uns erhalten könnte
Die Wahl des Königs, die ein Dritter trifft.

König Johann geht auf den Bastard zu, betrachtet ihn, schlägt ihm mit der Reitpeitsche die Teetasse aus der Hand. Kehrt darauf zum Verhandlungstisch zurück, setzt sich. (Siehe Anmerkung 2)

KÖNIG JOHANN:

Der Dritte wäre?

BASTARD:

Die Bürger von Angers.

KÖNIG JOHANN:
Wir haben nichts zu schaffen mit dem Pack.
BASTARD:
Das Pack hat um so mehr mit Euch zu schaffen.
Angers gehört zu England, seine Bürger
Sind Eure oder Arthurs Untertanen
Je nach dem Ausgang dieses Streits. Euch
Erdulden sie allein, ob Ihr, ob Arthur
Kassiert, ist ihnen, die bezahlen, gleich,
Und wählen sie, ist es so gut wie würfeln.
Ein Krieg geht ungewiß wie Zufall aus,
Drum braucht den Zufall, laßt Angers entscheiden,
Ihr kommt so Frankreich, es kommt Euch entgegen.
KÖNIG JOHANN:
Des Bruders Hurensohn wird noch ein Staatsmann.
KÖNIG PHILIPP:
Ein Kuckucksei im Nest Plantagenet.
KÖNIG JOHANN:
Na? Setzen wir uns?
KÖNIG PHILIPP:
Setzen wir uns wieder.
Die beiden Könige nehmen wieder am Verhandlungstisch Platz.
KÖNIG JOHANN:
Wenn in Angers das bürgerliche Pack
Zum König mich erwählt, gibst du dann nach?
KÖNIG PHILIPP:
Ich gebe nach. Und wenn es Arthur wählt?
KÖNIG JOHANN:
Ich gebe ihm Touraine und Anjou dir.
KÖNIG PHILIPP:
Nicht viel.
KÖNIG JOHANN:
Mein Heer ist stärker.
KONSTANZE:
Die Memmen denken wieder ans Vermitteln.

ÖSTERREICH:
Es stinkt nach faulem Frieden. Ich muß handeln.
Österreich unbemerkt ab.
KÖNIG PHILIPP:
Arthur?
KÖNIG JOHANN:
Deine Sache.
KÖNIG PHILIPP:
Ich kann ihn nicht verraten.
KÖNIG JOHANN:
Man kann alles.
Verrätst du Arthur, ich verrate Blanka.
Die Länder, die ich hier verschenke, sind
Die ihren.
KÖNIG PHILIPP:
Einverstanden.
KÖNIG JOHANN:
Ein Trompeter!
Trompetenstoß.
Auf den Mauern von Angers treten Bürger auf.
ERSTER BÜRGER:
Was wollt ihr von uns Bürgern von Angers?
KÖNIG JOHANN:
Ich, Englands König,
Ich stehe vor Angers mit dreißigtausend.
BASTARD:
Bastarde und so weiter.
ERSTER BÜRGER:
Das wissen wir schon längst.
KÖNIG PHILIPP:
Ich, Frankreichs König,
Ich stehe hier mit fünfundzwanzigtausend.
BASTARD:
Auch einige Bastarde.
ERSTER BÜRGER:
Das ist uns auch bekannt.

KÖNIG JOHANN:
Angers ist Englands Eigentum, daher
Sollt ihr entscheiden, Bürger dieser Stadt,
Wer euer Herrscher sei, ich oder Arthur.
KÖNIG PHILIPP:
Wen ihr auch wählt, ihr wählt Plantagenet.
ERSTER BÜRGER:
Wir sind dem König Englands untertan,
Die Stadt bleibt ihm und seinem Recht bewahrt.
KÖNIG JOHANN:
So nennt den Herrscher.
ERSTER BÜRGER:
Sir,
Den König können wir nicht nennen. Arthur
Kann's sein, Johann kann's sein, wir warten ab.
KÖNIG PHILIPP:
Versteh ich nicht.
ERSTER BÜRGER:
Ernennen wir Johann, rächt Philipp sich,
Ernennen wir Arthur, rächt Johann sich.
An wem? An uns. Drum wollen wir nicht wählen,
Die Wahl, ihr Fürsten, müßt ihr selber treffen.
Wir lieben Frieden, weil wir Frieden brauchen
Zu unseren Geschäften. Kommt's zum Krieg,
Führt ihn allein, wir mischen uns nicht ein.
Die Bürger verschwinden wieder.
KÖNIG PHILIPP:
Das Pack, Johann, es traut uns nicht.
KÖNIG JOHANN:
Verwünscht.
Was sollen wir jetzt tun?
KÖNIG PHILIPP:
Die Promenadenmischung rede, unser
Politisches Genie.
BASTARD:
Ihr Fürsten, schließt
Den Frieden ohne diese miesen Bürger.

Gebt Johann recht und Arthur neue Rechte.
KÖNIG JOHANN:
Ich bin bereit.
KÖNIG PHILIPP:
Ich auch.
Pembroke tritt auf.
PEMBROKE:
Verrat, mein Fürst,
Und Bruch der Waffenruhe. Schweizer sind
Im Rücken unsres Heeres aufmarschiert.
KÖNIG PHILIPP:
Du hast entschieden, Österreich! Der Krieg
Beginnt. England ist eingekreist. Es tut
Mir leid, Johann, doch gib es zu: Es wäre
Ein Wahnsinn, meinen Vorteil nicht zu nutzen.
KÖNIG JOHANN:
Du willst den Krieg, du sollst ihn haben, Frankreich.
KÖNIG PHILIPP:
Vergebe Gott denn aller Seelen Sünden,
Die heut, bevor es Abend wird, entschweben
Im Kampf um eines Reiches König.
KÖNIG JOHANN:
Amen.
Genug gebetet. Zu den Waffen, England!
Alle ab.
Der Bastard ist allein. Wütet.
BASTARD:
Sankt Georg, steh uns bei! Der Unsinn siegt!
Du Hahnrei aller Hahnreis, Österreich,
Der Friede gilt dir nichts und nichts Vernunft!
Die Aussicht nur auf Mord und Plünderung
Setzt deinen trägen Geist in trägen Schwung!
Treff ich dich in der Schlacht, so spring ich um
Mit dir, als wärst du deine stramme Gattin
Und ich mein Vater; wälzend uns in einem
Gar tollen Bett voll Kot und Blut und Därme,
Soll dir erkalten deines Leibes Wärme!

ZWEITE SZENE

Frankreich. Vor den Mauern von Angers.

Ein französischer Herold mit Trompetern tritt auf.

FRANZÖSISCHER HEROLD:
Ihr Bürger von Angers, weit auf die Tore!
Empfangt Arthur, empfangt Plantagenet,
Den König Englands, euren neuen Herrn,
Denn Sieg, mit wenigem Verluste, spielt
Auf der Franzosen tanzenden Panieren!
Ein englischer Herold mit Trompetern tritt auf.
ENGLISCHER HEROLD:
Die Glocken läutet, Bürger von Angers!
Der König naht, Johann Plantagenet,
Gebieter dieses heißen, schlimmen Tags,
Gefärbt vom Niedermetzeln der Franzosen:
Tut auf die Tore, laßt den Sieger ein!
Auf der einen Seite treten auf König Johann, Pembroke, Eleonore und Blanka.
Auf der anderen Seite König Philipp, Louis, Österreich, Isabelle und Chatillon.
KÖNIG JOHANN:
Antwortet niemand von den sturen Bürgern?
ENGLISCHER HEROLD:
Kein Sack.
KÖNIG PHILIPP:
Zeigt sich denn keiner von den feigen Krämern?
FRANZÖSISCHER HEROLD:
Kein Arsch.
König Johann und König Philipp umarmen sich.
KÖNIG JOHANN:
Philipp!
KÖNIG PHILIPP:
Johann!

KÖNIG JOHANN:
Gib's, königlicher Bruder, zu: Der Angriff
Des rechten Flügels unsrer Reiterei
In deine linke Flanke, das war Klasse.
KÖNIG PHILIPP:
Wir geben's zu, wenn England zugibt:
Als unsre Söldner durch die Mitte brachen,
Mit wildem Ungestüm, das war gekonnt.
KÖNIG JOHANN:
Dafür versagten dir die Schweizer.
KÖNIG PHILIPP:
Dir
Die Schotten. Doch wieviel verlor denn England?
KÖNIG JOHANN:
Nun, getreuer Pembroke?
PEMBROKE:
Sechstausend Mann.
KÖNIG JOHANN:
Sechstausend? Teufel. Und wieviel denn Frankreich?
KÖNIG PHILIPP:
Nun, Chatillon?
CHATILLON:
An siebentausend.
KÖNIG PHILIPP:
An siebentausend? Pech. Wir stehen gleich.
So ungefähr. Beginnen wir von neuem?
KÖNIG JOHANN:
Trompetet noch einmal, ihr Kerle.
KÖNIG PHILIPP:
Blast,
Daß diese Mauern, die uns trotzen, zittern!
Trompetenstöße. Auf der Mauer tauchen die Bürger wieder auf.
ERSTER BÜRGER:
Was wollt ihr wieder?
KÖNIG JOHANN:
Na endlich! Was wir wollen: Die Entscheidung.

KÖNIG PHILIPP:
In England, Bürger, sprecht, wer ist nun König?
ERSTER BÜRGER:
Den König Englands kennen wir noch nicht.
KÖNIG PHILIPP:
Kenn ihn in Uns, die Wir sein Recht vertreten!
KÖNIG JOHANN:
In Uns, sind Wir doch Herr von euch und England!
ERSTER BÜRGER:
Ihr Fürsten, von den Türmen sahen wir
Den Angriff und den Rückzug beider Heere
Von Anfang bis zum Ende: Ihre Gleichheit
Scheint ohne Tadel unsrem schärfsten Blick.
Blut kauft Blut und Stärke stand der Stärke.
Sie sind sich gleich, wir beiden wohlgesinnt.
Bis einer überwiegt, bewahren wir
Die Stadt für keinen und für beide doch.

Der Bastard tritt auf.

BASTARD:
Ihr Fürsten!
KÖNIG PHILIPP:
Himmel, wieder dieser Bankert.
BASTARD:
Die Bürger von Angers verhöhnen euch.
Sie stehn auf ihren Zinnen sorglos da,
Wie im Theater gaffen sie und zeigen
Auf euer emsig Schauspiel voller Tod.
Doch seid ihr Fürsten besser? Eure Gnaden
Betrachten sich zu Pferde und in Sänften
Mit Kennerblick vom sichern Hügel Wut
Gemetzel, Tod, Gebrüll, Gestöhn der Männer,
Die eure Untertanen sind, für euch
Mit Flüchen gotteslästerlich verbluten.
Und Helden gibt es nicht. Nur Opfer.[3]
Bei Belzebub, beim Satan, Scheitan oder
Wie sonst der Teufel heißt, ich warf mich mitten
Ins Kampfgewühl, ich säbelte Tiroler-

Und Schweizerköpfe tonnenweise. Warum?
Weil ich den Herzog suchte, meinen Hahnrei!
Wo finde ich das Bürschchen, sauber, nicht
Bespritzt mit Blut, als käme es vom Schmause?
Bei euch, ihr Fürsten! Darum macht jetzt Schluß
Mit euren Krieg, er ist der unsre nicht.
Die Bürger von Angers, die können nicht
Den Frieden schließen, also schließt denn ihr ihn!

ÖSTERREICH:
Wozu der Unsinn? Es ist Krieg, ihr Fürsten!
Soll denn der Friede stets gerettet werden?
Was schwankt ihr hin und her? Was zählt ihr Tote,
Die niemand auferweckt? Braucht, wer noch lebt,
Den Krieg durch Krieg in Frieden zu verwandeln!

BASTARD:
Der Hahnrei schweige. Dieser Krieg muß enden.
Durch Heirat wird der Friede jetzt geschlossen.

KÖNIG JOHANN:
Durch Heirat? Wer soll wen?

KÖNIG PHILIPP:
Wir sind gespannt.

BASTARD:
Die Tochter da von Spanien, ihr Fürsten,
Ist Englands Nichte: Schauet auf die Jahre
Des Dauphin Louis und der schönen Lady.
Wenn heiße Liebe nach der Schönheit geht,
Wo fände sie die heißer als in Blanka?
Wenn keusche Liebe nach der Tugend strebt,
Wo fände sie die keuscher als in Blanka?
Und fragt die Liebe gar nach blauem Blut,
Wes Blut strömt blau wie das der Lady Blanka?
Nur das des Dauphins, er ist gleich wie sie,
Wenn nicht an Tugend, so doch an Geburt.
Drum paart die beiden und ihr habt den Frieden.

KÖNIG PHILIPP:
Geht leider, leider nicht. Der Dauphin Louis
Ist Isabelle von Angoulême verlobt,

Die Irland, das sie erbte, Arthur überschrieb,
Und außerdem ist sie noch meine Nichte.

BASTARD:

Noch besser. König Philipp, schlagt die Nichte
Von Angoulême dem König Johann zu,
Der nehme sie zur Königin von England.

KÖNIG PHILIPP:

Ein Vorschlag.

ELEONORE:

Eine Lösung.

BLANKA:

Ihr Fürsten, Onkel Johann, wohl, ich weiß,
Es ziemt sich nicht für eine junge Lady,
Zu reden in so hohem Rat. Doch geht
Es hier um mich, mein Geld und meine Länder.
Ich liebe Sir Richard, den Bastard Richards.
Ich liebe ihn und er ist mir versprochen
Von König Johann selbst zum Gatten. Niemals
Laß ich von ihm, denn ich bin keine Ware,
Die man verhandelt. Ich bin euresgleichen.
Verfügen könnt ihr über eure Völker
Doch über mich und meine Liebe nicht.
Ich bin Plantagenet, und ich bin frei.

BASTARD:

O schöne Blanka, glaubt mir, einem Bastard,
Glaubt einem Mann ein einzig Mal in Eurem,
Gott geb es, Leben voller Glück, ich liebe
Euch auch, wie man so sagt, von ganzem Herzen,
Wie Redensart. Wir trieben's heiß
Die Nächte durch, ich bin mit Euch zufrieden.[4]
Doch füreinander, wunderschöne Lady,
Auf dieser Welt sind wir geschaffen nicht.
Im Bette eines armen Ritters, Lady,
Ihr wäret glücklich bis zum nächsten Morgen,
Denn andern Tags schon fändet Ihr die Länder,
Die Ihr geerbt, auf England überschrieben,
Weil eines Bastards Weib nicht erben kann.

Denkt ans Geschäft und nicht an unsre Liebe,
Die könnt Ihr ebenso wie ich verschmerzen;
Denkt auch ein wenig an die wunde Welt,
Die Frieden braucht. Dazu, pickfeine Lady,
Ist Euer Leib gemacht, die weißen Brüste,
Der Schoß, die Schenkel, daß sich Politik
Mit solchen Schätzen ihren Frieden schaffe.
Drum geht zu Louis, diesem fetten Gockel,
Halbschwul, doch geil nach Euch und Euren Ländern.
Besteigt sein Bett, vergeßt mich, laßt mich frei.
Tut Eure Pflicht als blaues Blut, Mylady.
Wenn nicht, vergießt Ihr Meere roten Bluts
Von vielen Tausend armen Teufeln.

LOUIS:
Vater,
Die Lady Blanka, sie gefällt mir sehr.

KÖNIG JOHANN:
Mutter,
Wär nur die Angoulême ein wenig schöner.

ELEONORE:
Sohn, nimm den Vorschlag an, gib Blanka her,
Nimm auch die Angoulême zum Weibe. Mut,
Ist sie auch etwas schief, sie ist dir nützlich.

ISABELLE:
Ich liebe meinen Louis, möcht nicht tauschen.

LOUIS:
Ich liebe Euch auch, Isabelle, und ewig,
Doch hier bestimmt die Pflicht, nicht das Gefühl.

KÖNIG JOHANN:
Na? Setzen wir uns?

KÖNIG PHILIPP:
Setzen wir uns wieder.

Die beiden Könige nehmen wieder am Verhandlungstisch Platz.

KÖNIG JOHANN:
Warum führst du den Krieg? Was ist dein Ziel?
Es gibt nur eins. Du willst die Länder, die
Durch meine Mutter Englands Eigentum

Geworden sind, Gebiete reich an Korn
Und Wein und Wäldern, Frankreichs schönster Teil.
Besitzt ihn Arthur, muß er ihn dir lassen.

KÖNIG PHILIPP:
Ich handle nur aus Freundschaft.

KÖNIG JOHANN:
Freundschaft biete
Ich auch und mehr als Freundschaft. Poitiers, Anjou,
Touraine und Maine gehören meiner Nichte.
Die Länder fallen Louis zu und dir.

KÖNIG PHILIPP:
Dein Angebot geht weit.

KÖNIG JOHANN:
Ich brauche
Legalität und nicht Besitz in Frankreich.

KÖNIG PHILIPP:
Und Arthur?

KÖNIG JOHANN:
Er sei Herzog von Bretagne.

KÖNIG PHILIPP:
Ein bloßer Titel.

KÖNIG JOHANN:
Doch ein schöner Titel.

KÖNIG PHILIPP:
Der Handel klappt. Ich gebe Isabelle
Zur Mitgift Irland, es sei damit dein.
Ich anerkenne dich zum König Englands.

KÖNIG JOHANN:
Einverstanden.

KÖNIG PHILIPP:
Ein Trompeter.

Trompetenstoß.

KÖNIG PHILIPP:
Ihr Fürsten, unsre beiden großen Reichc
England und Frankreich schließen hiermit Frieden.

KÖNIG JOHANN:
Auf ewig. Und durch eine Doppelhochzeit

Verbünden wir uns gegen alle Welt.
Auf den Mauern tauchen wieder die Bürger auf.
ERSTER BÜRGER:
Angers, ihr Fürsten, öffnet weit die Tore,
Es läßt den Frieden ein, den ihr gestiftet!
KÖNIG PHILIPP:
Angers, den Bürgern dieser Stadt
Entgegnet Frankreichs König so: Durch Heirat
Ist diese Stadt gesetzlich Dauphin Louis
Und damit Uns, dem Vater, zugefallen.
Doch weil ihr keine der Parteien wähltet
Und weder warm noch kalt wart, laue Hunde,
Seid jetzt bestraft. Wir fordern England auf,
Als Freunde unsre Kräfte zu vereinen,
Um so gemeinsam dies Angers zu schleifen.
KÖNIG JOHANN:
Na schön, wir segnen dieses Pack mit Blei.
KÖNIG PHILIPP:
Ihr schweren, mauerbrechenden Kanonen ...
Geladen bis zur Mündung, feuert los,
Bis die Verheerung Angers so nackend läßt
Wie die gemeine Luft; um dann, wenn das
Vollbracht, die Stadt ein Trümmerhaufen bloß,
Verbrannt, zerschossen, ausgeplündert, leer,
In den Ruinen unsre Fürstenhochzeit
Mit Prunk und großer Frömmigkeit zu feiern.
ERSTER BÜRGER:
Ihr Fürsten, Gnade, haltet ein mit Wüten!
Wir boten Frieden, lassen euch herein!
KÖNIG PHILIPP:
Die Antwort, Bürger: Saust ins Grab, ihr Krämer!
England, von welcher Seite greifst du an?
KÖNIG JOHANN:
Von Norden. Pembroke, geh.
ÖSTERREICH:
Von Süden ich.
Österreich und Pembroke ab.

KÖNIG PHILIPP:
Von Osten wir. Mit Gott denn zur Vergeltung!
Alle ab außer König Johann und der Bastard.
KÖNIG JOHANN:[5]
Rasieren, Bastard.
BASTARD:
Bitte.
Bastard ab.
KÖNIG JOHANN:
Meine Braut
Die Angoulême ist häßlich wie die Pest,
Doch ich bin König. Rüste mich zum Fest.
Setzt sich. Der Bastard kommt mit einem kleinen Tisch und Rasierzeug, beginnt König Johann einzuseifen.
BASTARD:
Mein König, Tollheit ist's, Angers zu strafen!
Wofür? Weil es in eure Händel sich
Nicht mischen wollte, wird es ausgelöscht!
Wozu der Unfug? König Philipp straft
Sich selber. Diese Stadt ist sein, die Steuern
Gehören ihm.
Der Bastard rasiert den König.
KÖNIG JOHANN:
Der Unfug, den ihr tadelt,
Ist Frankreichs Sache, meine nicht. Philipp
Will sich aus Laune diese Tollheit leisten.
Er leiste sie sich. Doch auch Ihr, Sir Richard,
Ihr leistet Euch die Tollheit abzuweisen,
Was ich aus Gnade Euch versprochen habe, Lady Blanka.
Nun schön. Daß Ihr verzichtet habt, war klug.
Politisch half es mir. Doch menschlich, Neffe,
Bin ich enttäuscht, verzeihe ungern.
BASTARD:
Sir,
Ich weiß, die schöne Nichte Lady Blanka
Ist mehr für Euch als eine Nichte.

KÖNIG JOHANN:
Neffe,
Seid bitte deutlich.
BASTARD:
Sir, als junges Weib
Von einem armen Bastard läge Euch
Die schöne Lady Blanka gut gebettet.
KÖNIG JOHANN:
Sie liebt Euch.
BASTARD:
Noch. Doch eines Königs Schwüre
Und eines Königs Geilheit, die mit Gold
Und Schmuck nicht sparen, tauen mit den Wochen
Die Tugend auf der tugendreichsten Lady.
Ein Bastard bleib ich auch als Euer Neffe,
Doch meines Onkels Hahnrei, diese Ehre,
Die steht mir nicht, die möchte ich vermeiden.

König Johann nimmt das Rasiermesser aus der Hand des Bastards und rasiert sich selbst weiter.

KÖNIG JOHANN:
Ihr kennt mich, Neffe, geb ich zu. Ich hoffte
Mit Euch die schöne Blanka einst zu teilen.
Was einem Bastard zukommt, kommt, ich meine,
Auch einem König zu. Wir reden offen.
Als Bastard bleibt Ihr Bastard, Ihr erkennt es,
Und böte ich Euch auch den Herzogstitel:
Ihr bleibt ein Nichts, der Griff nach Unsrer Krone
Ist Euch verwehrt, obgleich Plantagenet;
Und laß ich Euch am nächsten Galgen baumeln,
Kein Finger rührt sich, niemand setzt sich ein
Für Euer Recht, weil Recht Ihr keines habt.
Ihr habt nichts als die Treue, die Ihr mir
Geschworen, die Euch aus dem Kuhmist hob
An meine königliche Seite. Neffe,
Ihr seid an mich gebunden, ich an Euch.
Ein Bastard findet diese Welt im argen.
Der Makel seiner Abkunft zwingt ihn dazu.

Er will die Welt verbessern. Doch das Werkzeug
Zum beßren Bau kann nur ein König sein
Wie ich. Drum bin ich Euer Werkzeug jetzt,
Ihr habt kein andres, Ihr jedoch seid meins,
Durch Euch allein ist meine Macht zu sichern,
Weil ich allein nur Euer sicher bin,
Weil ich nur Euch vertrauen kann in England,
Nebst Pembroke noch, doch der ist subaltern.
Verachtend acht Ich Euch, verachtend achtet
Ihr mich. Ihr seht, ich kenn Euch auch, Sir Richard.
Wir sind ein kühnes Paar, glaubt mir, verflucht,
Einander stützend, dieser Welt zu trotzen.

Mächtiger Donner, die Stadtmauer fällt zusammen.

KÖNIG JOHANN:

Doch kommt. Angers ist hin. Bereiten wir
Zur Fürstendoppelhochzeit uns, zum Frieden.

Beide ab.

ERSTE SZENE

Frankreich. In Angers vor der zerstörten Kathedrale.

Soldaten stellen einen großen Tisch auf, decken ihn, stellen die Speisen auf. Gehen ab.

Konstanze und Arthur treten auf.

KONSTANZE:
Sich so vermählt! Den Frieden so geschworen!
Falsch Blut vereint mit falschem! Freunde nun!
Setzt sich rechts außen, umklammert ihren Sohn.
Pembroke und Österreich treten auf.
PEMBROKE:
Der Ratshaustisch, gedeckt zum Fest. Er macht
Sich gut vor der zerstörten Kathedrale.
Bloß stört der Brandgeruch, und Leichen liegen
Auch noch herum, schleppt sie davon, marsch, marsch!
Soldaten schleppen Leichen über die Bühne.
ÖSTERREICH:
Was gibt es denn zu essen?
PEMBROKE:
Suppe, Hähnchen,
Fasan, Forelle, Krammetsvögel, Ferkel,
Vom Spieß ein Kalb, ein Ochse –
ÖSTERREICH:
Keine Knödel?
Setzt sich, beginnt zu essen.
KONSTANZE:
Was wird aus dir, mein Kind, was wird aus mir!
Wir sind verkauft!

ARTHUR:
Sei ruhig, liebe Mutter.
KONSTANZE:
Wärst du, der mich beruhigt wünscht, abscheulich,
Häßlich und schändend für der Mutter Schoß,
Lahm, albern, bucklig, hasenschartig, schwarz
Mit ekelhaften Mälern ganz bedeckt,
Dann fragt ich nicht danach, dann wär ich ruhig,
Dann würd ich dich nicht lieben, und du wärst
Nicht wert der hohen Abkunft, noch der Krone.
Doch du bist jung und königlich, dich schmückten
Natur und Glück vereint bei der Geburt.
Da muß dein Glück dir schnöd den Rücken kehren
Und buhlen mit dem Scheusal deines Onkels,
Durch Weiberumtausch Frankreich gar verführen,
Dein Recht auf Englands Thron in Grund zu treten!
ÖSTERREICH *[essend]*:
Ich bin bestürzt, Madame, ich bin empört.
Nie hätte ein Tiroler oder Schweizer
So abgefeimt wie Frankreich jetzt gehandelt!
Aus der Kathedrale kommt der Hochzeitszug. König Philipp führt Königin Eleonore, König Johann Isabelle, Dauphin Louis Blanka, es folgen der Bastard, Pembroke, Chatillon.
KÖNIG PHILIPP:
Nehmt Platz, ihr Lieben, seht, die Hochzeitstafel
Ist reich gedeckt. Konstanze kommt, komm Arthur,
In unsre Mitte. Freut euch, es ist Friede!
Alle setzen sich.
Konstanze und Arthur bleiben abseits.
KÖNIG PHILIPP:
Ihr Töchter, Söhne, dieser Tag soll jährlich
Gefeiert werden als ein Tag des Friedens.
Er ist ein Tag des Geistes auch, der über
Die sündige Natur gesiegt, ein Tag,
Dem christliche Besinnung Segen brachte.

KONSTANZE:
Ein Sündentag und nicht ein Feiertag!
Was hat der Tag verdient und was getan,
Daß er mit goldnen Lettern im Kalender
Als eins der hohen Feste sollte stehen?
Nein, stoßt ihn aus der Woche lieber aus,
Den Tag der Schande, der Gewalt, des Meineids.
Und bleibt er stehn, laßt schwangre Weiber beten,
Nicht auf den Tag ins Wochenbett zu kommen,
Daß keine Mißgeburt dem Schoß entschlüpfe!
KÖNIG PHILIPP:
Beim Himmel, Fürstin, Ihr habt keinen Grund
Dem schönen Vorgang dieses Tags zu fluchen:
Kommt, eßt!
KÖNIG JOHANN:
Die Suppe ist vorzüglich.
KÖNIG PHILIPP:
Spült
Den bittren Zorn mit süßem Wein hinunter.
KONSTANZE:
O welch ein Hohn, Euch so zu sprechen hören!
Ihr wolltet meiner Feinde Blut vergießen,
Und nun vermischt Ihr Eures mit dem ihren.
ELEONORE:
Ich trink bewegt auf Frankreich, bin ich doch
Französin von Geburt. Mein erster Gatte
War König Philipps Vater Ludwig Capet.
Der gute fromme Louis! Leider klappte
Die Ehe nicht, ich gab mich Heinrich hin
Von England samt den Ländern, die ich erbte,
Darunter auch Angers, die schöne Stadt.
Darum der Zwist. Er ist nun beigelegt,
Erstickt in Kissen heißer Ehebetten.
Mein Wunsch jetzt, daß ihr Kinder glücklich seid,
Zeugt und gebärt zu unsrer Häuser Vorteil!
An meine Brust denn, Frankreich, nimm den Kuß!

Eleonore und König Philipp umarmen sich.

KONSTANZE:
Straf, Himmel, straf die eidvergeßnen Fürsten,
Hör eine Witwe, sei mein Gatte, Himmel!
Laß nicht die Stunden dieses bösen Tags
In Frieden hingehn. Eh die Sonne sinkt,
Entzweie diese königlichen Schurken,
Die schmausen, trinken, als wär nichts geschehen,
Höre mich, o Himmel, höre mich, mein Gott!

Der Kardinal Pandulpho tritt auf.[6]

PANDULPHO:
Um Gottes willen, schließt noch keinen Frieden!
Um Gottes willen, schließt auch keine Ehen!

KÖNIG PHILIPP:
Die Ehen und der Friede sind geschlossen.
Herr Kardinal, ihr kommt zu spät.

PANDULPHO:
Geschlossen. Eine Katastrophe!

KÖNIG PHILIPP:
Nehmt Platz. Ihr seid erschöpft. Die Krammetsvögel
Sind zu empfehlen.

PANDULPHO:
Speisen? Jetzt? Den Bauch
Mit Suppen füllen und mit Fleisch, statt beten,
Daß diese Christenheit der Geist erleuchte?

KÖNIG JOHANN:
Auf Euer Wohl!

Trinkt Pandulpho zu.

KÖNIG JOHANN:
Wer seid Ihr, Pfaff?

PANDULPHO:
Ich bin Pandulpho, Kardinal von Mailand,
Und von Papst Innozenz Legat allhier.
Dir, König Johann, gilt des Papstes Botschaft,
In seinem Namen stellt er dich zur Rede,
Warum du unsrer Mutter, unsrer Kirche,
Die Klöster und Abteien hart besteuerst
Und ihnen wehrst, den Zehnten und die Zinsen

Von ihrer frommen Herde einzuziehen.
Du stellst damit die Weltordnung in Frage,
Das christliche Gefüge, das der Himmel
Der sündigen Natur zur Rettung schenkt,
Betreut vom Papst und durch ihn von den Fürsten.

ÖSTERREICH:
Fasan! Ich möchte noch Fasan!

KÖNIG JOHANN:
Wer wagt mich zu verhören, Kardinal?
Kein Name ist auf Erden zu ersinnen,
Geschweige denn ein Name, der so leer,
So würdelos und lächerlich wie der
Des Papstes. Melde das und füge bei:
Kein welscher Priester solle fürderhin
In England Zinsen einziehn oder Zehnten.
Wie nächst dem Himmel Wir das höchste Haupt,
So wollen Wir auch diese Oberhoheit
Nächst Gott allein verwalten, um zu herrschen,
Ohn allen Beistand Roms und seiner Glatzen.
Das sag dem Papst, die Scheu beiseit gesetzt
Vor ihm und seinem angemaßten Ansehn.

KÖNIG PHILIPP:
Mein Bruder, damit lästerst du!

ÖSTERREICH:
Und nun vom Ferkel!

KÖNIG JOHANN:
Sei's!
Ob alle Könige der Christenheit
Der schlaue Pfaff so gröblich irreführt,
Daß sie den Fluch, den Geld kann lösen, scheuen
Und um den Preis von schnödem Gold, Kot, Staub,
Verfälschten Ablaß kaufen von dem Schwindler,
Der mit dem Ablaß ihn für sich verscherzt;
Ob du, wie alle, gröblich mißgeleitet,
Die heilige Gaunerei mit Pfründen duldest,
Will ich allein, allein, den Papst nicht kennen
Und seine Freunde meine Feinde nennen!

ÖSTERREICH:
He! Wein! Füllt mir den Humpen!
PANDULPHO:
Dann durch die Macht, die mir das Recht erteilt,
Bist du verflucht und in den Bann getan.
Gesegnet soll der sein, der los sich sagt
Von seiner Treue dir, du Ketzer, gegenüber,
Und jedermann soll man verdienstlich heißen,
Kanonisieren und als Heiligen verehren,
Der durch geheime Mittel aus dem Weg
Dein schändlich Leben räumt. Du aber, Frankreich,
Laß fahren England, kehr dein Heer Johann
Entgegen, töte seinen Stamm, sein Volk.
Wenn er nicht selber Rom sich unterwirft!
ÖSTERREICH:
Der Ochse schmeckt phantastisch.
KONSTANZE:
Der Himmel selbst hat eingegriffen: Krieg!
ELEONORE:
Du, Vampir, willst nur Blut!
KÖNIG PHILIPP:
Ich bin verwirrt.
PANDULPHO:
Wer auf die Kirche hört, ist nicht verwirrt.
KÖNIG PHILIPP:
Setzt Euch an meine Stelle, Kardinal.
England und Frankreich, diese beiden Reiche,
Sind durch die Ehen Johanns und des Dauphins
Mit Isabelle und Blanka jetzt verbündet,
Und diesen Bund, den haben wir geschworen;
Doch eben vor dem Frieden, kurz zuvor,
Kaum daß wir noch die Hände waschen konnten,
Der Himmel weiß es, waren sie betüncht
Vom Blute des Gemetzels und des Mords:
Und diese Hände, kaum vom Blut gesäubert,
In Liebe neu vereint und Politik,
Sie sollen lösen Druck und Freundesgruß?

Die Treu verspielen? Mit dem Himmel scherzen?
Die Völker narren, denen wir befehlen?
Den Frieden wieder in den Krieg verwandeln?
O frommer Vater, laßt es nicht so sein,
Ersinnt für England eine mildere
Bestrafung, seid nicht allzu hart und grausam,
So wollen wir euch, Rom, dem Papste gern
Zu Willen sein und eure Freunde bleiben.

ÖSTERREICH:
Das Kalb ist zäh, der Ochse ist mir lieber.

PANDULPHO:
Unordentlich ist jede Anordnung,
Die Englands Anmaßung noch unterstützt.
O daß dein Schwur, dem Himmel erst getan,
Dem Himmel auch zuerst geleistet werde!
Er lautet: Streiter deiner Kirche sein.
Doch was du jetzt geschworen, ist dawider,
Du schwurst im Namen Gottes gegen Gott.
Wobei du schwörst, dagegen schwörst du.
Die späten Eide gegen deine frühen
Sind so in dir Empörung wider dich;
Und keinen größeren Sieg kannst du erlangen,
Als wenn du deine spätern Eide leugnest.
Der Himmel helfe dir. Wir beten dafür.
Hältst du jedoch am Bündnis fest mit England,
So wird der Bann dich treffen, schwerer noch,
Als er jetzt England trifft. Drum sei gehorsam.

ÖSTERREICH:
Salat.

KÖNIG PHILIPP:
Johann Plantagenet, es tut
Mir leid. Ich kann mir einen Bann, wie du
Ihn dir zu leisten können scheinst, nicht leisten.
Ich muß fromm sein, weil meine innern Feinde,
Die Herzöge von Flandern und Burgund,
Noch frömmer sind. Rom könnte auf sie setzen.
Das wär' mein Untergang, das mußt du einsehn.

Ich muß dem Papst gehorchen, und der Papst
Hat hier entschieden: Zwischen uns ist Krieg!

KÖNIG JOHANN:
Frankreich,
Dich reut die Stunde, ehe sie verstreicht.

Alle erheben sich, außer Österreich, der weiter ißt.

ÖSTERREICH:
Noch einmal Suppe. Suppe mag ich immer.

KONSTANZE:
Ich bin erhört, ich fluchte nicht vergebens.

ELEONORE:
Dein Fluch wird dich auch treffen! [7]

KÖNIG JOHANN:
Neffe, geht,
Zieht schnell das Heer zusammen.

BLANKA:
Ein Wort noch diesem noblen Herrn. Sir Richard,
Ihr gabt mich, die ich Euer, hin dem Frieden.
Ihr warft mich diesem Dauphin zu wie ein
Stück Fleisch dem ersten besten Köter, der
Aus Zufall über Euren Weg lief. Seid
Bedankt, daß Ihr die Welt zu bessern trachtet.
Ihr habt Gewaltiges erreicht, mein Beifall.
Erst sank Angers in Staub, nun stehen England
Und Frankreich sich noch tödlicher verhaßt
Als vor dem faulen Frieden gegenüber,
Das Meer von Blut verdoppelnd, das zu meiden
Ihr vorgabt. Gott mit Euch, Sir Richard. Im
Verhurten Bett des Dauphin denk ich Euer
als aller Narren allergrößter. Ich
Fluch Euch und mir. Ich liebte Euch so sehr,
Da habt Ihr schändlicher geschändet mich
Als je der Krieg die arme Welt –

Der Bastard wortlos ab.

KÖNIG PHILIPP:
Louis, schaff Kind und Weiber fort.

KÖNIG JOHANN:
Getreuer Pembroke,
Führ meine Mutter und die Angoulême
Ins Lager.

Alle ab außer König Philipp, König Johann, Pandulpho und Österreich, der weiter frißt.

ÖSTERREICH:
Ich habe keinen Wein mehr! He! Bedienung!

Schenkt sich selber ein.

ÖSTERREICH:
Noch was vom Ochsen! Dieser Ochse war
Das Beste.

Stutzt.

ÖSTERREICH:
Was ist los? Will keiner essen?
Was will denn plötzlich dieser Kardinal?
Weshalb ging alles weg? Wozu? Ist Krieg?

KÖNIG JOHANN:
Frankreich, wir werfen Unsere eigene
Person in diese Schlacht. Wir hoffen dich
Zu treffen, wo man Männer trifft, im Kampf.

KÖNIG PHILIPP:
Im Kampf? Du bist beleidigt? Nimmst persönlich,
Was unumgänglich durch die Politik?
Das kann dein Ernst nicht sein, mein lieber Freund,
Im Kampfe wäre scheußlich. Doch von einem
Zum andern Feldherrnhügel grüßend, wollen
Wir sehen, welchen von uns zwein bevorzugt
Die Hure Glück.

Geht mit ausgebreiteten Armen auf König Johann zu, doch der geht ab.

KÖNIG PHILIPP:
Den Segen, Kardinal.

Der Kardinal segnet ihn.

ÖSTERREICH:
Amen. Ihr könnt mir, wenn ich was begreife.
Hauptsach, der Krieg ist wieder aufgepäppelt!

ZWEITE SZENE[8]

Ebenda. Der Bastard mit dem Kopf Österreichs und Arthur treten auf.

BASTARD:
Arthur gefangen! Richard Löwenherz
Gerächt! Der Kopf des Hahnreis meine Beute!
Da! In die Suppenschüssel, Österreich!
Vergeblich dampfte sie zum Friedensmahle,
Sie sei jetzt deine Urne! Aufgerieben
Vom Feinde, rieben wir den Feind auf. Nach
Angers uns treibend, flüchtet König Philipp
Le Mans entgegen.
Deckt den Kopf in der Suppenschüssel zu. König Johann mit Gefolge tritt auf.
KÖNIG JOHANN:
Sieg, Triumph, ihr Lords!
Mein Neffe Arthur unser!
BASTARD:
Sir, zehntausend Mann
Sind uns verreckt.
KÖNIG JOHANN:
Scheußlich, scheußlich.
Es war ein Sieg, wenn auch ein knapper Sieg:
Doch dieser Knabe macht den Sieg gewaltig.
BASTARD:
Ihr ließet unser Lager ungeschützt.
KÖNIG JOHANN:
Ich weiß, ich weiß, ein Fehler. Arme Mutter!
Durch meine Schuld fiel sie in Frankreichs Hände.
Ich war verwirrt. Der Kampf von Mann zu Mann
Mit bloßem Schwert ist meine Sache nicht.
Ich hasse Krieg im Grunde, meine Lords.
Ich stehe blutbesudelt da als wie
Ein Metzger, watete durch Schlamm und Kot

Wie irgend so ein Krautbaron vom Lande.

PEMBROKE:

Herr Chatillon mit einer weißen Fahne.

Chatillon mit einer weißen Fahne und einer Krücke tritt auf.

KÖNIG JOHANN:

Du gehst mit einer Krücke, Freund.

CHATILLON:

Der Krieg war blutig, Sir.

KÖNIG JOHANN:

Das kann man sagen.

CHATILLON:

Er war für beide eine Katastrophe.

KÖNIG JOHANN:

Du definierst vortrefflich.

CHATILLON:

Jahre
Wird dieser Krieg noch dauern, Sir.

KÖNIG JOHANN:

Jahrzehnte.
Wie geht es König Philipp?

CHATILLON:

Leider, Sir,
Durch einen schweren Sturz vom Pferd erschüttert.

KÖNIG JOHANN:

Dauphin Louis?

CHATILLON:

Verletzt.

KÖNIG JOHANN:

Der Kardinal?

CHATILLON:

Der humpelt, Sir.

König Johann lacht.

KÖNIG JOHANN:

Wie du.

Will sich Suppe schöpfen, hebt den Suppenschüsseldeckel auf und erblickt den Kopf Österreichs.[9]

KÖNIG JOHANN:
Und Österreich
Ist tot.
Deckt die Suppenschüssel ernüchtert wieder zu.
KÖNIG JOHANN:
Die Welt ist aus den Fugen.
CHATILLON:
Ziemlich.
Als Diplomat habt Ihr nicht sehr vernünftig
Gehandelt. Ich bin offen, Sir, verzeiht.
Der Krieg war leicht vermeidbar. Was
Der Kardinal von Euch verlangte, nun,
Ein Kloster weniger geplündert, sei's
Zum Scheine nur, die Antwort bloß ein wenig
Konzilianter, und zufrieden wäre
Der Kardinal nach Rom zurückgereist.
KÖNIG JOHANN:
Ich hatte eine schlechte Laune.
Die Ehe mit der schiefen Angoulême
Macht sie begreiflich. Hätte Frankreich doch
Im Kampfe *die* entführt statt meine arme Mutter!
CHATILLON:
Die Mutter, Sir, die könnt Ihr wieder haben.
KÖNIG JOHANN:
Großartig. Pembroke, holt die Angoulême!
Macht schnell. Wir tauschen aus.
CHATILLON:
Nicht Isabelle, Sir,
Wünscht Frankreich auszutauschen.
KÖNIG JOHANN:
Nicht die Nichte?
Die schiefe Nichte nicht, den Liebling Philipps?
Sein Augenstern, sein Isabellchen nicht?
CHATILLON:
Sie ist und bleibt die Eure, Sir, auf ewig.
Gebt Arthur her und Ihr habt eure Mutter.

KÖNIG JOHANN:
Ich liebe meine arme Mutter, bleibe
Ihr jüngster, treuer Sohn. Doch melde Frankreich,
Ich ließe mich durch keine Bande noch
So teuren Bluts erpressen.
CHATILLON:
Tötet Ihr
Den Knaben, Sir, so stirbt Euch Eure Mutter.
KÖNIG JOHANN:
Und Arthur, Chatillon, der stirbt, wenn ihr
Mir meine Mutter tötet. Nehmt und bindet
den lahmen Kerl aufs nächste Pferd, hetzt es
Le Mans entgegen, König Philipp zu.
CHATILLON:
Ich protestiere.
KÖNIG JOHANN:
Besser
Du sorgst dich, Chatillon, um deine Reise.
Gar leicht schleift dich das Pferd zu Tode! Fort!
Chatillon wird abgeführt.
KÖNIG JOHANN:
Ihr Lords, nach England. Unser Heer vermag,
Geschmolzen, sich in Frankreich nicht zu halten.
Arthur ist Euer, Bastard. Ihr habt ihn
Gefangen und ihr haftet für sein Leben.
Doch seht euch vor, ich bin es nicht allein,
Der ihm den Tod noch wünschen könnte. Hütet euch,
Was ihn am Leben hält, ist Politik,
Die kann sich ändern über Nacht. Ein Zug
Erzwingt den Gegenzug. Der kleine Kerl
Verstand, die große Welt in Brand zu setzen.
Die Schachfigur im Spiel, die fällt, ist er
Nur allzu leicht. Brecht auf! Der Insel zu!
Alle ab.

DRITTE SZENE[10]

Les Mans. Kapelle.
Links in drei Betpulten [von links nach rechts] Louis [mit verbundenem Kopf], Konstanze [mit Rosenkranz], König Philipp [mit verbundenem Arm]. Links außen Pandulpho in seiner Sänfte, die als Beichtstuhl benützt wird. Wer nicht vor dem Kardinal kniet, betet. Wenn in den Betstühlen miteinander gesprochen wird, wird die Gebetshaltung beibehalten.
König Philipp kniet vor dem Kardinal nieder, beichtet.

KÖNIG PHILIPP:
Vater.
PANDULPHO:
Sohn.
KÖNIG PHILIPP:
Die Schmerzen. Bestialisch.
PANDULPHO:
Wieviel Mann verloren wir?
KÖNIG PHILIPP:
Wieviel Mann verloren wir?
LOUIS:
An fünfzehntausend.
KÖNIG PHILIPP:
Entsetzlich. Fürchterlich. Ein schlimmes Blutbad.
PANDULPHO:
Die Seelen sind bei Gott.
KÖNIG PHILIPP:
Das hoff ich stark.
PANDULPHO:
Es war ein Sieg, wenn auch ein knapper Sieg.
KÖNIG PHILIPP:
Laßt mich mit Eurem knappen Sieg in Ruh.
PANDULPHO:
Die Mutter Johanns ist gefangen.

KÖNIG PHILIPP:

Und?
Was zählt das alte Scheusal? Arthur zählt!
Den haben wir verloren, den hat England.
Und weshalb? Johann focht wie ein Berserker.
Bin schwer enttäuscht. Da hat man Differenzen
Mit einem Freund, hochadlig wie wir selber,
Führt etwas Krieg, was tut er? Tötet, mordet,
Stößt Menschen nieder! Eigenhändig, als
Wär er ein Henker, Feldherr oder Söldner;
Und hat die Frechheit noch, mich zu besiegen,
Als ob ich ihn nicht fair behandeln würde,
Fiel' er in meine Hand. Bin degoutiert.
Bei Gott! Am nächsten Fürstentage rede
Ich mit dem Kerl kein Wort mehr, keine Silbe.

PANDULPHO:

Sieh auf der Kirche Heil, nicht auf der Menschen Tun.

Segnet ihn. König Philipp erhebt sich.

KÖNIG PHILIPP:

Verflucht, mein Arm.

PANDULPHO:

Nicht fluchen, Majestät.

König Philipp kniet in seinen Gebetstuhl.

KONSTANZE:

So endet euer Friede! Seht mich an.

KÖNIG PHILIPP:

Wir sind mit Euch verzweifelt, Fürstin.

KONSTANZE:

Ihr
Habt eine Schlacht verloren, weiter nichts.
Für euch nicht schlimmer als ein Pferderennen,
Bei dem ihr falsch gewettet. Ich verlor
Den Sohn. Ich bin verzweifelt. Ihr seid's nicht.
Ihr tröstet euch bei euren Kurtisanen.

Erhebt sich, geht zu Pandulpho, kniet nieder.

KONSTANZE:

Vater.

PANDULPHO:
Tochter.
KONSTANZE:
Für mich gibt's keinen Trost.
PANDULPHO:
Geliebte Tochter, betet, schweigt
Und betet. Tollheit redet so, nicht Gram.
KONSTANZE:
Ich bin nicht toll, o wollte Gott, ich wär es!
Denn ich vergäße dann mich selbst und sähe
In einer Lumpenpuppe meinen Sohn.
Doch, Kardinal, da ich bei Sinnen bin,
So zeige mir den Weg aus meinem Schmerz.
PANDULPHO:
Nur beten, beten.
KONSTANZE:
Beten nützt nichts, Vater.
Lehr mich, mich aufzuhängen, mich zu pfählen,
Die Brüste auszureißen, mich zerstückeln
Und meinen Schoß mit heißem Blei versiegeln,
Dem Himmel, der mich schuldlos straft, mit Schuld
Gerecht zu werden, denn es hieße lästern,
Wollt ich noch länger leben ohne Sohn.
PANDULPHO:
Ihr übertreibt.
KONSTANZE:
Und du hast keinen Sohn.
PANDULPHO:
Was auch geschieht, das kommt von Gott. Jetzt geht.
Segnet sie. Konstanze geht in ihren Gebetstuhl zurück.
KÖNIG PHILIPP:
Kommt Zeit, kommt Rat.
KONSTANZE:
Kommt Zeit, kommt Mord.
KÖNIG PHILIPP:
Zu fürchten habt Ihr nichts,
Verehrte Fürstin.

KONSTANZE:
König Philipp,
Ihr habt schon einmal meinen Sohn verraten,
Und ist es für Euch vorteilhaft, verratet
Ihr ihn ein zweites Mal. Mein Sohn, auch wenn
Er lebt, ist tot. Ich war so stolz auf ihn.
Ich wollte aus ihm einen König machen.
Das war mein Fehler. Könige sind Mörder.
Nun sind sie seine Mörder.
KÖNIG PHILIPP:
Wache.
WACHE:
Herr?
KÖNIG PHILIPP:
Geleite die Fürstin auf ihr Zimmer.
KONSTANZE:
Ihr schafft mich fort, ich bin Euch lästig.
Erhebt sich.
KONSTANZE:
Verflucht sei Frankreich und sein falscher König.
Verflucht Dauphin Louis, verflucht sein Anspruch,
Und deine schwarze Seele, roter Vater,
Sie fahr mit deinem Amt zur Hölle.
Wache mit Konstanze ab. Louis geht zu Pandulpho, kniet nieder.
LOUIS:
Vater.
PANDULPHO:
Sohn.
LOUIS:
Konstanze,
Sie tut mir leid.
PANDULPHO:
So redet nicht
Ein Fürst, mein Sohn. Lernt, was der Himmel plant,
Zu tragen ohne Leid, er plant für Euch.
LOUIS:
Ihr redet rätselhaft.

KÖNIG PHILIPP:
Er redet klar.
PANDULPHO:
Mein Sohn, Ihr seid noch reichlich unerfahren.
Johann hat Arthur in Gewalt, jedoch
Der eine ist dem anderen im Wege.
Will Johann stehn, muß Arthur fallen. Also
Fällt Arthur; dessen Tod ist unabwendbar.
LOUIS:
Was soll mir Arthurs Tod?
PANDULPHO:
Ihr, kraft des Rechtes Eurer Gattin Blanka,
Erhebt den Anspruch, den einst Arthur machte:
Der König Englands folglich seid dann Ihr.
LOUIS:
Johann ist unbesiegbar, Eminenz.
PANDULPHO:
Wie neu Ihr seid in dieser alten Welt.
Besiegbar sind wir alle. Alle fallen.
Auch Johann fällt, die Zeit begünstigt Euch.
Der Tod des jungen Prinzen wird England
Von Johanns Unrecht so sehr überzeugen,
Daß, wenn sich nur der kleinste Vorteil regt,
Sein Reich zu stürzen, man ihn gern ergreift.
Und, glaubt mir altem Mann, es brütet noch
Viel Besseres sich aus: Johann, in Bann,
Geht jetzt nach England, plündert Kirchen leer,
Brennt Klöster nieder, höhnt die Frömmigkeit,
Verwandelt stille Wut in offnen Aufruhr.
Zu Eurem und zu unsrer Kirche Gunsten
Dreht sich die Politik.
LOUIS:
Seid Ihr so sicher?
Wir haben Johanns Mutter. Sie zu schonen,
Wird Johann Arthur leben lassen.
PANDULPHO:
Möglich.

Drum zwingen wir ihn besser.

KÖNIG PHILIPP:

Wache.

Die Wache tritt auf.

WACHE:

Herr?

KÖNIG PHILIPP:

Führ die Königin Eleonore
Zum Henker. Er soll sie erdrosseln.

Pandulpho segnet Louis.

VIERTE SZENE

Le Mans. Verlies.

*Königin Eleonora, kahlgeschoren, sitzt auf einem Hocker.
Ein Henker.*

HENKER:

Der Priester wartet draußen.

ELEONORE:

Schick ihn fort.
Gott kennt mein Leben, und ich kenn es auch.
Ein dritter braucht es nicht zu wissen.

HENKER:

Madame, verweigert nicht die letzte Ölung.

ELEONORE:

Die Kirche, welche Frankreich schmierte, braucht
Mich nicht zu ölen.

Konstanze tritt auf.

ELEONORE:

Kind, was willst du?

KONSTANZE:
Du
Hast dich gerächt. Dein Sohn hat meinen Sohn
Gefangen.

ELEONORE:
Dich hast du gerächt. Mein Sohn
Hat mich verraten. Aus Berechnung war
Das Lager ungeschützt,
Mit Absicht überließ er mich dem Feind,
Ich war dem Fleisch von meinem Fleisch im Wege.

KONSTANZE:
Johann wird Arthur töten.

ELEONORE:
Mich tötet Philipp, damit Arthur sterbe
Und er durch meine Nichte England erbe.
Wir beide haben ausgespielt, mein Kind.
Wir haßten uns, wir boten Heere auf,
Um wider uns zu streiten. Tausende
Fraß dieser Zwist um unsren Wurf. Wir liebten
Gewalt und Männer, schworen, brachen Treue,
Betrügend wurden wir betrogen. Alles
Ist nun vorbei. Macht, Ehrgeiz, Reichtum, Ruhm
Und Liebe auch. Da sitz ich alte Vettel
Dir kahlgeschoren gegenüber, stinkend,
Dem Henker zubereitet, kalt und häßlich.
Mein Ende ist das deine. Wäre ein
Gefühl in mir, ich würde dich bedauern.
Ich sterbe gern, doch du mußt weiterleben
In dieser leeren Welt, ein Leib,
Der nur gebar, um Schlächtern Fleisch zu liefern,
Ein Opfer deiner Tat wie ich der meinen.

Konstanze sinkt zusammen.

ELEONORE:
Geh jetzt. Laß mich allein.

HENKER:
He! Fürstin!

Untersucht sie.

HENKER:
Tot. Mit einem Dolch.
Eleonore erhebt sich.
ELEONORE:
Ich denke,
Ich bin jetzt an der Reihe, Henker.

ERSTE SZENE

Nacht.

Northampton. Im Turm einer Burg.
Der Bastard und Arthur.

König Johann und zwei Henker treten auf.

KÖNIG JOHANN:
Sir Richard.
BASTARD:
Sir.
KÖNIG JOHANN:
Ich schickte Euch die zwei da
Schon dreimal zu.
BASTARD:
Ich weiß.
KÖNIG JOHANN:
Mit einem Auftrag.
BASTARD:
Ich weiß.
KÖNIG JOHANN:
Und dreimal habt Ihr sie gehindert,
Zu tun, was nötig ist, zu tun.
BASTARD:
Ich weiß.
KÖNIG JOHANN:
Ihr zwingt mich, diese zwei da zu begleiten.
BASTARD:
Ich hafte für das Leben Arthurs.
KÖNIG JOHANN:
Mir

Habt Ihr geschworen, ihn zu schützen, Bastard.
Den Schwur, den habt Ihr wieder. Seid bedankt.
Doch nun zu dir, Arthur Plantagenet.

ARTHUR:
Ich hasse dich.[11]

KÖNIG JOHANN:
Plantagenet haßt immer
Plantagenet. Die Sippe stinkt nach Mord.
Der Bastard, der dich fing, ist ein Plantagenet,
Und ich, der ich dich habe, bin's. Du bist
Der dritte. Schlimm für einen von uns drein.
Komm her.

Arthur geht zu König Johann.

KÖNIG JOHANN:
Dein Alter?

ARTHUR:
Acht.

KÖNIG JOHANN:
Das Kind ist mutig. Ein Plantagenet
Ist immer mutig. Dummheit, weiter nichts.
Beklopfen wir den Neffen. Schultern, Arme.
Die Brust. Das Monstrum ist gesund. Gebiß –
Na so was! Dieses Kerlchen beißt!

Wirft Arthur den Henkern zu. Ein Henker holt aus.

KÖNIG JOHANN:
Noch nicht.

Der Henker hält inne.

ARTHUR:
Du willst mich töten, böser Onkel.

KÖNIG JOHANN:
Möglich.

ARTHUR:
So töte mich.

KÖNIG JOHANN:
Geduld. Ich habe Nachricht,
Aus Le Mans: deine Mutter ist gestorben.

ARTHUR:
Du lügst.
KÖNIG JOHANN:
Sie gab sich selbst den Tod.
ARTHUR:
Du lügst.
KÖNIG JOHANN:
Du zitterst.
ARTHUR:
Meine Mutter ist nicht tot.
KÖNIG JOHANN:
So tot wie meine. Tot wie Aas.
BASTARD:
Sir, quält
Den Kleinen nicht.
KÖNIG JOHANN:
Ich quäl ihn nicht. Ich
Zertrete ihn.
BASTARD:
Sir, laßt ihn leben.
KÖNIG JOHANN:
Und wozu?
BASTARD:
Vielleicht
Kann Euch sein Leben nützen.
KÖNIG JOHANN:
Mehr sein Tod.
BASTARD:
Es ist vernünftiger.
KÖNIG JOHANN:
Vernunft! Vernunft!
Stets kommt Ihr mit Vernunft, und ich gehorche!
Die Ehe mit der schiefen Angoulême
Geschah im Namen der Vernunft, mit Blanka
Verschenkte ich dem Feinde Poitiers, Anjou,
Touraine und Maine. War das Vernunft?

BASTARD:
Das Spiel
Ist grausam, das Ihr spielt. Ein Fehler noch,
Und die Plantagenets sind eine Sage.
KÖNIG JOHANN:
Ihr zwei da macht das Kerlchen nieder.
BASTARD:
Halt!
Zieht das Schwert.
BASTARD:
Wollt Ihr sein Leben, Sir, so holt Euch meines.
Die beiden Henker weichen zurück.
KÖNIG JOHANN:
Ihr droht einem König, Bastard.
BASTARD:
Warum, Sir,
Ließ König Philipp Eure Mutter töten?
Weil Philipp Eure Rache wollte. Euch
Schob er die Tat zu, die Ihr, ihm gehorsam,
Begehen wollt. Er wünscht den Tod des Kleinen
Sehnsüchtiger als Ihr. Laßt Ihr Arthur
Am Leben, dessen Tod der Welt gewiß
Erscheint, verhindert Ihr den Anspruch Frankreichs
Auf Englands Thron.
Arthur nützt das Zögern der Henker aus und läuft zum Bastard zurück.
BASTARD:
Hört weiter. Anerkannt
Seid Ihr noch immer nicht. Man nennt Euch offen
Thronräuber, Eures Neffen; dieses Schwert,
Gezielt auf eure Brust, könnt Euch durchstoßen;
Das Volk würd mich als Held auf Schultern tragen.
Ihr seid so rechtlos jetzt wie ich als Bastard.
Ein jeder sinnt auf Euren Untergang.
Der Adel rüstet heimlich, sammelt Truppen.
Gar manche junge Ritter fielen vor
Angers, gar mancher Vater will sich rächen,

Gar mancher Bruder, und die Priester hetzen,
Verhetzt durch Rom, die Bauern auf. Die Liebe
Und Hoffnung aller: Arthur. Arthur habt Ihr.
Er ist ein Pfand in Eurer Hand. Er schützt
Euch vor dem Aufstand aller. Laßt Ihr jedoch
Die Henker Arthur niederstoßen, flattern
Die Lords wie Gänse zum Dauphin hinüber,
Und Euer Volk, das flattert ihnen nach.
Ihr seid verloren, wenn Ihr Arthur tötet.

KÖNIG JOHANN:
Ihr zwei da.

DIE HENKER:
Sir?

KÖNIG JOHANN:
Streut das Gerücht aus, Arthur sei
Von euch erdrosselt worden. Hier.

Wirft ihnen Geld zu.

KÖNIG JOHANN:
Verschwindet.

Die Henker ab.

KÖNIG JOHANN:
Ihr überzeugtet mich, Bastard. Arthur
Plantagenet mag leben.

Schlägt Arthur zweimal ins Gesicht.

KÖNIG JOHANN:
Ist er hier
In Sicherheit?

BASTARD:
Der Turm ist hoch. Die Flucht
Unmöglich. Die Bewacher sind mir treu.

KÖNIG JOHANN:
So kommt. Die Lords empfang ich morgen zur
Beratung. Ihren Stolz herauszufordern,
Erscheine ich zum zweitenmal gekrönt
Vor allem Volk in feierlichem Umzug,
Zum Zeichen, daß ich über England herrsche
Durch meine Macht und Euren klugen Rat,

Sir Richard. Lebe wohl, Plantagenet.
Ich stelle dich, ist diese Nacht vorbei,
Dem überraschten Hofe vor, mein Kerlchen,
Als mein geliebter, treuumhegter Neffe.

König Johann und Bastard ab. Arthur bleibt allein zurück.

ZWEITE SZENE[12]

Sturm. Gewitter.

Northampton. Ein Staatszimmer im Palast.

König Johann und Pembroke treten auf.

König Johann legt Krone und Mantel ab.

KÖNIG JOHANN:
Ihr seid durchnäßt, getreuer Pembroke?
PEMBROKE:
Bis auf die Knochen. Doch bei gutem Wetter
Die Krönung wäre eindrucksvoll gewesen.
KÖNIG JOHANN:
Der Sturm war nicht vorauszusehen. Wein
Und was zu essen.
PEMBROKE:
Wein her für den König
Und was zu essen für den König!

Diener bringen einen Sessel und einen Tisch Wein und Fleisch.
Essex, Bigot, Salisbury treten in Rüstungen auf.[12]

ESSEX:
Scheiße!
SALISBURY:
Bei diesem Wetter rostet meine Rüstung.
Sie ist ganz neu, in Mailand hergestellt

Mit einem Bruststück aus Konstantinopel.

BIGOT:

Bei Blitz und Donner unter Hagelschauer
Sich krönen lassen: Eine Schnapsidee.

KÖNIG JOHANN:

Ihr trieft vor Nässe, meine Lords, doch unter
Dem Krönungsbaldachin war es ganz trocken.

SALISBURY:

Es schiffte bloß auf Eure Untertanen.

BIGOT:

Zwei Stunden mußte ich in einer Pfütze knien.

ESSEX:

Ich friere. Eine Decke.

PEMBROKE:

Eine Decke
Für Lord Essex.

Ein Diener bringt eine Decke.

SALISBURY:

Verdammter Panzerschurz.

ESSEX:

Nicht
Zu fassen dieser Unfug. Niemand weiß,
Wozu denn diese Krönung nötig war:
Hoheit sind längst gekrönt!

KÖNIG JOHANN:

Ihr edlen Lords,
Nicht unvergnügt sehn Wir euch mißvergnügt.
Die Krönung war zum zweitenmal notwendig,
Weil bei der ersten Uns ein Priester krönte.
Jetzt setzen Wir uns selbst zum König ein,
Nur Gott gehorsam und nicht einem Papst.
Das war der Sinn der Handlung, die euch kränkt.

BIGOT:

Es scheint, sie kränkte nicht nur uns, Hoheit:
Wer gegen unsre Kirche demonstriert,
Benötigt dringend gutes Wetter, sonst
Sieht man in jedem Blitz des Himmels Zorn.

ESSEX:
Ich bin erkältet! Schnaps und heißes Wasser.
PEMBROKE:
Bringt Schnaps und heißes Wasser für den Lord.
Ein Diener bringt Essex Schnaps und heißes Wasser.
ESSEX:
Mein Gott, ich schlottere.
BIGOT:
Himmelarsch, die Schiene quetscht.
SALISBURY:
Mir klemmt das Kinnreff, holt mir einen Schlosser.
PEMBROKE:
Den Schlosser für die Lords.
Ein Schlosser kommt.
BIGOT:
Die Frömmigkeit war Eure Sache nie,
Wir wissen, Hoheit. Doch das Volk ist fromm.
Es lebt zwar arm, gewiß, doch spendete
Die Kirche Trost und gab ihm eine Hoffnung.
Ihr unterdrückt die Kirche, plündert Klöster,
Verjagt die Priester. Eure Untertanen
Sind ohne Letzte Ölung und Vergebung.
Drum wundert Euch nicht, Hoheit, wenn das Volk
Für eine Posse Eure Krönung hält.
KÖNIG JOHANN:
Lord Bigot, Eure Frömmigkeit ist neu.
BIGOT:
Ich denke an das Volk.
ESSEX:
Ans arme Volk.
SALISBURY:
Bedrängt von königlicher Willkür. Du
Verdammter Hurensohn, du tust mir weh!
Schlägt den Schlosser nieder.
KÖNIG JOHANN:
Bedrängt von eurer Willkür. Euch, ihr Lords,
War eine neue Steuer auferlegt,

Dem Volke nicht, doch zahlen mußte sie
Das Volk.

ESSEX:
Wer sonst? Das Volk ist dazu da.
Ihr brauchtet eine neue Steuer, Hoheit,
Durch einen Krieg. Wozu? Der Knabe Arthur
Hat gleiches Recht wie Ihr. Der Krieg war sinnlos.
Ihr solltet Eure Macht mit Arthur teilen.
Doch Haß gehorcht nicht der Vernunft, sie braucht
Gewalt, und die, noch fremder der Vernunft,
Braucht Mord.

KÖNIG JOHANN:
Was wollt Ihr damit sagen, Essex?

ESSEX:
Das wissen, Hoheit.

BIGOT:
Euer Volk glaubt längst
Arthur ermordet, doch wir zögerten
An einen Mord zu glauben, der den Himmel
Verfinstert und die Erde beben macht.

SALISBURY:
Wir haben, Hoheit, uns geirrt.

KÖNIG JOHANN:
Pembroke, schenkt ein.

PEMBROKE:
Einschenken.

Ein Diener schenkt dem König Wein ein.

KÖNIG JOHANN:
Meine Lords,
Ich trinke auf den jungen Prinzen Arthur
Plantagenet.

BIGOT:
Ihr lästert.

KÖNIG JOHANN:
Auf sein Wohl
Und auf sein langes Leben!

PEMBROKE:
Chatillon!
Chatillon wird in einer Sänfte auf die Bühne getragen.
CHATILLON:
Johann Plantagenet gilt Frankreichs Gruß.
KÖNIG JOHANN:
Und Philipp Capet gilt der unsre. Sei
Willkommen, Chatillon. Du hast den Ritt
Vor einem Jahr nach Le Mans glücklich, wie
Wir sehen, überstanden.
CHATILLON:
Beide Beine
Sind mir seitdem gelähmt.
KÖNIG JOHANN:
Das tut mir leid.
CHATILLON:
Drum bin ich glücklich Dir, England, zu melden:
In Kent ist König Philipp jetzt gelandet
Mit einem Heer von zwanzigtausend Mann
Um seinen Sohn Louis, den Gatten Blankas,
Der Erbin der Plantagenet, zum König
Von England auszurufen.
KÖNIG JOHANN:
Mit Erstaunen
Erfüllt uns deine wunderliche Rede.
Woher nimmt Frankreich denn sein Recht zu so
absonderlichem Einfall?
CHATILLON:
Arthurs Tod
Zu rächen.
KÖNIG JOHANN:
Arthurs Tod?
CHATILLON:
Ihr habt ihn längst
Ermordet.
KÖNIG JOHANN:
Frankreich irrt.

ESSEX:
In Einem nur.
Zwar nicht im Tatbestand, doch in der Zeit.
Arthur ist letzte Nacht erdrosselt worden.
Zwei Henker haben ihre Tat gestanden.
In eurem Auftrag, Hoheit, und in eurer
Anwesenheit verübten sie den Mord.
SALISBURY:
Die Tat ist offenbar. Es hilft kein Leugnen.
BIGOT:
Der Heiland ist zum zweitenmal gekreuzigt,
Du hast den wahren König hingerichtet.
KÖNIG JOHANN:
Pembroke, der Bastard?
PEMBROKE:
Diener melden, er
Sei eben mit den Seinen eingetroffen.
KÖNIG JOHANN:
Entspräche diese Tat der Wahrheit, hätten
Wir unsren Neffen freventlich ermordet,
Dann, wahrlich, hätte Frankreich recht, mein Reich
Fiel Louis zu, wir senkten eigenhändig
Die Krone auf das Haupt des fetten Prinzen.
Drum laßt Sir Richard rufen, dieser Welt,
Die Arges glaubt, weil sie im Argen liegt,
Die Unschuld meines Thrones zu beweisen.
Verräterische Lords, Blutegel Englands,
Erzittert, Frankreich, Mörder meiner Mutter,
Ihr Blut sei jetzt an dir gerächt!
PEMBROKE:
Sir Richard.

Der Bastard tritt auf mit Soldaten, die die zerschmetterte Leiche Arthurs vor König Johann niederlegen.

CHATILLON:
Merkwürdiger Beweis der Unschuld.
BASTARD:
Arthur

Versuchte in der Nacht zu flüchten, Sir.
Die ihn bewachten, fanden ihn im Graben.
Ein Unglücksfall.

SALISBURY:
Das, Burschen, glaubt euch keiner.

KÖNIG JOHANN:
Ich schwöre feierlich bei meiner Seele –

BIGOT:
Laßt's besser sein, Johann Plantagenet,
Spart Euch den Meineid, tut jetzt Buße, betet.

SALISBURY:
Nun fort von hier und zu den Waffen, Lords!
Wir sind gerüstet, fünfzehntausend Mann.

ESSEX:
Nach Kent, Louis den Eid zu leisten. Scham
Und Ehre zwingen uns. Ein welscher Prinz
Heilt das Geschwür, das dieses Land entstellt.
Verrat wird Pflicht und Treue wird Verrat.
So tief wie jetzt ist England nie gesunken.

Die Lords ab.

CHATILLON:
Ich stelle fest: Zusammenbruch, das Ende.
Die Lords besitzen Eure besten Truppen.
Ergebt Euch.

KÖNIG JOHANN:
Geh.

CHATILLON:
Johann Plantagenet,
Du bist verloren.

Chatillon wird fortgetragen.

Schweigen.

KÖNIG JOHANN:
Was soll ich tun?

Schweigen.

KÖNIG JOHANN:
Was soll ich tun?

BASTARD:
Es gibt
Nur einen Ausweg. Philipps Politik
Ist nicht zu ändern, allzusehr lockt Frankreich
Die Herrschaft über England, ändern können
Wir nur die Politik der Kirche.
KÖNIG JOHANN:
Wie?
BASTARD:
Durch Unterwerfung.
KÖNIG JOHANN:
Niemals.
BASTARD:
Unterwerft
Ihr Euch, so muß die Kirche Euch verzeihen.
Wer Gnade predigt, muß auch Gnade üben,
Die Macht der Kirche ist auch ihre Schwäche.
Ihr könnt die Kirche zwingen, zwingt sie ganz:
Verzichtet auf die Macht zu Gunsten Roms.
KÖNIG JOHANN:
England verschenken? Nie!
BASTARD:
Der Papst, bestochen
Durch diese beispiellose Unterwerfung,
Wird England Euch zurückerstatten als
Ein Lehen. Aus dem Feind wird Euer Freund.
KÖNIG JOHANN:
Verschenk' ich England an die Kirche, fegen
Mich Adel und das Volk vom Thron.
BASTARD:
Wenn Ihr
Dem Volke neue Rechte gebt, fegt es
Den Adel und nicht Euch vom Thron.
KÖNIG JOHANN:
Das Volk!
Es lebt dahin in Stumpfsinn, ungebildet,
Legt sich ins selbe Stroh zum Zeugen und

Zum Sterben, vegetiert nur, ist Gesindel.

BASTARD:

Gesindel? Sir, es stellt die Mehrheit dar.

Schweigen.

KÖNIG JOHANN:

Mein Volk! Auf einmal wird mir warm ums Herz,
Denk ich an meine Bauern, meine Bürger.
Das gute Volk! Geduldig, froh, genügsam –
Der Kardinal?

BASTARD:

In Swinstead, Sir.

KÖNIG JOHANN:

Es sei.

Wütend.

Schon wieder hat mich die Vernunft verführt.
Viel zu vernünftig, ihr zu widerstehen,
Geht meine Macht durch sie zu Grunde. Nur
Die Unvernunft der Hoffnung bleibt, vielleicht
Doch noch zu siegen durch Vernunft. Nach Swinstead!

König Johann und Pembroke ab.

Der Bastard an der Leiche Arthurs.

BASTARD:

Mein armes Kerlchen, Opfer unserer Ränke,
Du kleiner Spielball großer Politik.
Ich kämpfte für dein junges Leben, doch
Du wähltest einen andern Weg, als ich
Ihn wählte, denn mein Weg verliert sich in
Den Dornen und Gefahren dieser Welt.
Ratgeber nur der Macht, fällt dennoch Macht
Mir zu, weil sich die Macht an mich gewöhnt.
So bin ich auch an deinem Tode schuld
Wie jedermann, der mitbaut am Gebäude,
Das sich Gewalt errichtet, Blut als Mörtel,
Als Balken Habgier nutzend. Stiller Prinz,
Wie leicht wiegst du das ganze England auf!
Aus dieser Handvoll toten Königtums
Floh dieses Landes Leben, Recht und Treue.

Zurück bleibt nichts als Ohnmacht, die, um Schmach
Zu meiden, sich der Schmach ergibt. Ihr Knechte,
Tragt ihn hinweg, ihr tragt den König.

Arthurs Leiche wird hinausgetragen.

ERSTE SZENE

Swinstead. Abtei.

Der Kardinal Pandulpho im Nachthemd in einem Bett.

PANDULPHO:
Eine Bettflasche!
Stille.
PANDULPHO:
Trostloses Klima und die Speisen Fraß,
Nicht zu beschreiben, eben war's ein Brei,
Versalzen und verkommen wie das Land.
Zum Trinken was von einer Sündenbrühe.
Ihr Heiligen im Himmel steht mir bei.
Es regnet tagelang und dann kommt Nebel,
Und mit dem Nebel Gicht. Die Leute düster
Und schweigend. Drei, vier Worte, das genügt.
Die Kenntnis der Religion, der Wahrheit,
Der lichten, klaren, ist gleich nichts, gleich gar nichts;
Die Heiden kennen die Dreifaltigkeit
Weit besser.
Stille.
PANDULPHO:
Eine Bettflasche!
Stille.
PANDULPHO:
Es scheint, die Kerle sind stocktaub. Ich friere.
Verwünschte Abtei Swinstead – vom Bastard
geplündert und zerstört – als Bauwerk gräßlich –
Nun meine Residenz. Die Mönche krächzen
Wie Amateure ihre Psalmen. Tiefe
Provinz. Das ist das Wort. Dies England hier

Und Frankreich mit: Provinz. Die Könige
Sind Dilettanten, rohe Bauernprügler
Kein Schimmer, was Regieren heißt. In Rom
Könnt's jeder Schreiber besser. Und Manieren!
Und erst die Peers und Lords, zum Rasendwerden!
Mein Gott, ich bin gestrandet irgendwo
Am End der Welt bei Menschenfressern.

Mönche treten auf. Einer mit einer Bettflasche.

PANDULPHO:
Endlich.
Und spannt ein Dach mir übers Bett. Es regnet
Durch die verkohlte Decke, dieser Bastard –
Er wird – hat Frankreich seinen Sieg vollendet –
Gefoltert, dann gerädert und gevierteilt.
Holt meinen Sekretär, ich will diktieren.

Die Mönche haben über das Bett eine Decke gespannt.

PANDULPHO:
Noch eine Bettflasche!

Ein Sekretär kommt.

PANDULPHO:
Fort! Fort mit dem Gesindel! Daß es mir
Nicht wieder singt!

Mönche ab.

PANDULPHO:
Faulpelz von einem Schreiber,
Daß du mir keine Kleckse machst wie letzthin.
An Innozenz den Dritten, Papst zu Rom.
Geliebter Vater, wir – Was ist?

Ein Mönch ist mit einer Bettflasche gekommen.

PANDULPHO:
Ach so.
Mach schnell, du Trottel, bring noch eine Flasche.

Mönch ab.

PANDULPHO:
An Innozenz dem Dritten Papst zu Rom.
Geliebter Vater –

König Johann, barfüßig im Büßerhemd und mit Krone, sowie der Bastard treten auf.

KÖNIG JOHANN:

Eminenz!

PANDULPHO:

Johann
Plantagenet mit seinem Teufelsbastard!

Der Sekretär flüchtet unter das Bett.

PANDULPHO:

Die fehlten mir gerade noch. Skandal.
Frankreich ist nicht imstande mich zu schützen,
Den päpstlichen Gesandten! Typisch. Bis
Ins Mark ist diese Welt verfault, verpestet!
Auf nichts mehr ist Verlaß!

Erhebt sich, steht aufrecht im Bett.

Pandulpho stirb.
Hier meine Brust, die Regendünste Englands
Und seine kalten Winde machen mir
Den Tod nicht schwer. Durchbohrt mich, köpft mich, hängt mich!

KÖNIG JOHANN:

Ein Irrtum, Eminez, ich komme mich,
Zu unterwerfen.

PANDULPHO:

Abgewiesen!
Ihr seid in Bann und bleibt in Bann.

Der Mönch ist mit einer dritten Bettflasche gekommen.

PANDULPHO:

Was willst du?
Ich brauche keine mehr, du Lumpenkerl.
Ich werde jetzt ermordet, trete ein
Als Märtyrer ins Paradies! Hau ab!

Mönch zitternd ab.

PANDULPHO:

Vorwärts mit eurem Attentat, ich habe
Dies England satt mit seinen Klerikern,
Die unser klares heiliges Latein

So gräßlich radebrechen, sehne mich
Nach Maden, Würmern, will vermodern, will
Verschimmeln, mich in stinkend Aas verwandeln,
Damit ich schleunigst wieder auferstehe,
Dem Sündenpfuhl als reiner Geist entschwebe!
Mein Sekretär?

BASTARD:

Der? Unter Eurem Bett.

PANDULPHO:

Ein Feigling.

Steigt aus dem Bett, schreit dem Sekretär unter dem Bett zu.

PANDULPHO:

Was ich habe, stifte ich
Den Armen!

Kniet vor König Johann hin, betet.

PANDULPHO:

Schluß jetzt, Priester her. Ich bin
Bereit zur letzten Ölung.

König Johann kniet ebenfalls hin.

KÖNIG JOHANN:

Eminenz,
Ihr braucht den Priester nicht. Ich tue Buße!
Ich bin ein Ketzer, bin ein Sünder, bin
Der ewigen Verdammnis würdig, bin
Ein Afterkönig, Abschaum eines Christen.
Ich fleh um Gnade und Vergebung, komme,
Mich Euch zu unterwerfen und der Kirche!

PANDULPHO:

Nichts da! Das schlagt Euch aus dem Kopf! Es gibt
Für Euresgleichen keine Sühne.

Rutscht mit ausgebreiteten Armen herum, der König Johann rutscht ihm nach.

PANDULPHO:

Seht
Den Zustand der Abtei. Geplündert. Unrat
Im Refektorium! In der Kapelle
Sind Exkremente gar von Menschen. O

Mein schönes Swinstead!

Wirft sich auf den Boden, König Johann ebenfalls, um dem Kardinal ins Ohr seine Unterwerfung zu verkündigen.

KÖNIG JOHANN:

Eminenz, ich biete
Dem Papst zu Rom die Krone Englands an!

Hält Pandulpho die Krone hin. Pandulpho richtet sich auf die Knie auf.

PANDULPHO:

Die Krone Englands? Bei den Heiligen!

Nimmt die Krone.

PANDULPHO:

Die Krone Englands!

Erhebt sich, König Johann bleibt knien.

PANDULPHO:

Söhnlein, deine Sünden
Sind dir vergeben, du bist reingewaschen,
Ein neugebornes Kindlein, rein wie Schnee.
Die Krone Englands! Innozenz ist glücklich.
Das Abendland frohlockt, der Himmel jubelt.
Knie nieder, Söhnlein, flugs!

Krönt König Johann.

PANDULPHO:

Hier! Nimm zurück
Aus dieser meiner Hand als Lehn des Papstes
Die königliche Hoheit und Gewalt.
Steh auf, mein Söhnlein. Doch du schlotterst ja
In deinem Büßerhemd.

KÖNIG JOHANN:

Geliebter Vater,
Es ist auch bitterkalt.

PANDULPHO:

Zu mir ins Bett!
Ich zittere wie du vor Kälte. Marsch.

Die beiden besteigen das Bett, decken sich zu.

PANDULPHO:
Noch eine Bettflasche!
Die Mönche kommen mit vielen Bettflaschen.
PANDULPHO:
Packt euch!
Mönche ab.
PANDULPHO:
Mein Söhnlein, du hast Sorgen?
KÖNIG JOHANN:
Philipp
Ist schon in London, Vater, meine Lords
Mit ihren Truppen sind zu ihm gestoßen.
PANDULPHO:
England ist Land des Papstes. Kehrt Philipp
Nach Frankreich nicht zurück, kommt er in Bann,
Desgleichen deine Lords. Ihr Aufstand ist
Ein Aufstand gegen unsre Kirche, basta!
KÖNIG JOHANN:
Mein Volk ist patriotisch, es wird murren,
England in Händen Roms zu sehen, Vater.
PANDULPHO:
So murre es.
KÖNIG JOHANN:
Mein Volk ist hart bedrängt
Vom Adel, der sein Feind und meiner, darum
Will ich ein neues Recht verkünden, das
Mein hartbedrängtes armes Volk beschützt.
PANDULPHO:
Ei ei! Ein neues Recht fürs arme Volk!
Mein Söhnlein, ich bin überaus bewegt.
KÖNIG JOHANN:
Geliebter Vater. Ich bin glücklich, mehr
Als glücklich, denn zu diesem Glück stößt noch
Ein zweites Glück: Ein Sohn ist mir geboren.
PANDULPHO:
Ein Sohn! Ein Kronprinz!
Springt aus dem Bett.

PANDULPHO:
Kerle, meine Kleider!
Sofort nach London, alles neu zu regeln,
Dem Krieg ein Ende und Vernunft an Stelle
Der Unvernunft zu setzen!
König Johann verläßt das Bett ebenfalls.
PANDULPHO:
Ihr, Bastard,
Begleitet mich, in einer kleinen Weile
Bin ich bereit, erwartet mich im Hof.
Johann Plantagenet, du gehst nach Northampton.
Der Kirche Wort, es wird zu deinem Heil
Sich alles wenden.
Segnet den zögernden König Johann.
PANDULPHO:
Geh mit Gott, mein Söhnlein.
König Johann links, der Bastard rechts ab.[12]
PANDULPHO:
Ankleiden.
Breitet die Arme aus.
PANDULPHO:
Sekretär. Geheim. Ein Brief.
Mit einem Boten schneller als der Wind.
An William Longsword, Graf von Pembroke. Schreibt.
Der Sekretär beginnt zu schreiben.

ZWEITE SZENE

London. Hauptquartier der französischen Armee.

König Philipp in der Mitte der Bühne in einem Waschzuber.
Rechts von ihm der Dauphin Louis ebenfalls in einem Waschzuber.

Blanka liegt links auf einem Ruhebett und ölt und salbt sich.

KÖNIG PHILIPP:
Madame, mein Sohn Louis verklagt Euch. Hört
Ihn an, der Mensch ist Euer Ehemann.

LOUIS:
Ich klage Blanka an des Ehebruchs
Mit Bigot, Salisbury und mit Essex.

KÖNIG PHILIPP:
Kurz, mit ganz England, Madame, das ist viel.

BLANKA:
Na und?

LOUIS:
Na und! Na und! Das ist die Höhe.
Mein Schwert!

Ein Page gibt ihm ein Schwert.

KÖNIG PHILIPP:
Wozu?

LOUIS:
Ich will mich mit den Lords
Auf Tod und Leben im Gefechte messen.

KÖNIG PHILIPP:
Du bist im Bade. Page, seif mich ein.

Ein Page seift König Philipp ein.

BLANKA:
Dauphin, die Eifersucht ist lächerlich,
Mit der Ihr mich verfolgt. Vier Pagen schon
Ließt Ihr in Le Mans niederstoßen, hier
Sind's zwei. Was fällt Euch ein? Ihr habt kein Recht
Dazu. Ich wurde Euch wie Vieh verkauft,
Für einen Fetzen Frieden, noch zu lumpig,
Um unser Hochzeitsmahl zu überdauern.
Mein Leib bracht Euch halb Frankreich ein, verspricht
Euch England noch dazu. Was wollt Ihr mehr?
Die Länder Euch, mein Schoß wem ich ihn schenke,
Und sei es diesen Lords.

KÖNIG PHILIPP:
Bei allen Teufeln,
Madame, Ihr imponiert mir. Louis, Friede!

Die Lords sind uns verbündet, ihre Truppen
Verstärken unser Heer, nur das ist wichtig.
Falls sie bei deiner Blanka liegen, schön,
Falls nicht, noch besser, nimm es nicht persönlich.
Mit wem auch deine Gattin schläft, so laß sie!
Du hast die Welt und nicht dein Weib zu zügeln.
Verführbar sind sie beide, lerne, Dauphin,
Die Welt zu reiten, dieser Ritt, ich meine,
Ist eines Königs würdig. Page, seif
Mir noch einmal den Rücken.

EIN PAGE:
Majestät,
Der Kardinal von Mailand!

Pandulpho, der Bastard und Pembroke treten auf.

KÖNIG PHILIPP:
Eminenz,
Seit einer Woche schon seid Ihr in London.
Erst jetzt erscheint Ihr.

PANDULPHO:
Majestät, Lord Pembroke
Ist heute erst in London eingetroffen.

KÖNIG PHILIPP:
Bringt er und dieser Bastard König Johanns
Endgültigen Verzicht auf Englands Krone?
Seift mir den Kopf ein, Page.

Der Page seift ihm den Kopf ein.

PANDULPHO:
Englands Krone
Ist nicht mehr König Johanns Krone, Fürst.

KÖNIG PHILIPP:
Na also.

PANDULPHO:
Doch auch dir, Philipp von Frankreich,
Gehört sie nicht, sie ist des Papstes. Sein
Ist England. Über diese Insel herrscht
Jetzt Innozenz. Johann Plantagenet,
Der Kirche treuer Sohn, verwaltet sie

Im Auftrag Roms.
KÖNIG PHILIPP:
Ein Badetuch!
Man gibt ihm ein Badetuch, er steigt aus dem Bade.
KÖNIG PHILIPP:
Hochwürden,
Die Posse, die Ihr spielt, ist unerhört.
PANDULPHO:
Mein Sohn, die Kirche spielt hier keine Posse.
Sie schafft die Ordnung, legt dir Ordnung auf.
Gehorche. Räume England. Räumst du's nicht,
Bist du verflucht und in den Bann getan.
KÖNIG PHILIPP:
Verzeiht, Hochwürden, ich will nicht zurück.
Ich bleibe hier mit meinem Sohn, die Insel
Ist dem Dauphin durch Heirat zugefallen.
Ich bin zu hochgeboren, als daß Ihr
Mich kommandieren könnt wie einen Dienstmann.
Ihr braucht den Bann zu oft, er nützt sich ab.
Ihr zeigtet mir mein Recht auf dieses Land,
Ihr gabt mir Schwung zu diesem Unternehmen,
Ja selbst vor einem Morde hieltet Ihr
Mich nicht zurück, Ihr gabt mir Mut dazu!
Und jetzt kommt Ihr und sagt mir, daß Johann
Mit Rom den Frieden schloß! Was kümmert's mich!
England gehört nach Arthurs Tode mir,
Ich hab es halb erobert, will es ganz!
Bin ich Roms Sklave? Wo nahm Rom die Gelder?
Wo warb es Truppen? Wer denn kaufte Waffen,
Dies Werk zu unterstützen? Bin ich's nicht,
Der für den Papst die Bürde trägt? Verdammt!
Hab ich die beste Karte nicht zum Sieg [13]
In diesem Spiel um eine Krone? Soll
Ich jetzt ob einer Laune Roms verzichten?
Nie!
LOUIS:
Nie!

König Philipp klettert schweigend in den Waschzuber zurück.

KÖNIG PHILIPP:

Na schön. Dein Wille, Kardinal, geschehe.
Gießt warmes Wasser nach.

Ein Page gießt nach.

PANDULPHO:

Ein Trost, mein Fürst.
England hat einen Kronprinz.

KÖNIG PHILIPP:

Trost? Weshalb?
Das Kind ist ein Plantagenet. Es macht
Die Lage nur noch schlimmer.

PANDULPHO:

Glaubt Ihr wirklich?
Warum brach dieser Krieg denn aus? Um Arthur,
Um einen Knaben, um ein zartes Kind
Auf Englands Thron zu setzen statt Johann,
Der Euch an Klugheit gleich, an Stärke, List.
Den Knaben habt Ihr nun, den Kronprinz Heinrich.

KÖNIG PHILIPP:

Er herrscht nicht.

PANDULPHO:

Graf von Pembroke, was Ihr mir
Als Beichtgeheimnis anvertraut, das legt
Nun offen an den Tag. Es ist die Sühne,
Die ich hier Eurem Handeln auferlege:
Drum sprecht, und Eure Sünde ist vergeben.

PEMBROKE:

Johann Plantagenet liegt schon im Sterben.
Ich gab ihm Gift, und es gibt keine Rettung.

PANDULPHO:

Damit ist Heinrich König.

KÖNIG PHILIPP:

Genial!
Das ist die Lösung des Konflikts. Ein Kind
Ersetzt das andre Kind. Wir dürfen
Gott danken, daß die Angoulême gebar.

Klettert aus dem Waschzuber, wickelt sich in sein Badtuch.

KÖNIG PHILIPP:

Louis, steig aus dem Bad, laß England fahren.
Zurück nach Frankreich. Schließen wir den Frieden.

König Philipp und Louis ab.

BASTARD:

Eminenz.

PANDULPHO:

Mein Sohn.

BASTARD:

Das ist Verrat.

PANDULPHO:

Verrat, Sir Richard? Nein.
Johann, bedrängt, kam auf Ideen.
Dem Volk ein neues Recht! Wie gnädig tönt's
Aus königlichem Mund. Ich kenn das Volk
Von Grund auf, seine Not und Unterdrückung.
Ich weiß, wie's stinkt, was Hunger ist, was Zittern
Vor Mächtigen, ich stamme aus der Gosse.
Mein Vater war im schönen Mailand Schreiber,
Und meine Mutter holte sich der Fürst ins Bett
Und mich dazu, wenn's ihm gerade paßte.
Mir macht kein Fürst was vor. Ist so ein König
Im Unglück, sehnt er sich nach seinem Volk
Wie jetzt Johann. Er glaubt ans Volk. Er träumt
Vom Volk. Er preist das Volk. Er will dem Volk
Die Freiheit geben, wird gar sozial.
Doch kehrt
Sein Glück zurück, entschwindet die Empfindung
Fürs arme Volk, der Fürst wird wieder hart.
Die Kirche ist allein des Volkes Freund,
Aus seiner Mitte holt sie ihre Söhne,
Sie hält allein die Hoffnung wach, wenn auch
Aufs beßre Jenseits nur, bis endlich sich
Das Volk die Rechte selber schafft. Genug.
Die Gegenwart zwang uns zu handeln. Wir
Sind eingesperrt in einen Raubtierkäfig.

Nach Mord ist alles lüstern, selbst die Kirche,
Und Blut klebt auch an meinem Kleid. Bastard,
Gebt Euch zufrieden und den König auf.

BLANKA:

Es sei. Der Friede ist geschlossen. Doch
War England mein, durch mich kam Frankreichs Anspruch
Auf Land und Krone der Plantagenet.
Verzichtend will ich dennoch nicht verzichten
Auf meine Rache für die Schande, die
Ein Mann mir brachte. Er sei mein: Der Bastard.

PANDULPHO:

Er sei der Eure, Fürstin.

BLANKA:

Nehmt ihn fest.

Soldaten verhaften den Bastard.

PANDULPHO:

Ihr edlen Lords, entlaßt die Truppen. Kommt
Nach Northampton, dem Sterbendem, dem König,
In seiner letzten Stunde beizustehen.

Pandulpho mit Pembroke ab.
Blanka betrachtet ruhig den Bastard.

BLANKA:

Führt ihn hinaus. Peitscht ihn wie einen Hund.
Dann laßt ihn laufen.

DRITTE SZENE

Northampton. Ein Staatszimmer im Palast.

Bigot, Salisbury, Essex, Chatillon, Lords.

CHATILLON:

Der König lebt noch immer.

ESSEX:
Nur Geduld.
SALISBURY:
Er kommt. Seid feierlich, ihr Lords, ergriffen.
BIGOT:
Gebete murmeln, mehr ist nicht zu tun.
CHATILLON:
Ich hoffe, Frankreich wird hier nicht betrogen.
Pandulpho und Pembroke führen König Johann herein, begleiten ihn zum Thron. König Johann ist im Nachthemd und blutbesudelt.
KÖNIG JOHANN:
Lords,
Ihr Großen meines Reichs. Ich fühlte mich
In dieser Woche krank. Doch kehrt die Kraft
Nach frischem Blutsturz mir zurück.
Und wie mein Land war auch mein Leib
In einer Krise. Beide hat der Tod
Bedroht, nun Frankreich heimgekehrt, gesunden
Wir beide, Land und ich. Ich habe viel
Gedacht, als ich so dalag. Schlaflos. Schmerzen
Und Kälte, Hitze drauf. Mein Geist blieb klar.
Er spähte nach dem Sinn des Staats, den wir
Regieren. Frage war: Mit welchem Recht
Ist England unser, den Plantagenets?
Ist England nicht sein eigen Eigentum?
England gehört nicht mir und euch, ihr Lords.
Wir sind es nur, die es verwalten, doch
Verwalten wir es gut? Wir profitieren.
Was wir Gesindel heißen, dem gehört
Das Land, was uns Geschäft, bezahlt das Volk.
Ich stand an einer Grenze. Halb im Tod
Und halb im Leben schaute ich und sah
Gerechtigkeit. Wie Moses, als er kam
Vom Sinai, kehr ich vom Todesland
Zurück mit einer Magna Charta dessen,
Was Recht sein soll in England von nun an:
Einschränkung meiner königlichen Macht,

Freiheit der Stände, Schutz vor Willkür der
Gerichte –

Der Bastard tritt auf mit nacktem, blutverkrustetem Oberkörper.

KÖNIG JOHANN:
Richard, Bastard meines Bruders,
Mein Freund und mein Berater, dem ich traue
Wie sonst nur noch Pembroke, dem treuen Diener.
Du bist mißhandelt und entstellt. Von wem?

BASTARD:
Das ist jetzt gänzlich nebensächlich, Sir.

KÖNIG JOHANN:
Ich will die Wahrheit wissen.

BASTARD:
Welche Wahrheit?
Die Wahrheit über mich? Ich bin ein Bastard.
Die Wahrheit über Euch? Sie nützt Euch nichts.
Sie ist unmenschlich. Darum laßt sie sein.

KÖNIG JOHANN:
Ich ahne sie. Ich sterbe. Ist es so?

BASTARD:
Fragt Pembroke, Sir.

KÖNIG JOHANN:
Vergiftet?

BASTARD:
Fragt ihn.

König Johann erhebt sich und wankt auf den Bastard zu.

KÖNIG JOHANN:
Unnötig jede Frage. Nicht der war's,
Auch nicht der Kardinal, die mich jetzt stürzten.
Indem ich mir den Sohn schuf, der mir folgt,
Stürzt' ich mich selber. Lächerlicher Tod!
England hat nun ein Kind zum König. Kind!
Ein Säugling herrscht, in Windeln, gierig nach
Der flachen Brust der schiefen Angoulême.
Der Adel hat gesiegt, der König ist
Kein Hemmnis seiner Willkür, seiner Gier,
Aufs neue wird dies England ausgeplündert,

Von allen Feinden der Plantagenets.
Doch der mich stieß in diese böse Pleite,
Voll Hohngelächter, der mich stolpern ließ
Ins Grab durch meine Zeugungskraft, gefällt
Durch Pipi und Gekake meines Sohns,
Bist du! Du hast mich mit Vernunft vergiftet!
Dein Rat war's, diese Angoulême zu nehmen.
Nun wird das kalte Brett, mit dem ich schlief,
Der Deckel meines Sargs. Verflucht die Stunde,
In der ich dich aus warmen Fladen kratzte
Ans Tageslicht. Du brachtest nichts als Unglück.
Die Welt verbessernd, machtest du sie nur
Verdammter. Kehr zurück zu deinen Schweinen,
Zurück in deinen Bauernmist, hinweg
Aus meinen Augen –

König Johann wankt zum Thron zurück, steht unbeweglich, bricht dann tot zusammen.

PEMBROKE:
Der König, meine Lords, ist tot. Es lebe
Heinrich der Dritte. Laßt die Herzogin
Von Angoulême herein mit ihrem Sohn.

Die Herzogin erscheint verschleiert mit dem Säugling Heinrich dem Dritten. Setzt sich auf den Thron, zur Linken der Kardinal, zur Rechten Pembroke.
Pandulpho salbt das Kind.

PANDULPHO:
Sei König über England, Heinrich. Graf
Pembroke wird dich erziehen, wir, die Kirche,
Dir beistehn.

PEMBROKE:
Ihr jedoch, Sir Richard, wißt,
Auch uns sind Männer, wie Ihr seid, ganz nützlich.
Ihr seid ernannt zum Herzog von Northampton;
Bleibt so der Krone und dem Staat erhalten.

BASTARD:
Verflucht vom König und zurückgeschickt,
Kehr ich zurück nach Faulconbridge. Ich mischte

Mich in die Welt der Mächtigen hinein,
Versuchte sie zum bessren Ziel zu lenken.
Doch Dummheit zog den Wagen des Geschicks.
Und Zufall. Was ich hoffte, das blieb aus,
Nach soviel Feilschen, Morden und Verrat
Kam statt Vernunft ein Pembroke bloß heraus.
Mein Land, du liegst darnieder. Tauchend in
Dein Volk, werd ich ein Teil des Volkes wieder,
Und sei es auch als Stallknecht meines Bruders.
Auf deinen Adel, deine Ehren pfeifend,
Mit jeder Kuhmagd schlafend, die ich schnappe,
Mit jeder Wirtshausköchin, deren Hintern
Mir diese Welt voll Finsternis erleuchtet,
Zeug ich Bastarde, wie ich selber einer,
Und senke in das Volk die Kraft des Löwen!
Nur so ist diesem England noch zu helfen.

Bastard ab.

PEMBROKE:

Ihr Lords, verscharrt den König irgendwo
Wie irgendeinen. Auf zum Staatsgeschäft,
Dies Land durch unsre Zeit hindurch zu karren
Im alten Gleise, ungestört von Narren.

Der Text eines Theaterstückes ist eine Partitur, die auf der Bühne in ein Spiel umgesetzt werden muß. Dieses Umsetzen nennen wir Theaterarbeit. Sie ist ein Erproben und damit ein Durchdenken des Textes und kann nachträgliche Änderungen erzwingen.

Bühne: Zuerst stellt sich die Frage nach der Gestalt der Bühne. Wir wählten eine Bühne, die durch zwei veränderbare Elemente bestimmt wurde. Das erste Element bildete eine von hinten angeleuchtete transparente weiße Bühnenrückwand im Zug, die durch hinter ihr an Zügen befestigte bewegliche schwarze Vorhänge unterteilt werden konnte. Vor der transparenten weißen Bühnenrückwand hing eine transparente schwarze Fläche im Zug. Dadurch konnte der untere Teil der weißen Bühnenrückwand schwarz erscheinen [um etwa die Stadtmauer von Angers anzudeuten] oder der obere Teil [um etwa einen Innenraum anzudeuten]. Auch war eine beliebige senkrechte Einteilung der Bühnenrückwand in Schwarz und Weiß möglich, oder die Bildung eines kleinen weißen Rechtecks [Gefängnistüre]. Das zweite veränderbare Element bestand in verschiedenen 1,60 m breiten und 2,50 m hohen Wänden, die in Schienen liefen und auch beliebig schräg gestellt werden konnten. Die Wände waren einfachen Wappenschildern angenähert und dienten dazu, die Bühne zu begrenzen und zu gestalten [zum Beispiel, indem sie Badekabinen vortäuschten]. War der Spielort in Frankreich, waren die Wände blau, war er in England, waren sie rot. Die Kostüme waren einfach und roh [stilisiertes primitives Mittelalter], die Kleider der Engländer rot, jene der Franzosen blau. Für den Krieg zog man weiße Metzgermäntel aus Plastik an, nach dem Krieg erschien man blutbesudelt. Die Verwandlungen geschahen auf offener Bühne. Die Pause war nach der zweiten Szene des dritten Aufzugs.

1] Erster Aufzug, erste Szene, Seite 189
Szenische Veränderungen: Eine Handlung entwickelt sich nicht aus dem Nichts heraus, sondern aus einer andern Handlung. Wir ließen die Handlung aus einem Gerichtstag im königlichen Palast zu Nort-

hampton hervorgehen. Zuerst ertönten hinter dem geschlossenen Vorhang drei Schläge. Dann öffnete sich der Vorhang und die drei traditionellen Theaterschläge erwiesen sich als etwas anderes: Als drei Enthauptungen. Im Hintergrund standen auf einem Podest Lords. In der Mitte der Bühne in Sesseln von links nach rechts: Eleonore, König Johann, Blanka. Links von ihnen stand Chatillon. Rechts von ihnen standen Essex, Salisbury und Bigot, ganz rechts der Henker, sein Beil abwischend, zu Füßen des Richtpflocks ein enthaupteter Leichnam und drei Körbe. Ein Soldat schleppte den Leichnam nach rechts hinaus. Essex, Salisbury und Bigot traten zu den Körben, bedeckten jeden Korb mit einem schwarzen Tuch, legten auf jeden Korb eine Krone und trugen die drei Körbe hinaus. Der Henker nach rechts ab. Dann erst beginnt König Johann: Nun, Chatillon, was will Frankreich uns ...

Blanka: Im Verlauf der Proben stellte sich heraus, daß Blanka geändert werden mußte. Shakespeare hatte sie als ein rührendes, naives Wesen hingestellt, die neue Konzeption konnte diesen schönen Charakterzug nicht mehr beibehalten. Blanka wurde zu einer selbstbewußten reichen Millionenerbin gemacht, die sich den Bastard leisten will.

2] Zweiter Aufzug, erste Szene, Seite 201
Vor der schwarzen Stadtmauer eine schwarze zusammenklappbare Treppenleiter. Im Hintergrund vor der Stadtmauer spielten Louis und Isabelle Krocket, zu denen sich später Österreich in einem grünen Kleid gesellte. Die Vorstellung Arthurs geschah so, daß ihn Philipp in die Arme nahm, ihn in die Arme Österreichs legte, der ihn Louis in die Arme legte, worauf der mit den Worten: «Ein edles Kind, wer stünde ihm nicht bei», den Knaben in die Arme Konstanzens legte. Nach der Begrüßung der Engländer servierte während der Verhandlung der Bastard Eleonore und Blanka Tee, hielt darauf weiterhin eine Teetasse in der Hand, erschien so zuerst als Höfling. Alle Auftretenden trugen Feldstühle mit sich.

3] Seite 215/216
Ein Strich aus der Urfassung der Umarbeitung wurde aufgetan, um

die Gefahr zu vermeiden, den Bastard, der hier mit blutverschmierter Metzgerschürze auftritt, allzu «ideologisch» erscheinen zu lassen.

4] Seite 217
Um die Antwort des Bastards für Blanka beleidigender ausfallen zu lassen.

5] Seite 221
Es stellte sich die Frage, wie das wichtige Gespräch König Johann–Bastard zu spielen sei. Wir entschieden uns für eine Rasierszene. Der Bastard hat sich hervorgetan, seine Ratschläge sind akzeptiert worden. König Johann beschließt instinktiv, ihn zu demütigen, indem er ihn als Lakaien behandelt. Die zwei gereimten Verse König Johanns sollen die Rasierszene vom vorhergehenden abheben.

6] Seite 227
Der Auftritt des Kardinals: Wir hatten für ihn eine monstruöse Sänfte mit Dach und Kreuz und einer Klapptüre zum Einsteigen gebaut, wir ließen sie zuerst von Mönchen von links nach rechts über die Bühne tragen, der Auftritt geriet zu grotesk, zu unwahrscheinlich, aus der Sänfte wurde ein falsches Bühnenrequisit. Wir wählten darauf den kürzeren Auftritt, die Mönche stellten die Sänfte von links kommend links außen hin, und es war, als ob eine neue Schachfigur ins, Spiel käme.

7] Seite 231/232
Die rührende Klage Blankas bei Shakespeare ist gestrichen.

8] Dritter Aufzug, zweite Szene, Seite 233
Die Szene muß wie im Blutrausch gespielt werden. Der Bastard, König Johann und die andern Lords in blutbesudelten Metzgermäntel. Während des Gesprächs mit dem Bastard und mit Chatillon zieht sich der König aus, gießt aus einer Schüssel des Hochzeitstisches Wasser über seinen nackten Oberkörper, trocknet sich mit einer Serviette, trinkt usw.

9] Seite 234
Grotesker Spielvorschlag, doch nicht ohne Logik.

10] Dritter Aufzug, dritte Szene, Seite 237
Szenische Änderung.
Der Beginn nach der Pause erwies sich als besonders schwierig zu inszenieren. Als Ort hatten wir zuerst Le Mans, Zimmer in einem Palast. Die Szene blieb rhetorisch und überzeugte nicht. Die Frage Katherina Tüschens, welche die die Konstanze spielte, «Warum trete ich überhaupt auf?» gab den Ausschlag. Der Spielort überzeugte nicht. Wir ließen darauf die Szene in einer Kapelle spielen, beim Beichten und Beten.

11] Vierter Aufzug, zweite Szene, Seite 250
Die Rüstungen der Lords müssen primitiv sein und nicht komisch wirken. Ohne Helm, nur Brustpanzer, Panzerschurz, Arm- und Beinschienen. Dazwischen roher Stoff.

12] Seite 266
Es ist dramaturgisch wichtig, daß das Paar Johann-Bastard hier szenisch sichtbar vom Kardinal getrennt wird.

13] Seite 269
Mit der besten Karte meint er Blanka.

Shakespeares «König Johann» ist eine Bearbeitung des Stückes eines Unbekannten. Da wir dieses Stück besitzen, vermögen wir auch das dramaturgische Vorgehen zu verfolgen, das Shakespeare bei seiner Bearbeitung anwandte. Die Bearbeitung Shakespeares ist nicht eines seiner Meisterwerke, die Bearbeitung mußte offensichtlich in Eile geschehen. Er erzählte seine Vorlage in wenigen Szenen, darum oft rhetorischer, vieles, was im alten Stück dargestellt wird, läßt er berichten. Was nun meine Bearbeitung der Bearbeitung Shakespeares betrifft, so benutzte ich die Übersetzung Schlegels. Ich übernahm die Spielkonstellation Shakespeares, die er schon von seinem Vorgänger übernommen hatte, um sie neu durchzudenken. Ich stellte mir die Aufgabe, die dramaturgische Dialektik des vorhandenen Spielmaterials reiner herauszuarbeiten, die ständigen Peripetien beizubehalten, die auch bei Shakespeare vorhanden sind, und zu einem eleganteren Endspiel zu kommen; das Spiel zu verkürzen, statt des mühsamen Kleinkrieges, mit dem Shakespeare und sein Vorgänger ihr Matt erzielen, es mit wenigen Spielzügen zu erreichen und so die Handlung durchsichtig zu machen. Aus einer dramatisierten Chronik wird ein Gleichnis: Die Komödie der Politik, einer bestimmten Politik.
Doch ist Dramaturgie nicht ohne weiteres mit einem Schachspiel zu vergleichen. Im Schachspiel sind die Zugsmöglichkeiten jeder einzelnen Figur durch Konvention festgelegt, in der Dramaturgie sind die Zugsmöglichkeiten der einzelnen Figuren von ihren Charakteren abhängig. Änderungen der Charaktere ergeben auch bei gleicher Ausgangslage eine andere Spiellogik, ein Springer kann sich wie ein Läufer verhalten. So auch bei meiner Bearbeitung. Einigen Figuren ließ ich ihre Charaktere, anderen änderte ich sie, wenn auch eine genaue Analyse meiner Bearbeitung vielleicht zeigen könnte, daß ich überhaupt alle Figuren charakterlich verändert habe. Indem ich zuerst wenig veränderte, mußte ich am Ende alles verändern, eine anders gestellte Weiche scheint den Zug zuerst in die gleiche Richtung zu führen, bis er sich mit der Zeit immer mehr von seinem ursprünglichen Ziel entfernt.
Das neue gesehene Verhältnis König Johann–Bastard stellte die

Weiche um. Bei Shakespeare erscheint Johann als ein schwacher, grausamer König, der sein Land ins Unglück stürzt, als ein Bühnenbösewicht ohne Glanz und Glück. Ich wertete ihn auf, was sich gewiß historisch rechtfertigen ließe, wenn sich «König Johann» an die Geschichte hielte. Shakespeare und sein Vorgänger taten es nur vage. Ich noch vager, es geht darum, brauchbare Geschichten für die Bühne zu schreiben, nicht auf der Bühne eine Volkshochschule für Geschichte zu veranstalten. Die Geschichte ist ein Stoff für Geschichten, doch jeder Stoff muß zugeschnitten werden, damit er eine Geschichte wird. Der historische Johann war bedeutend durch seine Fähigkeit, aus fatalen Lagen einen Ausweg zu finden, bei mir findet er diese Auswege zwar nicht selbst, sondern indem er den Ratschlägen des Bastards gehorcht. Doch scheint mir die Fähigkeit, einem vernünftigen Rat zu gehorchen, durchaus unseren Respekt zu verdienen, auch wenn der Vernunft nur gehorcht wird, um den eigenen Kopf zu retten: Viele Politiker sind nicht einmal dazu fähig, sie rennen auf Kosten anderer in ihr eigenes Verderben. Was den Ratgeber König Johanns betrifft, den Bastard Philipp Faulconbridge, so ist er bei Shakespeare und mir ein Außenseiter. Doch durch seine politische Haltung, die er bei Shakespeare einnimmt, wird er für uns doch etwas bedenklich. Nichts gegen diesen wilden Prachtskerl, aber ein Patriotismus um jeden Preis leuchtet uns nicht mehr ohne weiteres ein. Der Bastard ist bei Shakespeare ein Ideologe. Beziehen sich die Könige Johann und Philipp auf Gott, ihre Macht zu begründen, fügt der Bastard als neuen ideologischen Faktor das Volk hinzu. Johann ist für ihn nicht in erster Linie ein Plantagenet, sondern der König Englands, dem, als König Englands, unter allen Umständen die Treue zu halten ist. Doch die ideologischen Formeln Shakespeares Johann = England und Philipp = Frankreich sind für uns nicht mehr aufrechtzuerhalten. Für uns gilt die Formel Johann = Philipp = Feudalismus. Was wir in meiner Bearbeitung erleben, ist der politische Machtkampf innerhalb eines Systems, zu dem nicht nur die Plantagenets und die Capetinger gehören, sondern auch – da sich, ideologisch gesehen, die Dynastien metaphysisch begründen – die Kirche. Der Bastard steht außerhalb dieses Systems, das heißt, es erscheint ihm als System, weil er die Begründungen des Systems nicht glaubt: Gewalt erscheint ihm als Gewalt und nicht als göttliche und damit unverständliche Weltordnung oder als Schicksal. Mein Bastard ist weder Ideologe noch Moralist, für ihn sind die Könige die Machthaber und die Völker die Opfer dieser Machthaber. Was er von den Königen verlangt, ist allein, daß sie vernünftig regieren, er versucht Johann vernünftig zu machen. Indem Johann dem Bastard gehorcht, wird er zum Reformpolitiker. Doch jede Reform ruft den Widerstand des ganzen Systems hervor, so daß jeder vernünftig durchgeführte Zug durch die Reaktion des Systems eine noch schlimmere Lage schafft, die wiederum den Bastard und Johann zu noch tiefgreifenderen Reformen zwingen, bis sie schließlich die Magna Charta vorschlagen. Auch spielt, wie bei jeder Politik, der Zufall mit ein und der Umstand, daß nie alle Handlungen vorauszuberechnen sind. Zu viele Faktoren sind in der Politik im Spiel, als daß sie narrenfrei sein könnte. Von dieser Dialektik aus ist auch das Ende Johanns zu sehen: Er setzt sich innerhalb seines Systems stilgerecht selber schachmatt. Eine Reform eines Systems ist immer eine halsbrecherische Angelegenheit, sie setzt, ob sie will oder nicht, das ganze System in Frage.

«König Johann» ist ein politisches Stück, das ist es bei Shakespeare und das ist es bei mir. Es zeigt die Maschinerie der Politik, das Zustandekommen ihrer Abkommen und ihrer Unglücksfälle, doch ist es ein Spiel unter den Mördern, nicht unter den Opfern. Ich habe auf die naheliegenden Manipulationen verzichtet, die man heute oft bei Shakespeare-Bearbeitungen anwendet, ich habe keine Volksszenen eingebaut, die Opfer, die nicht zur herrschenden Klasse gehören, erscheinen als bloße Zahlen, wieder sind sechstausend oder siebentausend gefallen.

Ein altes Stück, im Grunde nur revidiert, aber im alten Stile gehalten. Bewußt. Damit wird die Möglichkeit, es auf unsere Zeit zu beziehen, um so schrecklicher: Daß uns «König Johann» immer noch angeht, weist unsere Problematik auf. Ein böses Stück, ich bestreite es nicht, doch wird es von unserer Zeit bestätigt.

PLAY STRINDBERG

TOTENTANZ NACH AUGUST STRINDBERG

SZENE

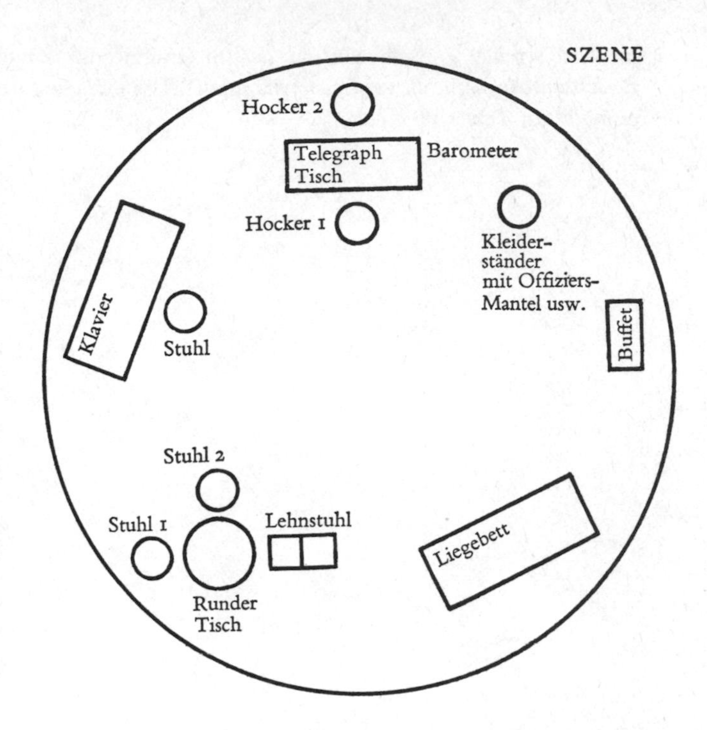

Hinten und auf den Seiten der Bühne schwarze Samtvorhänge, am Boden ein schwarzer Samtteppich. Darauf eine hellgraue kreisrunde Fläche. Die Szene. Auf ihr verschiedene Möbel. Links und rechts an den Bühnenseitenwänden je eine Requisitenbank mit den nötigen Requisiten, welche die Schauspieler selber holen. Über der Szene ein Ring mit Scheinwerfern. Der Inspizient schlägt den Gong.

Alice, Edgar und Kurt treten auf.

Im Text bedeutet größerer Abstand längere Pause, Strich Zäsur. Beides sind Angaben, die helfen sollten, auf die Rhythmisierung des gesprochenen Textes zu achten.

A: Play Strindberg.
E: August Strindbergs «Totentanz».
K: Arrangiert von Friedrich Dürrenmatt.

Kurt geht aus der Szene, setzt sich auf die Requisitenbank 2 (rechts).

E: Erste Runde.
A: Unterhaltung vor dem Abendessen.

Gong.

Alice auf dem Liegebett, stickend,
Edgar im Lehnstuhl.

Lange geschieht nichts.

Edgar zieht seine Uhr auf.

E: Spiele was vor.
A: Was?
E: Was du willst.
A: Solveigs Lied.
E: Den Einzug der Bojaren.
A: Du liebst nicht mein Repertoire.
E: Du meines auch nicht.
A: Dann spiele ich nichts vor.

E: Die Türe ist offen.
A: Soll ich sie schließen?
E: Wenn du willst.
A: Dann schließe ich sie nicht.

A: Rauche doch.
E: Ich vertrage keinen starken Tabak mehr.
A: Rauche schwächeren.
E: Ich habe keinen schwächeren.
A: Rauchen ist noch deine einzige Freude.
E: Was ist Freude?
A: Ich weiß nicht.
E: Ich auch nicht.

A: Whisky?
E: Später.

E: Was gibt es heute abend?

A: Frag Jenny.
E: Die Makrelenzeit beginnt.
A: Möglich.
E: Es ist Herbst.
A: Und wie.
E: Eine geröstete Makrele mit einer Zitronenscheibe wäre nicht zu verachten.
A: Dir ist bloß deine Gefräßigkeit geblieben.

—

E: Ob wir noch Burgunder im Weinkeller haben?
A: Nein.
E: Wir brauchen aber Burgunder.
A: Wozu?
E: Wir müssen unsere silberne Hochzeit feiern.
A: Unser fünfundzwanzigjähriges Elend brauchen wir nicht zu feiern.
E: Wir hatten es manchmal nett miteinander.
A: Das bildest du dir bloß ein.

—

E: Bald ist alles vorbei.
A: Hoffentlich.
E: Von uns bleibt nichts als ein Schiebkarren voll Mist für ein Gartenbeet.
A: Laß mich mit deinem ewigen Mist zufrieden.

A: Post?
E: Ja.
A: Die Fleischrechnung?
E: Ja.
A: Wie hoch?

Alice geht zu Edgar.

E: Ich brauche eine neue Brille.

Edgar gibt Alice die Fleischrechnung.

A: Kannst du die Rechnung bezahlen?
E: Ja.
A: Jetzt?

E: Später.
A: Wenn du pensioniert wirst, weil deine Krankheit wiederkommt, muß ich sie zahlen.
E: Ich bin kerngesund.
A: Das ist mir neu.
E: Nur hin und wieder ein wenig schwindlig.
A: Du hast ganz schöne Absencen, mein Lieber.

Alice setzt sich wieder auf das Liegebett, stickt.

E: Ich lebe noch zwanzig Jahre.
A: Kaum.
E: Ich bin nicht krank, ich bin nie krank gewesen, und ich werde nie krank sein.
A: Deine Ansicht.
E: Ich sterbe Knall und Fall wie ein alter Soldat.
A: Der Arzt ist anderer Ansicht.
E: Der Arzt ist ein Idiot.

A: Der Arzt gibt heute eine Gesellschaft.
E: Soll er.
A: Wir sind nicht eingeladen.
E: Weil wir mit diesen Leuten nicht verkehren, und wir verkehren nicht mit diesen Leuten, weil wir nicht wollen, und wir wollen mit ihnen nicht verkehren, weil wir sie verachten.
A: Weil du sie verachtest.
E: Sie sind Pack.
A: So nennst du alle Menschen. Nur dich nimmst du aus.
E: Ich bin ein anständiger Mensch.

A: Spielen wir Karten?
E: Spielen wir Karten.

Alice setzt sich an den Tisch. Sie beginnen Karten zu spielen. Kartenspiel!

A: Dem Arzt steht das Musikkorps für seine Gesellschaft zur Verfügung.
E: Weil er vor dem Oberst kriecht.

A: Du kriechst auch vor dem Oberst.
E: Ich brauche nicht vor dem Oberst zu kriechen, weil der Oberst mich zu schätzen weiß.
A: Aber das Musikkorps steht dir nie zur Verfügung.
—
E: Was ist Trumpf?
A: Bist du müde?
E: Nein.
A: Dann sind deine Augen krank. Pik.
E: Unsinn.
A: Du sagtest doch, du brauchst eine neue Brille.
E: Jeder braucht einmal eine neue Brille.
A: Und du willst noch zwanzig Jahre leben.
E: Ich lebe noch zwanzig Jahre.
A: Pik ist Trumpf.
—
E: Sechs und acht macht fünfzehn.
A: Vierzehn.
—
E: Vierzehn.
A: Rechnen kannst du auch nicht mehr.
E: Wenn ich müde bin, bin ich zerstreut.
A: Du sagtest doch, du bist nicht müde.
E: Ich bin nicht krank.

A: Man hört die Musik bis hierher.
E: Das Musikkorps taugt nichts.
A: Für die Offiziersfrauen taugen wir nichts.
E: Mir egal.
A: Dir.
E: Ich bin einsam, ich bin immer einsam gewesen, und ich werde immer einsam sein.
A: Ich auch.
E: Dann beklage dich nicht.
A: Für die Kinder ist es nicht egal.
E: Die vergnügen sich in der Stadt.
A: Ob Kurt ankommt?

E: Heute abend.

—

A: Besucht er uns?
E: Er wird beim Arzt eingeladen sein.
A: Er ist schließlich mein Vetter.
E: Das ist keine Ehre.
A: Laß meine Familie in Frieden, ich lasse deine Familie auch in Frieden.
E: In meiner Familie verließ niemand Frau und Kinder wie dein Vetter.
A: Du hast dich mit ihm gern unterhalten.
E: Schufte brauchen keine Idioten zu sein wie die Leute auf dieser Insel, mit denen ich mich nicht unterhalte, weil sie Schufte und Idioten sind.
A: Mein Vetter ist kein Schuft.
E: Er ist ein Schuft, weil er uns verheiratet hat.

A: Kennst du eine glückliche Ehe?
E: Ekmarks.
A: Sie ist im Spital.
E: Von Kraffts.
A: Er ist bankrott.
E: Dann kenne ich keine glückliche Ehe.

E: Spielen wir weiter.
A: Spielen wir weiter.

A: Schön, daß Kurt zu unserer silbernen Hochzeit kommt.
E: Merkwürdig, daß er sich auf dieser lausigen Insel als Quarantänemeister niederlassen will.

A: Wenn wir nicht geheiratet hätten, wäre ich noch am Theater.
E: Umso besser für das Theater.
A: Ich war eine berühmte Schauspielerin.
E: Die Kritiker waren anderer Ansicht.
A: Kritiker sind Schufte.

E: Aber keine Idioten.

—

E: So, ich nehme einen Whisky.

Edgar geht zum Buffet, schenkt sich einen Whisky ein.

E: Auf den Oberst!

Trinkt.

E: Wenn hier ein Querholz wäre, könnte man den Fuß darauf setzen und sich einbilden, man wäre in der Amerika-Bar in Kopenhagen.
A: Kopenhagen war meine schönste Zeit.
E: Erinnerst du dich an Nimbs navarin aux pommes?
A: Ich erinnere mich an die Konzerte in der Philharmonie.
E: Wir waren nie zusammen in der Philharmonie.
A: Meine schönste Zeit in Kopenhagen war die Zeit, als ich dich noch nicht kannte.

E: Du hast mich nur geheiratet, um mit mir zu prahlen.
A: Mit dir konnte ich nie prahlen.
E: Ich war ein berühmter Militärschriftsteller.
A: Dich hat nie ein Mensch gekannt.

E: Sie tanzen beim Arzt.
A: Den Alcazarwalzer.

A: Du hast mich nur geheiratet, um mit mir zu prahlen.
E: Mit dir konnte ich nie prahlen.
A: Ich war eine berühmte Schauspielerin.
E: Dich kennt kein Mensch mehr.

A: Ich tanzte lange nicht mehr.
E: Wir sind zu alt dazu.
A: Ich bin zehn Jahre jünger.
E: Ich lebe noch zwanzig Jahre.

E: Die Flasche ist leer.
A: Wir haben keinen Whisky mehr.

—

E: Es ist finster.
A: Du siehst ohnehin nichts mit deinen kranken Augen.
E: Meine Augen sind nicht krank.
A: Dann soll Jenny die Lampe anstecken.
E: Jenny kommt nicht.
A: Klingle.
E: Jenny ist gegangen.
A: Für immer?
E: Für immer.
A: Wenn Jenny geht, geht Christel.
E: Geht Christel, bekommen wir keine Dienstboten mehr.
A: Deine Schuld.
E: Zu mir sind die Dienstboten höflich.
A: Weil du vor ihnen kriechst, und du kriechst vor ihnen, weil du als Despot eine Sklavennatur bist.
E: Ich krieche vor niemandem, ich bin vor niemandem gekrochen, und ich werde vor niemandem kriechen.
A: Außerdem greifst du ihnen unter die Röcke.

Edgar setzt sich in den Lehnstuhl.

A: Willst du weiterspielen?
E: Nein.

Alice setzt sich mit dem Rücken zum Publikum auf das Liegebett, stickt wieder.

A: Mein Vetter soll reich geworden sein.
E: Der erste reiche Verwandte in der Familie.
A: In deiner Familie. In meiner Familie gibt es viele reiche Verwandte.
E: Deshalb stinkt mir ja auch deine Familie.

Der Telegraf klopft.

A: Wer ist's?
E: Die Kinder.

Edgar geht zum Tisch mit dem Telegraf.

A: Nun?
E: Sie sind in der Hauptwache.

A: Und?
E: Judith ist krank.
A: Schon wieder.
E: Sie brauchen Geld.
A: Schon wieder.

Edgar setzt sich hinter den Tisch mit dem Telegraf, klopft das Schlußsignal.

E: Die Kinder arbeiten in der Schule zu wenig.
A: Du arbeitest auch nichts.
E: Ich war der Klassenerste, mein Sohn fällt durch jedes Examen und meine Tochter auch.
A: Rede mit ihnen.
E: Rede du mit ihnen.
A: Du bist feige, du bist immer feige gewesen, und du wirst immer feige sein.

E: Ich *war* ein berühmter Militärschriftsteller!
A: Ich *war* eine berühmte Schauspielerin!

Edgar gähnt.

A: Du gähnst.
E: Und.
A: Vor deiner Frau?
E: Was soll ich sonst tun. Wir führen jeden Abend das selbe Gespräch.

E: Ich glaube nicht, daß dein Vetter reich geworden ist.
A: Er ist aber reich geworden.
E: Warum wird er dann Quarantänemeister?
A: Du hast es nicht einmal bis zum Major gebracht.
—
A: Essen wir bald?

A: Der Arzt bestellte für die Gesellschaft das Souper aus der Stadt vom Grandhotel.
E: Dann gibt's Haselhühner. Ich möchte bloß wissen, was diese Barbaren dazu trinken.

A: Soll ich dir nicht doch was vorspielen?
E: Wenn du mir nicht mit deiner ewigen Solveig kommst.
A: Dann nicht.
E: Dann frag nicht.
A: Die einzige Musik, die du liebst, ist dein unmöglicher Einzug der Bojaren.

Edgar steht auf und geht in die Mitte der Szene.

E: Die Bojaren waren noch Herren.

Alice lacht.

E: Im Weinkeller sind zwei Flaschen Champagner.
A: Ich weiß.
E: Wollen wir sie nicht heraufholen und so tun, als hätten wir Besuch?
A: Der Champagner gehört mir.
E: Sei nicht immer so ökonomisch.
A: Ich muß ökonomisch sein, weil du kein berühmter Militärschriftsteller bist.
E: Wollen wir nicht versuchen, wenigstens heute abend nett miteinander zu sein?
A: Gegen frühere Abende sind wir heute abend nett miteinander.

—

E: Soll ich dir was vortanzen?
A: *Du* bist zu alt dazu.
E: Wenn du den Einzug der Bojaren spielst, tanze ich dir trotzdem was vor.
A: Auch wenn du alle für Idioten hältst, brauchst du dich nicht wie ein Idiot aufzuführen.

Edgar setzt sich in den Lehnstuhl.

E: Haselhühner sind eine Delikatesse, wenn man sie nicht im Speck brät.
A: Das Grandhotel brät sie nie im Speck.

E: Der Oberst weiß mich zu schätzen.
A: Dann ist er der einzige wirkliche Idiot.

E: Es wäre vielleicht gut, wieder einmal jemanden einzuladen.

A: Du hast alle weggegrault.

E: Früher waren wir manchmal ganz glücklich, wenn wir Besuch hatten.

A: Nachher waren wir noch unglücklicher. Nur der Besuch war froh, wenn er wieder gehen konnte.

Kurt klopft, auf der Requisitenbank sitzend.

E: Das ist Christel.

A: Sieh nach.

Edgar geht rechts hinten von der Szene.

Edgar betritt wieder die Szene.

E: Es ist Christel.

Edgar setzt sich wieder in den Lehnstuhl.

E: Sie geht auch.

—

A: Wir sind erledigt.

E: Wir hängen uns am besten auf.

Gong.

Alice, Edgar. Kurt betritt von rechts die Szene.

A: Zweite Runde.
E: Endlich Besuch.

Gong.
Alice, Edgar und Kurt breiten die Arme aus.

A: Willkommen, Vetter!
E: Willkommen, Kurt!
K: Sei gegrüßt, Alice!

Kurt umarmt Alice.

K: Sei gegrüßt, Edgar.

Kurt umarmt Edgar.

K: Ihr wohnt immer noch in diesem alten Turm.
E: Immer noch.
K: Immer noch über dem Gefängnis.
A: Immer noch.
K: Ihr seid allein?
A: Die Kinder sind in der Stadt.
K: Habt ihr keine Dienstboten?
E: Als freie Menschen vertragen wir das Sklavengesindel nicht.

K: Wir haben uns lange nicht gesehen.
E: Fünfzehn Jahre. Wir sind alt geworden. In Ehren verrostet.

Lachen.

A: Kurt hat sich nicht verändert.
E: Unsinn. Auch er ist alt geworden. Ich hoffe nur, auch in Ehren.

Lachen.

A: Du bleibst bei uns.
K: Ich bin beim Arzt eingeladen.
E: Das ist kein Umgang für dich.
K: Der Arzt wird mein Vorgesetzter.

Alice nimmt Kurt den Mantel und den Hut ab, hängt sie an den Kleiderständer.

E: Alter Junge, ich fürchtete mich nie vor einem Vorgesetzten.

K: Ich möchte mir unnötigen Ärger ersparen.

E: Halte dich an mich, und du hast keinen Ärger. Auf dieser Insel befehle ich. Der Arzt ist ein schwachsinniger Quacksalber, der vor mir zittert. Alle auf dieser Insel zittern vor mir.

A: Fast alle.

Kurt setzt sich an den runden Tisch auf Stuhl 2, Alice auf Stuhl 1.

K: Schön. Ich bleibe.

A: Bis du eine Wohnung gefunden hast.

K: Ich sehe, daß ich willkommen bin.

E: Natürlich bist du willkommen. Du bist einmal verflucht leichtsinnig gewesen. Doch die Geschichte ist vergessen, ich bin großzügig.

K: Ich danke dir.

E: Reden wir nicht mehr davon.

Edgar setzt sich in den Lehnstuhl. Besuchsszene.

A: Du bist weit herumgekommen?

K: Ich ließ mich treiben.

E: Und jetzt strandest du bei denen, die du vor fünfundzwanzig Jahren verkuppelt hast. Junge, Junge, wir haben unsere Ehe redlich geführt, zuweilen haben wir geächzt und gestöhnt, zuweilen ging es verdammt hart zu, wie in jeder richtigen Ehe, doch Alice kann sich nicht beklagen, die alte abgetakelte Schauspielerin, das Geld fließt in Strömen, ich bin nicht umsonst ein weltberühmter Militärschriftsteller.

K: Es freut mich, daß dein Lehrbuch der Ballistik noch nicht veraltet ist.

E: Es ist und bleibt das Standardwerk, obgleich die Scheißkerle heute nach einem völlig wertlosen Lehrbuch unterrichten.

K: Tut mir leid.

E: Ein Skandal.

K: Wirklich.

E: Ich sehe schwarz für die Armee.

K: Hauptsache, eure Ehe hält.

A: Und wie.

K: Ich bin stolz, euch verkuppelt zu haben, wie du dich ausdrückst, mein Alter, wenn es auch nicht ganz der Wahrheit entspricht.

E: Reden wir nicht mehr davon.

K: Ihr seid im Ausland gewesen.

A: In Kopenhagen.

E: Fünfmal. Bist du je in Kopenhagen gewesen?

K: Ich war meistens in Amerika.

E: Soso.

K: Und in Australien.

E: Diese Landstriche müssen schauerlich sein. Von lauter Strolchen besiedelt.

K: Kopenhagen ist anders.

A: Deine Kinder?

K: Keine Ahnung.

E: Lieber Kurt, sei mir nicht böse. Ich bin eine ehrliche Haut und sage, was ich denke. Es war nicht klug von dir, deine Kinder im Stich zu lassen.

K: Ich ließ sie nicht im Stich.

E: Und auch nicht anständig von dir.

K: Sie wurden der Mutter zugesprochen.

E: Reden wir nicht mehr davon.

K: Ich geniere mich nicht, davon zu reden. Ich bin froh, die Katastrophe heil überstanden zu haben.

E: Das kann man sagen. Das kann man sagen. Mann Gottes, eine Ehescheidung ist immer eine Katastrophe.

K: Die Scheidung? Wieso? Ich rede von meiner Ehe. *Die* war eine Katastrophe.

E: Was Gott zusammenfügt, darf der Mensch nicht scheiden. Kurt, wir sind Wichte, jämmerliche Wichte angesichts des Unendlichen.

K: Sicher.

E: Wir haben unser Schicksal zu tragen.

K: Mein lieber Edgar, du bist glücklich verheiratet. Du kannst unmöglich eine unglückliche Ehe begreifen.

E: Mein lieber Kurt, du bist in Amerika und in Australien hoffnungslos verspießert.

A: Edgar.

E: Verspießert. Wer sein Schicksal nicht trägt, *ist* verspießert.

K: Hör mal –

E: Reden wir nicht mehr davon.

—

K: Wie geht es euren Kindern?

A: Sie besuchen die Schule in der Stadt und sind schon fast erwachsen.

E: Judith ist ein prächtiges Mädchen, kerngesund, und der Junge ein heller Kopf. Er hat das Zeug zu einem Kriegsminister.

A: Falls er durch's Examen kommt.

K: Gratuliere.

—

E: Deine Kinder sollen ziemlich unbegabt sein, hört man.

K: Möglich. Dann schlagen sie der Mutter nach.

E: Reden wir nicht mehr davon.

—

E: Willst du trinken?

K: Später.

E: Champagner?

K: Tee.

E: Ich hoffe, du bist keiner von diesen scheinheiligen Abstinenzlern geworden?

K: Bin bloß ein wenig mäßiger geworden.

E: Ein ganzer Mann muß sich voll laufen lassen können.

—

K: Die Leute auf der Insel?

E: Pack.

K: Ihr seid mit allen verfeindet?

A: Edgar ist mit allen verfeindet.

K: Es muß doch schrecklich sein, zwischen lauter Feinden zu leben.

A: Angenehm ist es nicht.

E: Es ist durchaus nicht schrecklich. Ich habe mein ganzes Leben lang nur Feinde gehabt, und sie haben mir nicht geschadet, sie haben mir geholfen. Wenn ich abkratze, kann ich sagen: Ich bin keinem was schuldig.

A: Edgar war nie auf Rosen gebettet.

E: Ich machte mich aus eigener Kraft zu dem, was ich bin.

K: Das kann ich von mir nicht behaupten. Seit ich als Ehemann jämmerlich versagte, zweifle ich etwas an meiner eigenen Kraft.

E: Du bist ein himmeltrauriger Versager.

A: Edgar!

E: Ein himmeltrauriger Versager!

Edgar schlägt auf den Tisch.

Alice schlägt auf den Tisch.

E: Gewiß, einmal setzt die Maschinerie aus, und nichts bleibt von uns übrig als ein Schiebkarren voll Mist für ein Gartenbeet, aber so lange die Maschinerie noch klappert, soll man mit Händen und Füßen um sich schlagen, was das Zeug hält. Das ist meine Philosophie.

K: Alice, dein Mann ist einfach köstlich.

Alice lacht.

A: Es freut mich, daß es dir bei uns gefällt.

Kurt lacht.

E: Du lachst über mich.

K: Ich bewundere dich.

E: Du bist bloß gekommen, dich am Schlamassel unserer Ehe zu weiden.

K: Edgar, eure Ehe ist doch glücklich.

E: Auch eine glückliche Ehe ist ein Schlamassel. Die Ehe ist überhaupt ein Schlamassel. Der Wind kommt.

Edgar geht zum Tisch mit dem Barometer.

E: Das Barometer fällt.

A: Du bleibst noch?

K: Ich bleibe.

A: Das Essen ist einfach.

E: Ein Sturm zieht auf.

Klopft ans Barometer.

A: Er ist nervös.

E: Ich habe Hunger.

A: Ich gehe. Philosophiert unterdessen.

Zu Kurt.

A: Widersprich ihm nicht, sonst verliert er die gute Laune, und frage nicht, warum er nicht Major geworden ist.

E: Mach was Gutes, Alte.

A: Gib mir Geld, und du bekommst was Gutes.

E: Geld! Immer Geld!

Alice verläßt die Szene links, setzt sich auf die linke Requisitenbank.

E: Geld. Geld. Den ganzen Tag fordert sie Geld, bis ich mir einbilde, ein Geldbeutel zu sein. Aber alles in allem ist sie ein tolles Weib, ein wunderbares Weib, und wenn ich erst an deine Ehemalige denke –

K: Laß das jetzt begraben sein.

E: Auch sie war ein wunderbares Weib, aber du hast sie nicht geformt. Ein Mann muß sein Weib formen. Formen!

Setzt sich.

E: Deshalb ist Alice famos. Trotz allem.

K: Trotz allem?

E: Trotz allem, denn ich habe sie geformt. Sie ist eine treue Gattin, eine unübertreffliche Mutter, aber sie hat ein satanisches Temperament. Mein Guter, es gab im Leben Augenblicke, wo ich dich verflucht habe, daß du mich mit dieser Frau verkuppelt hast.

K: Edgar, ich habe dich nicht mit ihr verkuppelt.

E: Reden wir nicht mehr davon.

—

E: Das Leben ist sonderbar. Da werde ich alt mit meiner Frau, glotze in die Unendlichkeit und warte, daß das Leben versickert. Aber es versickert nicht. Weil wir Kinder haben. Glotzt du auch in die Unendlichkeit?

Kurt lacht.

K: Nein.

E: Weil du nicht in die Unendlichkeit zu glotzen wagst. Weil du deine Kinder im Stich gelassen hast.
K: Ich habe sie nicht im Stich gelassen!
E: Reden wir nicht mehr davon.
K: Wie du willst.
E: Jetzt bist du allein. Allein. Allein. Allein.
K: Daran habe ich mich gewöhnt.
E: Kann man sich gewöhnen, einsam zu sein?
K: Sieh mich an.
E: Du machst einen üblen Eindruck.
—
E: Verzeih. Ich sage, was ich denke. Ich kann es mir leisten, zu sagen, was ich denke. Ich bin der Herr dieser Insel. Weißt du, was ein Herr ist? Die Bojaren waren Herren.
K: Deine guten Bojaren.
E: Herren. Sie waren Herren.
K: Spielt Alice immer noch den Einzug der Bojaren?
E: Immer noch.
K: Tanzest du immer noch dazu?
E: Immer noch.
K: Es scheint sich bei euch nichts verändert zu haben.
E: Das Leben versickert bei mir nicht wie bei dir.
—
E: Was hast du eigentlich in den letzten fünfzehn Jahren getan?
K: Manches.
E: Du bist reich geworden?
K: Etwas.
E: Ich will dich nicht anpumpen.
K: Ich stehe zu deiner Verfügung.
E: Nicht nötig. Das Geld fließt bei mir in Strömen. An dem Tage, wo es nicht mehr strömt, wird mich Alice verlassen.
K: Das bildest du dir bloß ein.
E: Sie wartet darauf.
—

Der Telegraf klopft.

K: Was ist das?
E: Die Zeitangabe.

K: Habt ihr kein Telefon?
E: In der Küche. Doch wenn wir telefonieren, erzählt das Fräulein vom Amt, was wir telefonieren, und so telegrafieren wir eben.
K: Es muß ja grauenhaft sein, auf dieser Insel zu leben.
E: Das Leben ist grauenhaft.

Edgar lacht, dann hustet er.
Edgar zündet sich eine Zigarre an.

K: Schaden dir starke Zigarren in deinem Alter nicht?
E: Ich bin kerngesund.

Pafft.

E: Rauchst du auch? Na ja, du hast nicht die Konstitution dazu.
—
E: Philosophieren wir.
K: Lieber nicht.
E: Philosophieren wir trotzdem.
K: Wie du willst.

Kurt setzt sich auf Stuhl 1.
Philosophieszene 1.

E: Glaubst du an Gott?
K: Irgendwie.

K: Und du?
E: Irgendwie auch.

E: Glaubst du an ein Leben nachher?
K: Irgendwie.

K: Und du?
E: Irgendwie nicht.

E: Glaubst du, daß es nachher auch Kämpfe gibt und Stürme?
K: Irgendwie.
K: Und du?
E: Es gibt bloß die Vernichtung.

Edgar glotzt plötzlich vor sich hin.

K: Irgendwie – Glaubst du –

Kurt stutzt.

K: Edgar? Was hast du denn? Edgar!

Kurt rüttelt Edgar.

E: Ich sterbe Knall und Fall wie ein alter Soldat.

Edgar glotzt wieder vor sich hin.

K: Alice!

Alice kommt von links.

K: Alice!

A: Was gibt's?

K: Weiß nicht. Dein Mann –

A: Ich weiß.

Alice kniet vor Edgar nieder, winkt, spricht nicht unfreundlich.

A: Nun, du Mummelgreis, glotzt du wieder in deine Unendlichkeit? Ein Leben lang hast du mich in diesen Turm gesperrt, ein Leben lang war ich deinen Launen ausgesetzt, ein Leben lang mußte ich dein Geschwafel anhören, ein Leben lang versuchst du, der Stärkere von uns beiden zu sein, aber ich, ich bin die Stärkere von uns beiden.

K: Um Gotteswillen, Alice! Er kann dich doch hören!

A: Er kann in diesem Zustand nicht hören und nicht sehen. Stirb endlich, du mickriger Bojare, aufs Gartenbeet mit dir!

Edgar kommt langsam zu sich.

E: Sagtest du was?

A: Nein.

Edgar erhebt sich.

E: Verzeiht.

Edgar geht zum Kleiderständer, nimmt die Uniformmütze und den Säbel.

E: Ich muß die Posten inspizieren.

Edgar geht rechts hinten aus der Szene, setzt sich auf die Requisitenbank rechts. Alice setzt sich in den Lehnstuhl.

K: Ist er krank?

A: Möglich.
K: Hat er den Verstand verloren?
A: Möglich.
K: Säuft er?
A: Er prahlt bloß damit.
K: Etwas muß er doch haben.
A: Absencen. Schon seit Monaten. Und jedesmal, wenn er eine hat, sage ich ihm die Meinung.

—

A: Kurt, ich habe dich zum Abendessen eingeladen.
K: Ich habe langsam Hunger.
A: In der Speisekammer ist nicht einmal ein Stück Brot. Wir sind verarmt.
K: Ich gehe einkaufen.
A: Auf dieser Insel gibt es um diese Zeit nichts zu kaufen.
K: Eine schöne Insel habt ihr euch da ausgesucht.

—

A: Kurt.
K: Alice.

Alice erhebt sich, holt auf dem Klavier das Fotoalbum, setzt sich zu Kurt auf Stuhl 2.
Die Fotoalbumszene.

A: Willst du unser Fotoalbum sehen?
K: Bitte.
A: Ich habe die Fotos selber eingeklebt.
K: Sehr schön.
A: Ich als Peritta.
K: Wer ist denn das?
A: Eine Gespielin der Medea.
K: Sehr schön.
A: Ich als Eucharis.
K: Wer ist denn das?
A: Eine Dienerin der Sappho.
K: Sehr schön. Dein Mann als junger Leutnant.

Edgar, auf der Requisitenbank, kommandiert.

A: Wenn er stürbe, bräche ich in ein Gelächter aus. Als Oberleutnant.

K: Haßt ihr euch?

A: Bodenlos.

K: Seit wann?

A: Seit jeher. Ich mit den Brautjungfern.

Edgar kommandiert.

K: Sehr schön. Warum habt ihr eigentlich geheiratet?

A: Weil er mich genommen hat. Und jetzt muß ich Messing putzen, Gläser abtrocknen, Fußböden scheuern, heizen und kochen, weil uns die Dienstmädchen immer davonlaufen.

Edgar kommandiert.

A: Pastor Nielsen. Er hat uns getraut.

K: Sehr schön. Trennt euch wenigstens.

A: Wir haben es versucht. Fünf Jahre lebten wir in diesem Turm, ohne uns zu sehen. Dann kam er wieder angewinselt. Die Langeweile war zu groß.

Edgar kommandiert.

A: Der Oberst.

K: Sehr schön.

A: Unsere Kinder.

K: Sehr schön.

A: Die zwei sind gestorben.

K: Auch das hast du durchgemacht?

A: Alles. Die zwei leben noch.

K: Sehr schön.

A: Zwillinge. Er hetzt Judith gegen mich, und ich hetze Olaf gegen ihn auf. Die Insel von Süden gesehen.

K: Sehr schön.

Edgar kommandiert.

K: Warum gibt er mir die Schuld an eurer Heirat?

A: Um dich aus dem Hause zu ekeln. Du und deine Frau mit uns auf dem Dampfer.

K: Ich habe euch nicht verkuppelt.

A: Du hast nicht mich, du hast deine Frau geheiratet.

K: Ich liebte meine Frau.

A: Vorher liebtest du mich.

K: Sicher, aber du bist mit fliegenden Fahnen zu deinem Militärschriftsteller übergelaufen, um gesellschaftlich hochzukommen.

A: Laß das.

K: Reden wir nicht mehr davon.

Edgar kommandiert.

A: Mein Mann als Hauptmann. Ich gehöre einem verfluchten Geschlechte an.

K: Sehr schön.

A: Ich und die Kinder am Strand.

K: Sehr schön.

A: Wenn das Meer bloß steigen und uns wegspülen wollte.

Schließt das Album.

A: Kurt, du mußt bei mir bleiben.

K: Ich bleibe bei dir. Eine Ehe habe ich aus nächster Nähe gesehen: Meine. Die eure ist noch fataler.

Edgar kommandiert.

K: Er hat seine Inspektion beendet.

A: Er wütet, weil er nichts zu essen bekommt.

K: Lenk ihn ab. Bring ihn in eine gute Laune. Spiel ihm was vor.

A: Solveigs Lied.

Alice setzt sich ans Klavier, spielt und singt. Kurt lehnt sich gegen das Klavier, schlägt versonnen mit der Hand den Takt.
Hausmusikszene 1.

A: Der Winter mag scheiden, der Frühling vergehn, der Frühling vergehn, der Sommer mag verwelken, das Jahr verwehn, das Jahr verwehn.

Edgar kommt.

A: Du kehrst mir zurücke, gewiß, du wirst mein, gewiß, du wirst mein, ich hab es versprochen, ich harre treulich dein, ich harre treulich dein.

E: Schluß!

Edgar klappt das Klavier zu.

E: Klagt sie wieder, unsere hochgefeierte Duse? Hat sie ihrem edlen Jugendgeliebten ihr leidgeprüftes Leben gebeichtet an Ritter Blaubarts schrecklicher Seite? Marsch, alte Schachtel, spiel den Einzug der Bojaren, bevor wir uns zu Tische begeben, dein Herr ist eingezogen, dir den Meister zu zeigen!

Alice nimmt Notenblätter vom Klavier, breitet sie auf dem Notenbrett aus.

A: Der Einzug der Bojaren.
K: Ich helfe dir.

Kurt setzt sich neben Alice.

E: Marsch, marsch, ich will tanzen.
A: Der Einzug der Bojaren.

Alice und Kurt spielen vierhändig den Einzug der Bojaren. Edgar beginnt zu tanzen, tanzt immer wilder, sinkt plötzlich zu Boden, bleibt liegen.
Alice und Kurt spielen weiter, ohne etwas zu bemerken.

A: Wiederholen wir?

Alice und Kurt beginnen den Einzug der Bojaren von neuem.
Kurt wendet sich um, sieht Edgar bewußtlos am Boden.
Alice wendet sich um.

A: Herr Jesus.

Gong.

K: Dritte Runde.
A: Ohnmachtsanfälle.

Gong.
Edgar ohnmächtig im Lehnstuhl.
Alice auf Stuhl 1 legt Patiencen.
Kurt sitzt auf dem Liegebett.

E: Der Oberst weiß mich zu schätzen.
K: Er redet vom Oberst.
A: Er redet immer vom Oberst.

E: Eine geröstete Makrele mit einer Zitronenscheibe.
K: Er redet vom Essen.
A: Er redet immer vom Essen.
E: Haselhühner.
K: Tief atmen.

E: Was war denn?
K: Du bist hingefallen.
E: Ich falle nie hin.
K: Du bist aber hingefallen.

Edgar, um seine eiserne Gesundheit zu beweisen, unternimmt von rechts nach links einen Szenenrundgang.
Kurt, besorgt, geht, rückwärtsschreitend, vor ihm her.

E: Tanzte ich den Einzug der Bojaren?
K: Gewiß.
E: Tanzte ich großartig?
K: Ich saß neben Alice am Klavier und konnte deinen Tanz nicht sehen.
E: Ich tanze immer großartig.

Edgar bleibt stehen.

K: Tief atmen.

Edgar atmet tief.

K: Geht es dir jetzt besser?

Edgar geht weiter.

E: Mir geht es ausgezeichnet. Mir fehlt nichts. Ich bin kerngesund.

Edgar bleibt stehen.

K: Tief atmen.

Edgar kippt nach vorne, Kurt fängt ihn auf.

K: Alice, hilf mir doch.

A: Ich kann ihn nicht anrühren.

Edgar steht wieder.

E: War etwas?

K: Du wolltest umkippen.

Edgar geht weiter.

E: Bloß die Augen taugen nichts mehr.

K: Du bist krank.

E: Ich bin nicht krank, ich bin nie krank gewesen, und ich werde nie krank sein.

Edgar bleibt stehen.

K: Tief atmen.

E: Mir ist schwindlig.

K: Tief atmen.

Edgar geht weiter.

E: Mir war schwindlig, weil das Barometer fällt und ein Sturm aufzieht.

K: Lege dich hin.

E: Ich will mich nicht hinlegen.

K: Dann setz dich wieder.

E: Ich will mich nicht setzen.

Die beiden sind auf ihrem Szenenrundgang wieder in ihrer Ausgangsposition angelangt. Edgar kippt um, wird von Kurt aufgefangen.

K: Alice! Er ist dein Mann und braucht deine Hilfe.

A: Zum Sterben braucht man keine Hilfe.

Edgar steht wieder.

E: Was war das?

K: Wieder umgekippt.
E: Ich lebe noch zwanzig Jahre.
K: Tief atmen!

Edgar setzt sich in den Lehnstuhl.

E: Ich muß mich setzen. Ich sterbe Knall und Fall wie ein alter Soldat.
K: Ich telefoniere dem Arzt.
E: Ich will keinen Arzt.
K: Ich telefoniere trotzdem.
E: Du kannst nicht telefonieren. Das Pack hat das Telefon abgestellt.
A: Weil die Rechnung nie bezahlt wurde.
K: Dann *gehe* ich zum Arzt.
E: Wenn er kommt, schieße ich den schwachsinnigen Quacksalber über den Haufen.
K: Ich gehe trotzdem.

Kurt geht rechts hinten aus der Szene.
Alice legt weiter Patiencen.

E: Ich bin krank.
A: Ich habe es immer gesagt.

E: Ein Glas Wasser.

A: Muß wohl.

Alice geht links aus der Szene, holt von der Requisitenbank ein Glas Wasser.
Edgar trinkt.

E: Liebenswürdig.
A: Wirst du dich jetzt pflegen?
—
E: Muß wohl.
A: Dann pflege dich.
—
E: Du wirst es wohl nicht wollen?
A: Schlage dir das aus dem Kopf.
—

E: Es geht mir miserabel.
A: Ich habe es immer gesagt.
—
E: Auf diese Stunde hast du nur gewartet.
A: Du hast gehofft, sie käme nie.
—
E: Die Bojaren waren Herren.

Edgar glotzt wieder vor sich hin.

A: Stirb endlich, du mickriger Bojare, aufs Gartenbeet mit dir! Ein Leben lang hast du mich in diesen Turm gesperrt, ein Leben lang war ich deinen Launen ausgesetzt, ein Leben lang mußte ich dein Geschwafel anhören, ein Leben lang versuchtest du, der Stärkere von uns beiden zu sein, aber ich, ich bin die Stärkere von uns beiden, und von der Welt konntest du mich auch nicht abschließen, wie du dir einbildest, denn ich kann längst telegrafieren, seit Jahren, du bist bloß nicht dahintergekommen.

Edgar kommt langsam zu sich.

E: Sagtest du was?
A: Nein.

E: Ob Kurt wiederkommt?
A: Er hätte so gerne die Einladung des Arztes angenommen.
E: Nun ist er beim Arzt.

E: Ob er jetzt Haselhühner verzehrt?
A: Kurt läßt mich nicht im Stich.
E: Als Vorspeise Lachs?
A: Er ist kein Schuft.
E: Er ist ein Schuft und ein Feigling, weil er nicht zu sagen wagte, er habe von uns genug und beim Arzt gäbe es besseres Essen.

Kurt kommt.

K: Der Arzt kennt deine Konstitution.
E: Und?

Kurt setzt sich aufs Liegebett.

K: Du mußt vorsichtig sein.

A: Ich habe es immer gesagt.
K: Keine Zigarren.
E: Ich rauche nie mehr.
A: Wollen sehen.
K: Keinen Whisky.
E: Ich trinke nie mehr.
A: Wollen sehen.
E: Zu essen?
A: Nur Milch.
E: Der Arzt ist ein schwachsinniger Quacksalber.
A: Das sagst du immer.
K: Er war sehr freundlich.
E: Ein Heuchler.
K: Er kommt, wenn du es verlangst.
E: Der Kerl soll weiterfeiern. Mir geht es ausgezeichnet. Ich verspüre einen riesigen Appetit.
K: Vielleicht geht es ihm doch besser?
A: Gleich wird er wieder vor sich hinglotzen.
E: Was gibt es heute abend?
A: Frag Jenny.
E: Jenny ist gegangen.
A: Frag Christel.
E: Christel ist auch gegangen.
A: Dann gibt es nichts zu essen.
E: Willst du mich verhungern lassen?

Edgar sinkt wieder in sich zusammen.

A: Da glotzt er wieder.
K: Dein Mann tut mir langsam leid.
A: Was sagte der Arzt wirklich?
K: Es steht schlecht.
A: Kann er sterben?
K: Er kann sterben.
A: Gott sei Dank.

Edgar kommt wieder zu sich.

E: Es geht mir scheußlich.
A: Ich habe es immer gesagt.

E: Einen Kognak.
A: Wir haben keinen Kognak.
—
E: Die Polonaise.
A: Die werden auch immer übermütiger.
E: Ich fürchte mich.
K: Wovor?
E: Vor der Vernichtung.
K: Tief atmen.
E: Ich will nicht sterben.
K: Tief atmen.
E: Ich will leben.
K: Tief atmen.
E: Ich will leben!
—
E: Holt einen Arzt, bitte, einen Arzt aus der Stadt. Bitte.

Alice geht zum Telegraf, beginnt zu telegrafieren.

E: Du kannst telegrafieren?
A: Ich kann.
—
E: Seit wann?
A: Seit Jahren.

Alice telegrafiert das Schlußsignal, kommt wieder an den Tisch zurück, legt weiter Patiencen.

E: Telegrafieren. Das Biest kann telegrafieren.

Fällt in eine tiefe Ohnmacht.

K: Alice.
A: Kurt.

Legt weiter Patiencen.

K: Dein Mann – ich weiß nicht –
A: Ist er tot?

Legt weiter Patiencen.

K: Ich glaube, er ist in eine tiefe Ohnmacht gefallen.

Gong.

E: Vierte Runde.
K: Am Krankenlager.

Gong.
Auf dem Liegebett zugedeckt Edgar, schlafend.
Im Lehnstuhl Alice, sich pudernd und schminkend.
Hinter dem runden Tisch Kurt, sich in einer Schüssel das Gesicht waschend. Er hat die Schuhe ausgezogen. Sie stehen vor Stuhl 1, über dessen Lehne sein Rock hängt. Die Weste hängt am Kleiderständer.

K: Draußen geht die Sonne auf.
A: Vorhin schnarchte er.
K: Er ist nicht mehr ohnmächtig.
—
K: Es geht ihm Gott sei Dank besser.
A: Es geht ihm leider Gottes besser.

Kurt geht zum Kleiderständer, zieht die Weste an.

A: Ist er nicht ungewöhnlich häßlich?
K: Kannst du nicht ein einziges gutes Wort über ihn sagen?
A: Er ist trotzdem ungewöhnlich häßlich.

Kurt kehrt zum runden Tisch zurück, knöpft sich die Hemdsärmel zu.

K: Er kann auch liebenswürdig sein.
A: Wenn er etwas im Schilde führt.
K: Er mußte eine harte Jugend durchmachen.
A: Die zahlt er mir heim.
K: Bei fünfundzwanzig Grad Kälte ohne Mantel auf die Straße.
A: Hätte ich nicht noch meinen alten Mantel aus Kopenhagen, müßte ich das auch.
K: Sein Vater hat sein Vermögen verjubelt.
A: Er meins.

K: Dafür liebt er seine Tochter.
A: Die ging mit Fäusten auf mich los.

Kurt zieht sich die Schuhe an.

K: Ob wir ihm nicht wenigstens die Stiefel ausziehen sollten?
A: Ohne Stiefel bleibt nichts von ihm übrig.
K: Ob ich wieder zum Arzt –
A: Du bleibst da.
K: Warum haßt ihr euch eigentlich?
A: Keine Ahnung.
K: Es muß doch einen Grund geben.
A: Wir sind verheiratet.
K: Er ist wirklich ungewöhnlich häßlich.

Alice hat sich hergerichtet und betrachtet Kurt nachdenklich.

A: Kurt, ich bin nicht immer gut zu dir gewesen.
K: Du bist immer gut zu mir gewesen.

A: Du bist so geduldig.
K: Das brachte mir das Leben bei.
A: Warum bist du auf diese Insel gekommen?
K: Um Quarantänemeister zu werden.
A: Das hast du doch nicht nötig.
K: Irgendeine Tätigkeit hat jeder nötig.

—

A: Warum willst du hier Quarantänemeister werden?
K: Um Frieden zu finden.
A: Bist du unglücklich?
K: Jeder hat seine Schwierigkeiten.
A: Liebst du mich noch?

Edgar wacht auf.

K: Er wacht auf.
A: Ich gehe in die Küche.

Alice nimmt das Waschbecken und geht links aus der Szene zur Requisitenbank.

E: Das war der Genesungsschlaf. Habe ich lange geschlafen?

K: Du bist lange ohnmächtig gewesen, und dann hast du geschlafen.
E: Ist ein Arzt aus der Stadt gekommen?
K: Nein.
E: Pack.

Kurt zieht den Rock an, nimmt den Hocker 1 und setzt sich an das Fußende des Liegebetts.

K: Wie fühlst du dich?
E: Das Biest kann telegrafieren.
K: Soll ich den hiesigen Arzt rufen?
E: Der schläft seinen Rausch aus.

—

K: Soll ich einen Pfarrer rufen?
E: Wozu?
K: Dein Gewissen zu erleichtern.
E: Ich habe kein Gewissen.

—

K: Soll ich einen Notar rufen?
E: Wozu?
K: Dein Testament zu machen. Damit Alice wenigstens die Möbel behalten darf, falls dir etwas geschieht.
E: Was könnte mir geschehen?
K: Was jedem geschehen kann.
E: Es geschieht mir nichts, und falls mir etwas geschieht, braucht das Biest keine Möbel.

E: Ich denke nach.
K: Worüber?
E: Deine Frau war ein wertvoller Mensch.
K: Möglich.
E: Leider mußte sie auf einen Kerl wie dich kommen.

Kurt lacht.

E: Du bist früher Bankangestellter gewesen?
K: Nun?
E: Und in Amerika und Australien?
K: War ich zuerst Kellner.
E: Auch ein schmieriger Beruf.

K: Dann wurde ich Goldsucher.
E: Überhaupt kein Beruf.
K: Man muß im Leben manchmal alles wagen.
E: Offenbar hattest du Glück.
K: Ziemlich.
E: Wenn du nun Quarantänemeister wirst, nimmst du deine Kinder zu dir.
K: Die bleiben bei ihrer Mutter.
E: Man sollte seine Pflichten erfüllen.
K: Sicher.
E: Du bist offenbar nicht der Mann dazu.

Alice kommt mit roten Rosen, wirft sie Edgar aufs Liegebett.

A: Von den Unteroffizieren und der Musik.
E: Meine Untergebenen denken an mich.

Alice setzt sich in den Lehnstuhl, lackiert sich die Fingernägel.

E: Weil ich wie ein Vater zu ihnen bin, der sie formt, vor dem sie zittern und den sie achten, weil sie spüren, daß ich ohne Furcht und Tadel bin. Stell die Blumen in eine Vase.

Alice rührt sich nicht.

E: Später. Ich bin nicht leicht gerührt, wahrhaftig nicht, ich bin ein Soldat, und die Menschen sind ein Pack, doch diese unbeholfene Geste ist bei Gott ehrlich gemeint, sie kann nur ehrlich gemeint sein.

Der Telegraf klopft.

E: Judith. Meine Tochter.

Alice geht zum Telegraf. Liest.

A: Heute großer Ball, kann nicht kommen, wünsche gute Besserung. Papa soll nicht so viel trinken.

Alice klopft das Schlußsignal.

E: Das Leben ist trostlos. Meine geliebte Tochter schlägt ihrer Mutter nach, und ich ringe mit dem Tode.

Alice setzt sich wieder in den Lehnstuhl, lackiert weiter.

A: Du hast sie gegen mich aufgehetzt, und nun wendet sie sich gegen dich.

E: Pfui Teufel.
A: Es gibt noch einen gerechten Herrgott.

E: Ich mag nicht mehr leben.
A: Dann leg dich endlich ins Bett.
E: Liege ich im Bett, komme ich nicht mehr hoch.
A: Du willst ja nicht mehr leben.
E: Ich muß leben, auch wenn ich nicht mehr will.
A: Das verlangt kein Mensch.
E: Ich bin Soldat.
A: Dann zieh wenigstens deine gräßlichen Stiefel aus.
E: Ein Soldat muß jederzeit gerüstet sein.
A: Deine ewigen Phrasen. Wir leben im tiefsten Frieden.
E: Unsere Ehe ist ein einziges Gemetzel.

Der Telegraf klopft.

E: Der Oberst. Er weiß mich zu schätzen.

Alice geht zum Telegraf. Liest.

A: Pensionierung bewilligt.

Alice klopft das Schlußsignal und setzt sich wieder in den Lehnstuhl.

E: Woher weiß der Oberst von meiner Unpäßlichkeit?
A: Eine frohe Botschaft verbreitet sich mit Windeseile.
E: Ich habe keine Pensionierung verlangt.
A: Ich habe sie verlangt.
E: Ich nehme sie nicht an.
A: Der Oberst weiß dich offenbar doch nicht zu schätzen.
E: Das Leben ist undankbar.

—

E: Ich habe Hunger.
A: Und?
E: Mach zwei Chateaubriands.
A: Zwei?
E: Für mich und Kurt.
A: Wir sind drei.
E: Dann mach drei.
A: Woher soll ich die Chateaubriands nehmen?
E: Kauf sie im Kasino.

A: Gib mir Geld.
E: Ich habe kein Geld.
A: Dann hast du auch keine Chateaubriands.
E: Nimm sie auf Kredit.
A: Wir haben keinen Kredit mehr.
E: Das Leben ist erbärmlich.

—

E: Erbärmlich. Mein lieber Kurt, ich habe mich fast drei Jahrzehnte lang im Dienste des Vaterlandes in die Ballistik versenkt und das Resultat: Ich werde ausgehungert. Aber vielleicht kannst du die Erbärmlichkeit des Lebens nicht begreifen, weil du selber ein erbärmlicher Kerl bist.
A: Edgar!
E: Ein erbärmlicher und jämmerlicher Kerl.
A: Kurt hat die ganze Nacht mit nüchternem Magen bei dir gewacht, weil nicht einmal Kaffee vorhanden ist, und du beleidigst ihn!
E: Mein lieber Kurt, sie schäumt, weil ich letzte Nacht nicht gestorben bin.
A: Weil du nicht vor fünfundzwanzig Jahren gestorben bist.

Alice und Edgar gleichzeitig:

A: Stirb endlich, du mickriger Bojare, aufs Gartenbeet mit dir!
E: Ich bin nicht krank, ich bin nie krank gewesen, ich werde nie krank sein!
E: Verdammt gemütlich geht es hier zu, verdammt gemütlich.

Edgar übergibt die Rosen Kurt.

E: Und diese Ehe, alter Junge, hast *du* gestiftet.

Edgar erhebt sich, geht zum Kleiderständer, nimmt den Säbel und die Uniformmütze.

E: So. Ich gehe ins Kasino. Chateaubriands essen. Dann gondle ich in die Stadt. Zum Oberst.

Edgar geht rechts hinten aus der Szene.
Gong.

A: Fünfte Runde.
K: Hausmusik.

Gong.
Alice spielt am Klavier Chopin.
Kurt lehnt sich links ans Klavier.
Edgar betritt von rechts hinten die Szene.
Kurt winkt.
Edgar winkt zurück.
Edgar hängt die Mütze und den Säbel an den Kleiderständer.
Edgar zündet sich eine Zigarre an.
Edgar lehnt sich rechts ans Klavier.
Alice spielt zu Ende.

K: Valse de l'adieu.
E: Sehr schön.
A: Nun?
E: Was habt ihr getrieben?
A: Wir haben die Insel besichtigt.
E: Eine miese Insel.
K: Ein interessanter Hafen.
A: Und was hast du getrieben?
E: Ich habe in der Stadt gewaltig gegessen. Nimbs navarin aux pommes.

—

E: Ihr seid wohl noch hungrig?
A: Wir haben im Fährhaus gegessen.
E: Dort ißt man schauerlich.
K: Passabel.
E: Na ja, in Amerika und Australien wirst du kulinarisch kaum verwöhnt worden sein.

—

A: Was neues in der Stadt?
E: Meine Pensionierung ist rückgängig gemacht worden.
A: Ach.
E: Der Oberst weiß mich zu schätzen.

—

A: Wie geht es dir gesundheitlich?
E: Ich bin vom Jenseits zurückgekehrt.
K: Und rauchst?
E: Ich war bei einem Arzt.
A: Und?
E: Wieder kerngesund. Ich lebe noch zwanzig Jahre.
A: Das kann ja nett werden.
—
E: Die Rückkehr auf dem Dampfer war gewaltig. Das Meer, der Himmel, die ersten Sterne, die Stille, der Friede – der Gottesfriede.
K: Du bist auf einmal so fromm.
E: Die Krankheit hat mich geläutert.
K: Gratuliere.
E: Die Unsterblichkeit der Seele ist mir aufgegangen.
A: Schade um den Schiebkarren voll Mist für ein Gartenbeet.

Alice spielt weiter Chopin.
Edgar nimmt Alice die Noten weg und schließt das Klavier.

E: Meine verehrte Alice, ich brachte unser Leben in Ordnung.
A: Unser Leben?

Edgar geht zum Tisch mit dem Telegraf, legt die Zigarre weg.

E: Unser verpfuschtes Leben.

Edgar macht einen Tanzschritt.
Edgar geht zum Liegebett.

E: Du scheinst beunruhigt?
A: Durchaus nicht.

Edgar lacht.

E: Beginnen wir mit meinem Testament. Wie ich dich kenne, hast du es von einem Notar aufsetzen lassen.

Edgar setzt sich aufs Liegebett.

A: Bitte.

Alice nimmt das Testament aus der Schublade des runden Tisches, gibt es Edgar.

E: Danke.

Edgar setzt sich die Brille auf.

E: Eine neue Brille.

Edgar liest das Testament.

E: Zu deinen Gunsten.

Edgar zerreißt das Testament sorgfältig in kleine Streifen.

Edgar zieht Alice zu sich aufs Liegebett.

E: Meine verehrte Alice: Auf Grund deines oft geäußerten Wunsches, mit unserer Ehe Schluß zu machen, auf Grund der Lieblosigkeit, mit der du mich und die Kinder behandelst, und auf Grund der Nachlässigkeit, mit der du den Haushalt führst, habe ich in der Stadt die Scheidung eingereicht. So kommt auch unser Leben endlich in Ordnung.

A: Ach.

E: Tja.

A: Und dein wirklicher Grund?

E: Ich beschloß, die letzten zwanzig Jahre meines Lebens mit einer Frau zu teilen, die mich liebt und ein wenig Wärme, Gemütlichkeit, Sorgfalt und Schönheit ins Haus bringt.

A: Du willst mich hinauswerfen?

Edgar lacht und erhebt sich.

E: Ich heirate Kurts ehemalige Gattin.

Kurt lacht.

A: Was soll aus mir werden?

E: Ich denke, du bist eine berühmte Schauspielerin.

A: Du hast mein Vermögen verbraucht.

E: Du hast schon etwas auf der Seite.

A: Dafür hast du nichts als Schulden.

E: Ich habe fünfundzwanzigtausend Kronen auf der Bank.

Kurt lacht.

A: Da. Der Ehering.

Alice wirft Edgar den Ring zu.

E: Danke.

Edgar steckt den Ring ein.

E: Darf ich den Zeugen bitten, davon Kenntnis zu nehmen?

Alice auf dem Liegebett beginnt wieder zu sticken und spricht mit einer Nadel im Mund.

A: Und darf ich den Zeugen bitten, davon Kenntnis zu nehmen, daß mein Mann mich ermorden wollte?
K: Nein.
A: Tja.
K: Wie?
A: Er stieß mich ins Meer.
K: Wo?
A: Auf der Brücke.
K: Wann?
A: Vor zwei Monaten.
K: Ist ja toll!

E: Das kannst du nicht beweisen.
A: Meinst du.
E: Du hast keinen Zeugen.
A: Judith. Sie wird die Wahrheit sagen.
E: Das wird sie nicht. Sie ist mir behilflich und ich ihr.

Edgar setzt sich zu Alice auf das Liegebett.
Kurt lacht.

K: Du bist ja ein ausgekochter Schuft.

Kurt setzt sich ans Klavier.

E: Deine wohlerzogene Tochter Judith muß ein Kind abtreiben lassen, wer der Vater ist, weiß der Himmel, ich finanziere den Eingriff, und sie wird meine Version des Unfalls bestätigen. Dann kann sie tun, was sie will. Sie ist nicht mehr meine Tochter. Im übrigen bedauert sie, daß du eine so ausgezeichnete Schwimmerin bist.
A: Sie wollte nie auf mich hören.
E: Reden wir nicht mehr davon.
K: Du bist rücksichtslos.
E: Das Leben ist rücksichtslos.

Kurt spielt auf dem Klavier die ersten Akkorde zu Solveigs Lied.

E: Schweigen wir, auch über die Saufgelage deines von dir verhätschelten Sohnes und über seine Entlassung aus der Schule.

A: Ich war ihm eine gute Mutter.

E: Schweigen wir endgültig über die zwei unglückseligen Produkte einer unglückseligen Ehe.

K: Hör auf, sie zu quälen.

E: Man muß die Wahrheit ertragen können.

Kurt spielt auf dem Klavier die ersten Takte von Solveigs Lied. Edgar schüttelt sich vor Lachen.

E: Ein anständiger Offizier wurde von einer unbegabten Schauspielerin an den Rand des Wahnsinns getrieben, das ist die Geschichte.

Alice stickt.

A: Ich habe alles für meine Kinder getan.

Edgar erhebt sich würdevoll, setzt sich in den Lehnstuhl, legt die Uhr auf den Tisch.

E: In zehn Minuten habt ihr beide das Haus verlassen. Die Uhr liegt auf dem Tisch.

A: Du hast die Kinder zu dem gemacht, was sie sind.

E: Zehn Minuten. Das Schicksal tickt.

Edgar preßt die Hand aufs Herz.

K: Was hast du?

E: Nichts.

K: Soll ich wieder mal den Arzt –

E: Es geht mir hundsgemein –

Edgar fällt in den Lehnstuhl zurück und spielt Ohnmacht.

K: Wieder in eine tiefe Ohnmacht gefallen.

Alice stickt.

A: Olaf und Judith wären am besten auch gestorben.

K: Kann ich dir helfen?

A: Mir ist nicht zu helfen.

K: Vielleicht stirbt er.
A: Er stirbt nie.
K: Du mußt jetzt nicht den Mut verlieren.

Alice stickt.

A: Du weißt nicht alles. Vor fünfzehn Jahren fing er mit deiner Frau ein Verhältnis an.
K: Tja.
A: Gehen dir endlich die Augen auf?
K: Ich wußte es immer.
A: Immer?
K: Natürlich.

A: Er haßt dich.
K: Er haßt alle.
A: Und du willst dich nicht rächen?
K: An einer Ruine braucht man sich nicht zu rächen.
A: Ich will mich rächen.
K: Wie?
A: Er hat sich selbst verraten. Er hat fünfundzwanzigtausend Kronen auf der Bank.
K: Er muß enorm gespart haben.
A: Er verpraßt alles im Kasino.
K: Dann kann er nicht fünfundzwanzigtausend Kronen auf der Bank haben.
A: Ich weiß, was zu tun ist. Er ist mit dem Zeugmeister befreundet. Die beiden müssen gemeinsame Interessen haben.

Alice setzt sich auf die Lehne des Lehnstuhls, zupft Edgar an den Ohren.

A: Ich telegrafiere dem Oberst, du und der Zeugmeister hätten fünfundzwanzigtausend Kronen unterschlagen.
K: Bist du sicher?
A: Nur so ist die Summe zu erklären. Du mickriger Bojare!

Alice geht zum Telegraf und telegrafiert.

A: Mein Mann hat mein Leben zerstört und meine Kinder zugrunde gerichtet. Er soll unter diesem Zimmer im Gefängnis sitzen, und ich werde den Einzug der Bojaren tanzen.

Tanzt.

K: Du bist übermütig.

A: Sich rächen macht Spaß.

K: Du kannst gut tanzen.

A: Ich kann noch mehr.

K: Bist du sicher?

A: Lerne mich kennen.

K: Ich möchte dich gerne kennen.

A: Dann mußt du dich rächen.

K: Jetzt will ich mich rächen.

A: Du hast nicht den Mut dazu.

K: Ich habe die Lust dazu.

A: Du bist viel zu anständig.

K: Ich bin gar nicht so anständig.

A: Das mußt du beweisen.

K: Komm mit mir ins Bett.

Alice hört auf zu tanzen.

K: Ich will mit dir schlafen.

Alice tanzt weiter.

A: Er könnte jetzt sterben.

K: Dann haben wir uns gemeinsam gerächt.

Alice und Kurt verlassen rechts hinten die Szene.
Edgar sieht ihnen grinsend nach, tanzt dann nach links hinaus.
Gong.

Edgar kommt von der Requisitenbank links mit einer riesigen Platte kalter Speisen und einer Flasche Wein, stellt die Platte auf den Tisch, rückt den Lehnstuhl hinter den Tisch, so daß dieser nun links von Stuhl 1 und rechts von Stuhl 2 flankiert wird. Edgar setzt sich in den Lehnstuhl, bindet sich eine große Serviette um.

E: Sechste Runde. Einsames Abendessen.

Gong.

Edgar betet, gießt sich Wein ein.

Edgar beginnt langsam zu essen.

Edgar trinkt, stellt das Glas auf den Tisch zurück.

Gong.

Alice und Kurt kommen von der Requisitenbank rechts, betreten die Szene.

E: Siebente Runde. Eine Stunde später.

Gong.

Edgar ißt weiter.

K: Du ißt?

E: Es schmeckt.

Edgar ißt weiter.

E: Es schmeckt gewaltig.

Edgar ißt weiter.

A: Du ißt schon lange?

E: Schon lange und ausgiebig.

Edgar ißt weiter.

K: Woher kommt eine so ungemeine Menge von Speisen auf den Tisch?

E: Aus der Speisekammer.

K: Dort ist nicht einmal ein Stück Brot.

E: Mein alter Junge, du kennst meine Frau doch noch nicht. In der Speisekammer häufen sich die Speisen.

K: Alice, das ist doch nicht möglich.

Alice legt sich aufs Liegebett, nimmt eine Zigarette.

E: Während du die ganze Nacht mit nüchternem Magen bei mir gewacht hast, ging sie von Zeit zu Zeit in die Küche, um etwas zu essen, wie ich sie kenne.

A: Das ist nicht wahr.

E: Strategie. Dir wollte sie die Gedemütigte vorspielen, und mich wollte sie aushungern. Seien wir ihr nicht gram. Ich habe viele fröhliche Stunden in der Küche verbracht, während sie schlief, bildete sie sich doch wahrhaftig ein, ein Offizier betrete keine Speisekammer.

Kurt gibt Alice Feuer.

E: Du rauchst?

A: Seit jeher.

E: Auf den Oberst.

Edgar trinkt.

A: Du hast dich gut erholt.

E: Ich bin selber überrascht. Setzt euch.

Alice und Kurt rühren sich nicht.

E: Etwas vom Hähnchen, meine Gute?

A: Danke.

E: Kaltes Roastbeef, mein Bester?

K: Nein.

E: Wo seid ihr so lange geblieben?

A: Wir besichtigten die Festung.

K: Ungemein interessant.

Kurt lehnt sich gegen das Buffet.

E: Ein Meisterwerk der Verteidigungskunst. Es stört euch doch nicht, wenn ich in diesen Köstlichkeiten schwelge.

K: Durchaus nicht.

E: Ein jeder schwelgt auf seine Weise. Auf den Oberst!

Edgar trinkt.

A: Hat er telegrafiert?

E: Du erwartest ein Telegramm?

A: Ich habe ihm telegrafiert, du hättest fünfundzwanzigtausend Kronen unterschlagen.

E: Wie bist du dahintergekommen?

A: Kinderleicht.

E: Nett, mich ins Gefängnis zu bringen.

A: Deine Angelegenheit.

E: Unsere Angelegenheit.

A: Ich habe nicht fünfundzwanzigtausend Kronen auf der Bank.

E: Ich auch nicht. Die hat sich der Oberst auf die Seite geschafft. Nicht daß er unterschlagen hätte, wer sich so ums Vaterland verdient gemacht hat wie der Oberst, dem können nicht alle Kassen stimmen, das wäre übermenschlich; ich wollte ihn längst auf den Fehlbetrag aufmerksam machen, mit deinem Telegramm hast du ihn daran erinnert. Wird ihm mächtig in die Knochen gefahren sein.

A: Du hast mich angelogen.

E: Tja. Der gute Oberst. Eine Untersuchung gegen mich würde eine Untersuchung gegen ihn nach sich ziehen, und da eine solche Untersuchung politisch nicht zu rechtfertigen ist, wird ihm nichts anderes übrig bleiben, als sich mir erkenntlich zu zeigen.

Der Telegraf tickt.

E: Der Telegraf tickt schon. Hörst du? Ich bin zum Major befördert worden.

K: Du hast es endlich geschafft.

Edgar faltet die Serviette zusammen.

E: Zu spät. Mein lieber Kurt, meine liebe Alice, mein Gesundheitszustand ist bedenklich.

A: Ich denke, du bist wieder kerngesund und lebst noch zwanzig Jahre.

E: Der Professor in der Stadt ist anderer Ansicht. Ich lebe nur noch wenige Monate.

A: Ach.

E: Ich stehe vor der Ewigkeit.

A: Unsere Scheidung?

E: Welche Scheidung?

A: Du hast sie in der Stadt eingereicht.

E: Unsinn.

A: Du hast es feierlich verkündet.

E: Tatsächlich? Ich muß einen Scherz gemacht haben. Denk doch nur an unsere Kinder.

A: Rede nicht von unseren Kindern.

E: Warum soll ich nicht von unseren Kindern reden? Ich hatte eine ernste Unterredung mit Judith in der Stadt, sie gestand mir ihre heimliche Verlobung mit Pastor Nielsens Enkel, sie wird eine prächtige Pfarrfrau abgeben, und unser Junge hat das Examen bestanden, Gott sei Dank, nicht glanzvoll, aber er hat es bestanden. Trag das Essen hinaus.

A: Nein.

E: Freust du dich nicht über unsere prächtigen Kinder?

A: Du bist gemein.

E: Tja. Ich muß dir wohl eine Geschichte aufgetischt haben, und du bist so gemein gewesen, mir zu glauben.

A: Kurt, wir gehen.

E: Ihr bleibt.

Alice erhebt sich.

A: Stirb oder leb weiter, es ist mir gleichgültig. Kurt liebt mich. Ich habe in deinem Gefängnis nichts mehr zu suchen.

E: Ein Geständnis, Alice: Meine Ohnmacht vorhin war gespielt.

A: Du hast uns eine Falle gestellt?

E: Ihr seid in die Falle gegangen.

Alice küßt Edgar auf die Stirne.

A: Deine Idee war großartig. Es war herrlich, sich mit Kurt in unserem Ehebett an dir zu rächen.

E: Trag jetzt das Essen bitte hinaus.

A: Aber ja.

Alice trägt das Essen zur Requisitenbank links.

K: Die Geschichte mit meiner Frau ist natürlich auch erfunden.

E: Du mußt nicht immer wörtlich nehmen, was ich manchmal so sage: Für einen Sterbenden ist bloß die Unendlichkeit wichtig.

K: Du schwindelst ganz gut.

E: Wie ein Krimineller?

K: Wie ein kleiner Krimineller.

E: Das mußt du ja wissen.

K: Was willst du damit sagen?

E: Bewunderst du mich immer noch?

K: Ich staune nur noch.

E: Findest du mich immer noch köstlich?

K: Ich finde dich lächerlich.

E: Das Lachen wird dir vergehen.

K: Was führst du im Schilde?

E: Neugierig?

K: Ich sehe mich vor.

E: Da tust du gut daran.

Alice kommt zurück.

A: Nun? Können wir jetzt gehen?

E: Bitte. Doch bevor du gehst, willst du nicht wenigstens wissen, wer der Mann eigentlich ist, mit dem du davonläufst?

K: Schön. Setzen wir uns.

Alice und Kurt setzen sich zu Edgar an den Tisch.

E: Spielen wir Karten.

K: Spielen wir Karten.

Alice teilt die Karten aus.
Kartenspielszene 2.
Edgar preßt sich die Hand aufs Herz.

E: Verdammt.

K: Willst du uns eine neue Krise vorspielen?

E: Ihr nehmt wohl meine Krankheit nicht mehr ernst.

A: Stirb mal, dann nehmen wir dich ernst.

E: Ich ersticke.

K: Man muß nicht immer wörtlich nehmen, was du manchmal so sagst.

E: Es geht vorüber.

K: Laß dir Zeit.

E: Es ist vorüber. Pik ist Trumpf.

Sie spielen Karten.

E: Mein lieber Kurt, ich glaube nicht, daß du in Amerika und Australien Goldsucher gewesen bist.

K: Ach.

E: Und auch nicht Kellner.

K: Was glaubst du denn?

E: Du bist ein kleiner Bankangestellter geblieben.

Sie spielen Karten.

K: Und mein Vermögen?

E: Es beträgt fünfzigtausend Dollar.

K: Du bist informiert.

E: Ich ließ den Oberst nachforschen.

K: Der Oberst wird immer interessanter.

E: Einer unserer Landsleute unterschlug in einer Bank in New York fünfzigtausend Dollar.

K: Ich kenne den Fall.
E: Der Mann bist du.

Sie spielen Karten.

K: Der Kerl heißt Eriksen.
E: Diesen Namen hast du in Amerika angenommen.
K: Bist du sicher?
E: Verlaß dich auf meine Kombinationsgabe.
K: Mit der habe ich nicht gerechnet.
E: Du hast mit vielem nicht gerechnet.
K: Will mich der Oberst verhaften lassen?
E: Er weiß nicht, daß du der Gesuchte bist.
K: Willst du mich verhaften lassen?
E: Ich will die fünfzigtausend Dollar.
K: Zweiundzwanzig.
A: Sechzehn.
E: Achtundsechzig.
K: Du willst mich ausnehmen?
E: *Du* bist hier der kleine Kriminelle.
K: Teilen wir.
E: Nein.
K: Vierzigtausend.
E: Fünfzigtausend.
K: Zweitausend brauche ich, um wieder nach Amerika verduften zu können.
E: Lasse dich anheuern. Körperliche Arbeit tut dir nur gut.
K: Du stirbst bald.
E: Meine Angelegenheit.
K: Du bist hartherzig angesichts der Unendlichkeit. Kreuz ist Trumpf.
E: Gott begreift mich.
K: Informiere den Oberst.
E: Ich informiere den Staatsanwalt. Informiere ich den Oberst, macht *er* das große Geschäft.
K: Der Mann muß ein Genie sein.
E: Das Genie bin ich.
K: Wie bist du hinter meine – Unterschlagung gekommen?
E: Man wird nicht auf dieser Insel Quarantänemeister, wenn

man reich ist, es sei denn, man will sich hier in Sicherheit bringen.

K: Scharfsinnig.

E: Auch wunderte ich mich, daß du es mit deinen bescheidenen Gaben zu Reichtum gebracht haben sollst, während ich mit meinen gründlichen Kenntnissen der Ballistik am Hungertuche nage.

K: Da übertreibst du etwas, nach deinem guten Essen.

E: Diesmal mache *ich* das große Geschäft. Siebzehn.

K: Ich kapituliere.

Kurt hat keine Karten mehr.

E: Wo befindet sich das Geld?

K: Auf einer Bank in Stockholm. Unter meinem richtigen Namen.

E: Du stellst mir einen Scheck aus.

K: Bitte.

Kurt stellt einen Scheck aus.

K: Fünfzigtausend Dollar.

Kurt gibt Edgar den Scheck.

E: Danke. Alice, jetzt weißt du, wem du dich hingeschmissen hast.

Edgar steckt den Scheck in die Brusttasche seiner Uniform.
Alice hat ihre Karten zusammengezählt.

A: Achtundachtzig.

—

K: Was du mit mir treibst, ist eine ziemliche Schweinerei, alter Junge.

E: Du hast eine glückliche Ehe zerstört.

K: Hör mal –

E: Eine glückliche Ehe. Wir waren glücklich zusammen, Alice und ich, bevor du gekommen bist. Wir lebten zusammen, spielten Karten, schwatzten was, sie spielte Solveigs Lied, und ich tanzte den Einzug der Bojaren.

K: Du wolltest sie ermorden.

E: Und? Ich wollte sie öfters ermorden. Eine jede Ehe züchtet Mordgedanken. So. Ich muß die Posten inspizieren.

Edgar erhebt sich, geht zum Kleiderständer, setzt die Mütze auf, nimmt den Säbel.

E: Es gibt im Leben nur eine Kunst, die zählt: Eliminieren. Durchstreichen und weitergehen.

Edgar schwankt.

E: Dann kommt der Augenblick, wo man nicht mehr durchstreichen und weitergehen kann, wo es nichts gibt als die Wirklichkeit – die Wirklichkeit ist entsetzlich.

Edgar faßt sich wieder.

E: Euch kann ich noch durchstreichen.

Edgar zieht den Säbel.

E: Hinaus mit euch, ihr Ehebrecher! Ihr seid durchgestrichen, ihr existiert nicht mehr für mich!

Edgar geht mit dem Säbel auf Alice und Kurt los.
Kurt nimmt den Stuhl hoch, sich zu verteidigen.
Edgar taumelt, fällt aufs Liegebett.
Alice beginnt ruhig ein Kartenhaus auf dem Tisch zu bauen.
Kurt setzt sich wieder.
Edgar röchelt.

E: Holt einen Arzt.
A: Spiele nicht wieder Theater.
E: Holt den hiesigen Arzt.
A: Darauf fallen wir nicht mehr herein.
E: Schnell. Schnell.
A: Ja, ja.
E: Ich sterbe.
A: So, so.
E: Ich sterbe.
A: Ai, ai, ai.

Edgar wälzt sich auf dem Rücken.

E: So helft mir doch.

Kurt grinst.

K: Mach Schluß, alter Junge.
E: Hilfe. Bitte.
K: Aufstehen, Posten inspizieren.
E: Gott. Gott!
K: Eliminieren, durchstreichen, weitergehen.
E: Ich will leben! Ich will leben!
K: Du bist wirklich saukomisch.

Edgar rührt sich nicht mehr.
Kurt geht zu Edgar, betrachtet ihn, nimmt ihm den Scheck aus der Brusttasche, steckt den Scheck ein.

K: Alice, ich glaube, wir sollten doch den Arzt holen.

Alice ist immer noch mit ihrem Kartenspiel beschäftigt.

A: Ja?

Gong.

Edgar dreht den Lehnstuhl mit dem Rücken gegen das Publikum. Alice stellt den Teller mit Suppe auf den Tisch.

E: Achte Runde.
A: Unterhaltung vor dem Abendessen.

Edgar setzt sich in den umgekehrten Lehnstuhl.
Alice hat vom Kleiderständer Edgars Mantel geholt und näht ihm auf dem Liegebett die Majorsabzeichen an.
Gong.
Edgar gibt Laute von sich.

A: Ja, ja.

Edgar gibt Laute von sich.

A: So, so.

Edgar gibt Laute von sich.

A: Ai, ai.

Kurt kommt im Mantel und mit Hut.

K: Sei gegrüßt, Alice, sei gegrüßt, Edgar.
A: Willkommen Vetter.
—
A: Du kommst aus der Stadt?
K: Ich komme aus der Stadt.
—
K: Wie geht es Edgar?
A: Edgar geht es ausgezeichnet.
—
K: Edgar, es freut mich, daß es dir ausgezeichnet geht.

Edgar gibt Laute von sich.

A: Er kann nicht reden.
K: Ach so.
A: Er ist gelähmt.

Kurt schreit.

K: Tut mir leid.

A: Er kann noch hören.
K: Sehr schön.

Kurt geht zum Klavier, nimmt eine Stickerei zur Hand, die auf dem Klavier liegt.

K: Du hast deine Stickerei beendet?
A: Edgars Familienwappen.
K: Sehr schön.
A: Ich schenke es ihm zur silbernen Hochzeit.
K: Wird ihn freuen.

Kurt schlägt zweimal das Klavier an, lehnt sich dann links ans Klavier.

K: Was tust du jetzt?
A: Ich nähe die Majorsabzeichen an seinen Waffenrock.
K: Sehr schön.

Edgar gibt Laute von sich.

K: Was er wohl meint?
A: Der Oberst wisse ihn zu schätzen.
K: Du verstehst, was er meint?
A: Ich verstehe immer, was er meint.
K: Ach so.

A: Ist er nicht ungewöhnlich würdig.
K: Etwas bleich.
A: Er ist trotzdem ungewöhnlich würdig.

Edgar gibt Laute von sich.

K: Was meint er jetzt?
A: Er lebe noch zwanzig Jahre.
K: Er trägt sein Schicksal mit Fassung.
A: Geistig ist er noch völlig klar.

Gong.

A: Neunte Runde.
K: Alice philosophiert.

Alice lehnt sich rechts an den Lehnstuhl.
Kurt setzt sich nachdenklich auf den Stuhl 1.
Philosophieszene 2.
Gong.

A: Das Leben ist ein Rätsel.
K: Irgendwie.
A: Einmal sagte Edgar: Es sieht aus, als ob uns das Leben zum Narren halten möchte.
K: Irgendwie auch.
A: Ich habe ihn immer geliebt.
K: Irgendwie schon.

Gong.

Alice setzt sich auf die linke Lehnstuhllehne (vom Publikum aus gesehen).

Kurt lehnt sich gegen das Buffet.

K: Zehnte Runde.

A: Krankenpflege.

Gong.

A: So, mein Liebling. Dein Schleimsüppchen.

Edgar gibt Laute von sich.

K: Was meint er nun?

A: Nimbs navarin aux pommes.

K: Ach so.

A: Ein Löffel für Judithlein.

Alice gibt Edgar Suppe.

K: Alice, ich muß nun gehen.

A: Du gehst nach Amerika zurück?

K: Ich gehe nach Amerika zurück.

A: Ein Löffel für Olafchen.

Alice gibt Edgar Suppe.

A: Du willst deine Stelle als Quarantänemeister nicht antreten?

K: Ein anderer wird Quarantänemeister.

A: Ein Löffel für Alicechen.

Edgar gibt Laute von sich.

K: Was meint er wohl?

A: Er meint, du hast den Scheck von fünfzigtausend Dollar wieder zu dir genommen.

K: Sicher.

A: Ein Löffelchen für Pastor Nielsen.

Alice gibt Edgar Suppe.

A: Gib ihn her.

K: Du willst mich auch ausnehmen?

A: Ein Löffelchen für den Zeugmeister.

Alice gibt Edgar Suppe.

K: Du hast mich geliebt.

A: Und?

K: Wir haben zusammen geschlafen.

A: Und?

K: Ich meine nur.
A: Ein Löffelchen für den Oberst.

Alice gibt Edgar Suppe.
Edgar gibt Laute von sich.

K: Was meint er?
A: Er sagt, die Menschen sind Pack.
K: Ach so.
A: Schön gegessen, brav gegessen, viel gegessen.

Alice stellt die Suppe auf den Tisch.

A: Kurt, gib den Scheck her und mach, daß du davonkommst.
K: Und wenn ich ihn nicht hergebe?
A: Informieren wir den Staatsanwalt.
K: Du willst mich verraten?
A: Du bist bloß ein kleiner Krimineller.

Gong.

K: Elfte Runde.

A: Kurt gesteht.

Gong.

Alice und Kurt setzen sich aufs Liegebett.

K: Es tut mir leid, Alice. Ich bin kein kleiner Krimineller, ich bin ein großer Geschäftsmann. Ich habe nicht lumpige fünfzigtausend Dollar unterschlagen wie dieser Eriksen, ich habe Millionen verdient. An Geschäftsleute meiner Größenordnung kommt dein Staatsanwalt nicht heran, sei brav, Alice. Ich möchte dich mit meinen Geschäften nicht langweilen. Deine sauberen Ohren brauchen von meinen Transaktionen nichts Näheres zu erfahren.

Kurt fährt Alice übers Haar.

K: Nicht weinen.

A: Bist du ein bedeutender Mann?

K: Man weiß mich in meinen Kreisen zu schätzen.

A: In welchen Kreisen?

K: In den besten Kreisen.

Edgar gibt Laute von sich.

A: Still!

Edgar schweigt.

A: Was machtest du in der Stadt?

K: Ich sprach mit dem Oberst.

A: Macht er das große Geschäft?

K: Ich beteilige ihn an einem Nebengeschäft. Ein Quarantänehafen ist für meine Handelsflotte ganz nützlich.

Edgar gibt Laute von sich.

K: Was hat er denn?

A: Er kommandiert.

K: Ach so. Die drei Tage, die ich bei dir und Edgar verbringen durfte, haben mir innerlich geholfen. Ich gestehe, moralische Bedenken hatten mich etwas befallen, ich bin bei euch geistig wieder fit geworden. Ich durfte in eure kleine Welt hineinsehen. In der großen Welt, in der ich lebe, geht es in keiner Weise schlechter zu: Nur die Dimensionen sind anders.

Gong.

Alice stellt sich rechts vom Klavier auf, Kurt links.
Hinter dem Lehnstuhl taucht Edgar auf.

E: Letzte Runde. Abschied.

Edgar setzt sich wieder.
Gong.

A: Kurt, nimm mich mit dir.
K: Du gehörst an Edgars Seite.
A: Edgar ist ein totaler Mensch gewesen.
K: Na ja, das konnte er sich auf dieser Insel noch leisten.
A: Kurt, die Welt ist unanständig.
K: Leute meines Schlages ruinieren sie wenigstens.

Edgar gibt Laute von sich.

K: Was er jetzt wohl meint?
A: Ein Schiebkarren voll Mist fürs Gartenbeet.

K: Alice, meine Yacht wartet, wir müssen Abschied nehmen. Abschied für immer. Sing mir noch einmal Solveigs Lied. Dann trennen wir uns als Freunde.

Alice setzt sich ans Klavier und singt.

A: Der Winter mag scheiden, der Frühling vergehn, der Frühling vergehn, der Sommer mag verwelken, das Jahr verwehn, das Jahr verwehn.
K: Adieu, Alice, adieu, Edgar!

Kurt geht nach links aus der Szene.
Edgar gibt Laute von sich.
Alice singt.

A: Du kehrst mir zurücke, gewiß, du wirst mein, gewiß, du wirst mein, ich hab es versprochen, ich harre treulich dein, ich harre treulich dein.

Gong.

BERICHT

Sehe Strindbergs «Totentanz» 1948 in Basel mit Maria Fein und Rudolf Forster; nachträglich: Erinnerung an Schauspieler, aber nicht an ein Stück.
1968. Lese die ersten Seiten des Stücks, finde den Theatereinfall interessant, stoße mich an seiner Literatur (Plüsch × Unendlichkeit). Versuche eine dramaturgische Bearbeitung durch Striche, d. h. eine theaterübliche Strindberg-Bearbeitung. Gebe diese auf. Grund: Die üblichen Strindberg-Bearbeitungen durch Striche, Umstellungen, Textveränderungen und Textergänzungen verfälschen Strindberg, was um so bedenklicher ist, weil trotzdem vorgegeben wird, Strindberg «echt» zu spielen. Eine Umarbeitung kommt mir ehrlicher vor.
November 1968 Beginn der Umarbeitung anhand einer Rohübersetzung.
Ich übernehme von Strindberg die Fabel und den theatralischen Grundeinfall. Indem ich Strindbergs literarische Seite eliminiere, wird die Nähe seiner theatralischen Vision zur Moderne deutlich: zu Beckett, Ionesco, aber auch zu meinem «Meteor». Strindbergs Dialog wird als Vorlage für einen Anti-Strindberg-Dialog benutzt; aus einem Schauspielerstück wird ein Stück für Schauspieler. Der Schauspieler hat nicht mehr dämonische Seelenstudien zu treiben, sondern einen bis ins Extreme verdichteten und verknappten Text auf der Bühne möglich zu machen.
Dezember 1968 Beginn der Proben. Der Text wird zum Teil während des Arbeitens mit den Schauspielern entwickelt und ständig verändert.
Der endgültige Text entsteht durch eine Ausschöpfung der verschiedenen theatralischen Situationen. Aus drei Schauspielern entsteht die Einheit eines exakt spielenden Trios. Schauspielerartistik. Aus einer bürgerlichen Ehetragödie wird eine Komödie über die bürgerlichen Ehetragödien: «Play Strindberg».

TITUS ANDRONICUS

EINE KOMÖDIE NACH SHAKESPEARE

PERSONENVERZEICHNIS

Saturninus	*Kaiser von Rom*
Bassianus	*sein Bruder*
Tamora	*Kaiserin von Rom*
Alarich	*Fürst der Goten*
Demetrius, *Chiron*	*Tamoras Söhne*
Aaron	*Tamoras Geliebter, ein Mohr*
Marcus Andronicus	*Volkstribun*
Titus Andronicus	*Feldherr*
Lavinia	*seine Tochter*
Mutius, *Quintus*, *Marcius*, *Lucius*	*seine Söhne*
Publius	*Einbeiniger*
Sempronius	*Einäugiger*
Caius	*Beinloser*
Sextus	*Beinloser*
Hebamme	
Henker	
Ein Bauer	
Erster Soldat	
Zweiter Soldat	
Gote	

Stumme Rollen: Senatoren, Sklaven, Alarbus

I. ROM. VOR DEM KAPITOL

Saturninus, Bassianus und Marcus Andronicus treten an die Rampe.

SATURNINUS:
Patrizier,
Verteidigt meinen Anspruch mit dem Schwert:
Ich bin des Kaisers erstgeborner Sohn
Und folge meines Vaters Würde nach.
Wählt mich und, wird mein Bruder Bassian
Gewählt, stecht dieses geile Schwein gleich ab.

BASSIANUS:
Mitbürger,
Ich bin des Kaisers zweitgeborner Sohn,
Mich liebte er, Saturninus war ihm verhaßt.
Versperrt das Tor des Kapitols
Und duldet nicht, daß auf dem Kaisersitz
Mein fauler Bruder seine Humpen leert.
Und wird er doch gewählt, macht ihn gleich nieder.

MARCUS ANDRONICUS:
Prinzen,
Ihr beide habt ein Recht, gewählt zu werden,
Denn beide seid ihr Cäsars edle Söhne.
Doch einen Kaiser vorzuschlagen
Ist Recht auch des Senats, und der schlägt vor:
Die Goten sind gezähmt, der Sieg ist unser
Für alle Zeiten, Titus kehrt zurück,
Andronicus, den man den Frommen nennt.
Der größte Krieger unseres großen Reichs
Sei Kaiser Roms, die Macht gehöre ihm,
Denn hätten wir nicht ihn, uns hätten die Barbaren.

SATURNINUS:
Kaum kommt ein Held, enteilt schon die Vernunft.

MARCUS ANDRONICUS:
Wenn Friede herrscht, herrscht wieder das Gesetz.

BASSIANUS:
Marcus Andronicus, ich vertraue dir.
Ihr Bürger, kehrt zurück, ihr seid entlassen.
Den Bürgern sei die Wahl und dem Senat.
SATURNINUS:
Patrizier, geht heim.
Wer wählen darf, wird mich zum Kaiser wählen.
MARCUS ANDRONICUS:
Ihr Prinzen, kommt ins Kapitol.

Die drei ab.
Die Söhne des Titus Andronicus, Mutius, Marcius, Quintus und Lucius, treten auf, einen schwarz verhängten Sarg tragend.
Dann tritt Titus Andronicus auf, geführt von Lavinia.
Darauf kommt die gefangene Königin der Goten Tamora. Mit ihr kommen ihre Söhne Alarbus, Chiron und Demetrius, endlich der Mohr Aaron, alle in Ketten.
Der Sarg wird niedergesetzt.

TITUS ANDRONICUS:
Rom, Siegerin im Trauerkleid,
Mit Tränen naht sich dir Andronicus
Im Lorbeerkranz. Du Göttin dieser Welt
Sieh gnädig auf das Opfer, das ich bringe:
Von meinen fünfundzwanzig Söhnen, Rom,
Hab zwanzig ich im Krieg verloren,
Den uns die wilden Goten aufgezwungen,
Und jetzt den teuersten, den Einundzwanzigsten.
Vom ganzen Kindersegen bleiben mir noch fünf,
Vier Söhne und Lavinia.
Drum nimm auch diesen Toten auf,
Schenk ihm ein Grab in meiner Väter Gruft.
Geht, Kinder, bettet ihn zu seinen Brüdern,
Schlaf friedlich Sohn! Du starbst fürs Vaterland.

Sie legen den Sarg in die Gruft.

LUCIUS:
Gib uns den ältesten der Gotenprinzen,
Wir wollen ihn verstümmeln und verbrennen,
Damit nicht ungesühnt die Brüder bleiben.

TITUS ANDRONICUS:
Opfert ihn.

TAMORA:
Halt, Römer!
Siegreicher Titus, sieh die Tränen,
Die eine Mutter ihrem Sohne weint.
Und waren deine Söhne teuer dir,
Ach denk, nicht minder ist's der meine mir!
Genügt dir's nicht, daß man nach Rom uns schleift,
Bestimmt fürs Joch und für den Siegeszug?
Mußt du den Sohn noch schlachten auf dem Markt,
Weil er mit Mut fürs Vaterland gekämpft?
O dünkt der Streit für König und für Volk
Dir fromme Pflicht, so ist es diesem auch:
Titus, beflecke nicht dein Grab mit Blut,
Auch du brauchst einmal deiner Götter Gnade,
Verdiene sie, indem du Gnade übst,
O schone, Titus, meinen Sohn!

TITUS ANDRONICUS:
Fürstin,
Die Gnade fällt allein dem Frommen zu,
Und Frömmigkeit verlangt für meine Söhne
Ein Opfer. Dazu ist dein Sohn bestimmt.
Sein Tod versöhnt die Toten.

LUCIUS:
Weg mit ihm!

Alarbus wird von den vier Söhnen des Titus abgeführt.

TAMORA:
Grausame, gottverhaßte Frömmigkeit.

DEMETRIUS:
Alarbus, stirb getrost, wir rächen dich!

CHIRON:
Die Goten kämpfen und die Römer morden.
AARON:
Wir schlachten, den wir fangen, ihn zu essen,
Wir essen ihn aus Hunger, Fleisch ist Fleisch.
Doch hier ist Schlachten frommer Gottesdienst,
Dem das Begräbnisessen folgt mit Schweinen,
Kapaunen, Spargeln, Eiern, süßen Weinen
Und faulen Witzen, Rülpsern –
TITUS ANDRONICUS:
Schweigt, Barbaren!

Kniet nieder.

TITUS ANDRONICUS:
Titus Andronicus an seine Söhne:
Ihr ruht hier, weil das Vaterland es wollte,
Geschirmt vor Leid und Wechsel dieser Welt!
Hier lauert kein Verrat, hier schwillt kein Neid,
Wächst kein verhaßter Zwist, droht keine Rache,
Schlaft, meine Söhne, schlaft in Ruhm und Frieden.

Lavinia kniet neben Titus Andronicus nieder.

LAVINIA:
Lavinia an ihre Brüder:
Schlaft in Ruhm und Frieden,
An diesem Grabe weine ich für euch,
Doch nicht allein aus Gram, nein, auch aus Freude,
Bin ich doch stolz auf eure Heldentaten
Und glücklich, daß mein Vater heimgekehrt.

Die vier letzten Söhne des Titus Andronicus kehren zurück.

LUCIUS:
Das fromme Werk vollbracht.
Alarbus tot, sein Rumpf verbrannt,
Die Geier fressen Kopf und Glieder auf.
TITUS ANDRONICUS:
O Götter, segnet mich, nehmt dieses Opfer an.

TAMORA:
O Götter, flucht dem Mörder!
TITUS ANDRONICUS:
Die Goten weg!

Aus dem Kapitol kommen Saturninus und Bassianus in weißen Togen, zwischen ihnen Marcus Andronicus.
Sklaven treiben die Goten hinaus.

SATURNINUS:
Verflucht, ein schönes Weib.
BASSIANUS:
Wohl die gefangene Gotenkönigin.

Marcus Andronicus tritt vor.

MARCUS ANDRONICUS:
Lang lebe Titus, mein geliebter Bruder!
TITUS ANDRONICUS:
Lang lebe Marcus, mein geliebter Bruder!

Umarmen sich.

MARCUS ANDRONICUS:
Willkommen, Neffen,
Ihr, die noch lebt, und ihr, die hier begraben.
Ihr Tapfern, euer Los ist völlig gleich:
Ob lebend oder tot, ihr seid berühmt.
Titus Andronicus, das römische Volk
Schickt dir durch mich, beauftragt als Tribun,
Die Toga zu, von unbeflecktem Glanz,
Und stellt für dieses Reiches Kaiserwahl
Dich, nebst den Söhnen unsres letzten Kaisers auf.
Sei Kandidat und wirf die Toga um.
Dann hilf zum Haupte dem hauptlosen Rom.
TITUS ANDRONICUS:
Ein besseres Haupt gebührt so edlem Leib.
MARCUS ANDRONICUS:
Du hast gesiegt!

TITUS ANDRONICUS:
Was soll der Sieg? Sind
Fast alle Goten hingemetzelt oder
Gefangene, wie diese hier, entkam auch nur
Ein Einziger, der Tölpel Alarich,
Ein kleiner Häuptling eines kleinen Stamms;
Was ich verloren, bringt kein Sieg zurück.
Gebt nichts als einen Ehrenstab dem Greis.

MARCUS ANDRONICUS:
Kaum bist du populär, wirst du schon toll,
Du hast die Krone, wenn du sie nur forderst.

TITUS ANDRONICUS:
Ihr Prinzen, beide eures Vaters würdig,
Mein Bruder, höchster Richter dieses Reichs:
Ich hab das Recht, den Kaiser zu bestimmen,
Bezahlt durch meiner Söhne Blut.
Der Kaiser ist ernannt, Prinz Saturnin.

Saturnin setzt sich, von Titus Andronicus geführt, auf den Kaiserthron.

MARCUS ANDRONICUS:
Bist du von Sinnen, Bruder?
Du wählst, der dich um deinen Ruhm beneidet.

BASSIANUS:
Am faulen Saturnin wird Rom verfaulen.

TITUS ANDRONICUS:
Die Größe Roms ist nicht das Schwert, sie ist
Das Recht, mit dem es diese Welt regiert.
Und fällt dies Recht, hat Rom das Recht verloren,
Die Völker seinem Recht zu unterwerfen.
Doch diesem Recht sind selbst wir unterworfen.
Des Kaisers erster Sohn sei deshalb Kaiser.
So will's das Recht, drum geb ich den Befehl,
Kraft dieses Rechts zum Kaiser ihn zu krönen.

SATURNINUS:
Titus Andronicus, für deine Wahl
Nenn ich Lavinia meine Kaiserin.

Roms Herrscherin sei deine keusche Tochter,
Mir anvermählt im Pantheon.

TITUS ANDRONICUS:
Nimm meine Tochter,
Die Stütze meines Alters, meine Freude.
Ich bin durch deine Gnade hoch geehrt.
Als Gegengabe weihe ich dem Kaiser
Schwert, Siegeswagen und Gefangene.
Die Goten rein!

Sklaven treiben die Gefangenen herein, die auf die Knie fallen.

SATURNINUS:
Verdammt, ein herrlich Weib!

TITUS ANDRONICUS:
Die Goten raus!

Sklaven treiben die Gefangenen hinaus.

SATURNINUS:
Dank, Freund und Schwiegervater.
Wie stolz bin ich auf dich und dein Geschenk.
Erfahre, Rom: Sollt ich einmal vergessen
Den kleinsten Teil so großer Dienste
Dann, Rom, vergiß die Treue gegen mich.

Bassianus faßt Lavinia.

BASSIANUS:
Titus, vergönnt, die Jungfrau nenn ich mein!

TITUS ANDRONICUS:
Wie, Prinz? Weshalb?

BASSIANUS:
Ich bin mit ihr verlobt.

TITUS ANDRONICUS:
Ungültig die Verlobung.

QUINTUS:
Und warum?

TITUS ANDRONICUS:
Ich wußte nichts von ihr.

LUCIUS:
Du warst ja ständig
Im Kriege, ließest deine zwanzig Söhne
TITUS ANDRONICUS:
Einundzwanzig!
LUCIUS:
Ließest deine einundzwanzig Söhne
Wie Vieh abschlachten. Konnte sie dich fragen?
LAVINIA:
Ich liebe Bassian.
TITUS ANDRONICUS:
Und?
LAVINIA:
Ich ehre dich. Du bist mein Vater. Doch
Was soll mir dieser dicke Saturnin?
TITUS ANDRONICUS:
Du hast hier zu gehorchen, nicht zu fragen.
BASSIANUS:
Mein Brüderchen, ich stehle dir die Braut.
Nun glotze, Faulpelz, kratze dir den Hintern,
Lavinia ist mein, solang ich lebe.

Bassianus mit Lavinia ab.

SATURNINUS:
Soldaten, holt die Fliehenden zurück.

Zwei Soldaten treten auf.
Mutius springt mit gezücktem Schwerte vor.

MUTIUS:
Helft ihnen fliehen, Lucius, Quintus, Marcius!
Ich decke eure Flucht.

Lucius, Quintus, Marcius ab.
Die Soldaten zögern.
Titus Andronicus geht zu Mutius.

TITUS ANDRONICUS:
Mutius.
MUTIUS:
Vater?

TITUS ANDRONICUS:
Zur Seite!
MUTIUS:
Nein.
TITUS ANDRONICUS:
Du stehst dem Recht im Wege.
MUTIUS:
Ich stehe deiner Politik im Wege.
TITUS ANDRONICUS:
Das wagst du mir zu sagen?
MUTIUS:
Ja.
Was ist denn dein Beruf? Ein rohes Handwerk,
Umzingeln, niedermetzeln, kalte Nächte
Und lange Wüstenmärsche, Durst und Hunger.
Der Staat, die Stadt sind dir nicht mehr vertraut.
Drum griffest du auch nicht zur Kaiserkrone.
Doch war den populären Bassian zu wählen
Dir zu gewagt, er hätte dich nicht nötig,
Die Liebe seines Volkes trüge ihn.
Du wählst zum Kaiser Saturnin; verhaßt
Von allen, muß er dich jetzt brauchen
Als Werkzeug seiner Macht und um den Pakt
Zu schließen, wirbt er um Lavinia.
All deine Züge sind vorausberechnet.
Für deinen Einfluß gingst du über Leichen.
Was du dein Recht nennst, dient nur deinem Zweck.
TITUS ANDRONICUS:
Das Schwert!

Mutius gibt ihm das Schwert.

MUTIUS:
Dem Vater darf man niemals widersprechen,
Schon gar nicht einem Held im Lorbeerkranz.
Du wirst mich töten,
Bigott und stur, so wie's die Posse will,
Der Politik, in die du dich verstrickt.

TITUS ANDRONICUS:
Stirb!

Stößt Mutius nieder.
Stille.

SATURNINUS:
Soldaten! Ihnen nach! Fangt sie mit Netzen!

Die zwei Soldaten ab.
Titus Andronicus gibt seinem toten Sohn einen Fußtritt.

SATURNINUS:
Mich schaudert's! Eine Tat, als hätte sie
Mein Lieblingsdichter Sophokles gedichtet.
Doch eines ist mir nicht ganz klar. Wozu
Hast du denn eigentlich den Sohn getötet?

TITUS ANDRONICUS:
Wozu?

SATURNINUS:
Du mußt doch deine Gründe haben.

TITUS ANDRONICUS:
Lavinia ist dein.

SATURNINUS:
Du irrst. Ich will
Sie nicht zurück.

TITUS ANDRONICUS:
Ich machte dich zum Kaiser, Saturnin.

SATURNINUS:
Was recht ist, war bloß deine Pflicht.

TITUS ANDRONICUS:
Du selber schworst Lavinia die Treue.

SATURNINUS:
Dem Kaiser Roms kommt frische Ware zu.

TITUS ANDRONICUS:
Den eignen Sohn erschlug ich deiner Ehre.

SATURNINUS:
Und?

TITUS ANDRONICUS:
Das wagst du mir zu sagen?

SATURNINUS:
Ruhig
Wag ich's.
Und bloß, weil du des Vaterlandes Retter,
Errett ich dich jetzt vor dem Tribunal.
Nun sind wir quitt, Titus Andronicus.
Die Goten her!

Sklaven treiben die gefangenen Goten herein.

SATURNINUS:
Fürstin, trete vor.
TAMORA:
Mein Fürst?
SATURNINUS:
Dein Name?
TAMORA:
Tamora.
SATURNINUS:
Blick nicht mehr düster, nicht zu Spott und Schmach
Umgeben dich die stolzen Mauern Roms.
Du sollst hier königlich gehalten sein.
Trau meinen Worten. Der dich tröstet, hebt
Wohl höher dich, als auf den Gotenthron.
Sei meine Gattin, meine Herrscherin.
TAMORA:
Wenn Saturnin mich Gotenfürstin krönt,
Dann will ich seine Sklavin sein,
Das schwör ich vor den Göttern.
SATURNINUS:
Nimm Platz an meiner Seite, Kaiserin.

Tamora setzt sich neben ihn auf den Kaiserthron.
Bassianus und Lavinia, in einem Netz gefangen, werden vom ersten Soldaten hereingeschleppt.
Marcius, Quintus und Lucius, auch in einem Netz gefangen,

werden vom zweiten Soldaten hereingeschleppt.

LUCIUS:
Mein Bruder!
TITUS ANDRONICUS:
Mein Sohn.
QUINTUS:
Erschlagen.
TITUS ANDRONICUS:
Ich weiß.
MARCIUS:
Von seinem Vater!
TITUS ANDRONICUS:
Ich weiß.
SATURNINUS:
Für nichts.
Mein Brüderlein, komm her mit deinem Bräutchen.

Bassianus und Lavinia werden vor Saturninus geschleppt.

SATURNINUS:
Ei, Bassian, wozu die Flucht? Ich mein'
Das Spiel hast du gewonnen, ging es dir
Um unseres saubern Titus saubere Tochter,
Wohl längst entjungfert von dir geilem Bürschchen,
Beischläfer aller Huren dieser Stadt.
Ich hab entsagt, nicht deinetwillen, nein,
Ich tauschte deine brave Pomeranze
Mit einem Diadem, das meiner würdig.
Du siehst an meiner Seite Tamora,
Die Gotenfürstin als Roms Kaiserin.
BASSIANUS:
Was höhnst du eine Römerin, du Windei
Von einem Kaiser, das zum Himmel stinkt!
Bevor du dich zu deiner Gattin legst,
Bedenke, ob sie in der Hochzeitsnacht
Dich nicht erstickt, wenn du ermattet liegst.
Von einer Gotin kann nur Schlechtes kommen.

SATURNINUS:
Das büßt du mit dem Leben, Brüderlein!
BASSIANUS:
Ein Brudermord ist würdig deiner Herrschaft.
SATURNINUS:
Das Urteil ist gefällt.
Tribun, laßt ihn aufs Blutgerüste schleppen,
Mit ihm Lavinia und ihre Brüder.
MARCUS ANDRONICUS:
Ihr Kinder meines armen Bruders, schwer
Fällt mir mein Amt. Als Unmensch steh ich da.
Ich weiß, ich weiß. Hier ist der Staat.
Hier die Familie. Doch als
Tribun ist meine Pflicht die Strenge.
Rom ist halt Rom und Recht halt Recht, wie schon
Mein Bruder, euer Vater, stets betonte.
Soldaten!

Die Soldaten treten vor.

TAMORA:
Nicht also, Herr! Das wollen die Götter nicht.
Bedenke: Bassian ist außer sich.
Sein unverstellter Zorn zeigt seinen Schmerz.
Nicht bring ein Wahn dich um den tapfren Bruder,
Verzeihe ihm, verzeih Lavinia,
Verzeih auch ihren ungestümen Brüdern.
Und sehn sie mich als ihre Feindin noch,
Weil ich als Gotin ihre Feindin war,
So lernen sie mich nun als Freundin kennen.
SATURNINUS:
Befreit sie von den Netzen!
Nach so viel Unsinn, Morden, Todesopfern,
Hör endlich ich die Stimme eines Menschen,
Die Menschlichkeit verkündet. Wie das Licht
Nach grauser Nacht durch dunkle Wolken bricht,
Die Kaiserin besiegte mich. Laß frei,
Tribun, die ich dir übergeben. Was
Zum Tod bestimmt, sei jetzt bestimmt zum Leben.

Saturninus steigt vom Thron.

SATURNINUS:
Lang lebe Bassianus, mein geliebter Bruder!

BASSIANUS:
Lang lebe Saturninus, mein geliebter Bruder!

Umarmen sich.
Bassianus kniet vor Tamora nieder.

BASSIANUS:
Dir, Kaiserin, verdanke ich mein Leben,
Von nun an ist mein Leben dir geweiht.

Lavinia kniet vor Tamora nieder.

LAVINIA:
Von Herzen lieb ich Bassianus, Herrin,
Verzeiht, wenn ich euch Böses tat.

TAMORA:
Mein Kind,
Du tatest mir in frommer Unschuld Liebes,
Durch deine Liebe kam ich auf den Thron.

SATURNINUS:
Brecht auf. Zwei Bräute fasse mein Palast,
Heut sei ein Tag der Liebe, der Verzeihung,
Doch morgen geht es auf zur wilden Hetzjagd.

Saturninus gibt Tamora den Arm und geht an Titus Andronicus vorbei, der immer noch erstarrt an der Leiche seines Sohnes Mutius steht.

SATURNINUS:
Du, Alter, geh in Pension. Der Krieg
Ist überstanden, dich braucht keiner mehr.

Saturninus und Tamora ab.
Bassianus und Lavinia gehen an Titus Andronicus vorbei.

LAVINIA:
Er war mein liebster Bruder. Nur
Dein Leid läßt mich für dich noch Liebe fühlen.
BASSIANUS:
Ich bin dein Schwiegersohn, ich habe nicht
Die Tat zu tadeln, die mir Wahnsinn scheint.

Bassianus und Lavinia ab.
Chiron und Demetrius gehen an Titus Andronicus vorbei.

CHIRON:
Du hast den Bruder uns geschlachtet, nun
Den eignen Sohn. Mensch, bist du ein Charakter.
DEMETRIUS:
Wir sind zwar nur zwei Gotenlümmel,
Doch hast du uns als Held noch übertroffen.

Chiron und Demetrius ab.
Aaron geht an Titus Andronicus vorbei.

AARON:
Steig lieber in die Gruft zu deinen Söhnen,
Bedecke dich mit ihren bleichen Knochen.
Denn deine Feinde
Sind frei wie Wölfe, haben dich gerochen.

Aaron geht ab.
Marcus Andronicus geht an Titus Andronicus vorbei.

MARCUS ANDRONICUS:
Mein Bruder, Recht ist Recht, ich weiß, ich weiß.
Auf meinen Schultern liegt auch seine Last.
Als Richter bin ich tief verwirrt. Leb wohl.

Marcius, Quintus und Lucius treten zu ihrem Vater Titus Andronicus.

MARCIUS:
Wir wollen Mutius begraben
Und ihn zu seinen toten Brüdern legen.

TITUS ANDRONICUS:
Geht!
QUINTUS:
Vater, das ist gottvergeßner Sinn.
TITUS ANDRONICUS:
Geht!
LUCIUS:
Mein Bruder hat ein Recht bei seinen Brüdern.
TITUS ANDRONICUS:
Ich habe den getötet, der da liegt,
Die Tat ist mein und mein ist das Begräbnis.

Marcius, Quintus und Lucius ab.
Titus Andronicus allein.

TITUS ANDRONICUS:
Mein Fleisch von meinem Fleisch, mein armer Sohn.
Begriff ich bloß, was ich getan, begriff
Ich auch die Welt, der die Gerechtigkeit
Nur Morde bringt und keine Ordnung schafft.
Im Kriege wurde ich zum Tier, als Tier
Kehrt ich in diese Stadt zurück, verlangte
Gehorsam, wie ein Feldherr, ging mit Ränken
Und Listen vor, als wäre Rom ein Schlachtfeld.
Zu spät kam die Erkenntnis. Tot der Sohn.
Ich sinke tiefer in den bösen Sumpf,
Wo der Gerechten Blut zum Himmel dampft.
Und röter werden meine Hände Stund
Um Stund. So komm mein Sohn, ich schleife dich
In deine Gruft zu deinen Brüdern.

Er schleift seinen Sohn fort.

II. EINSAMER PLATZ MIT HÖHLE

Saturninus und Marcus Andronicus treten auf, zur Jagd gerüstet.

SATURNINUS:
Der Morgen steht im Licht, die Hügel blauen.
Die Jagd beginnt, die Hunde sind entkoppelt.
Die Hörner blasen, Pferde stampfen, wiehern.
Die Weiber schlafen noch, he he, wie sich's
Geziemt nach einer heißen Hochzeitsnacht.
Homerisch wird mein Geist, ich möchte dichten,
Denn wär ich nicht ein Kaiser, ich wär Sänger.

MARCUS ANDRONICUS:
Ihr seid ein Sänger, Majestät.

SATURNINUS:
Tatsächlich,
Ich bin's. Doch nun die Wildsau frisch erlegt!
Kommt, dringen wir in diesen Wald, Tribun.

Beide ab.

Aaron tritt auf.

AARON:
Aaron ist frei, ihr Römer. Weiß ist weiß
Und schwarz ist schwarz. Behandelt wie ein Schwarzer,
Will ich von nun an wie ein Schwarzer handeln.
Ein General der Byzantiner fing
Mich, als mein Stamm im oberen Ägypten
Die Dörfer plünderte. Das Schwein ließ mich
Am Leben, weil mein Hintern ihm gefiel.
Die Generalin drauf trieb es noch bunter,
Sie schleppte mich als Beute nach Byzanz,
Reicht mich von ihrem Schoß zu andern Schößen,
Bis ich die Kaiserin beschlafen mußte,
Ein Weib, wie eine dicke Bauerndirne,
Geschminkt, gepudert, schmuckbehangen, alt.
Dann galt's Byzanz zu retten vor den Goten,
Ich kam ins Bett der schönen Tamora.
Das nennt man Karriere, will ich meinen.

Doch immer weiter klettere ich nach oben.
Ersteigst du, Tamora, den Römerthron,
Ich steige nach, indem ich dich besteige.
Ein schwarzer Hengst, die weiße Stute reitend
Verspott ich Rom und hörne seinen Kaiser.

Chiron und Demetrius treten auf, einander drohend.

DEMETRIUS:
Dir fehlt's an Witz, Chiron, dem Witz an Salz.
CHIRON:
Wer mit Lavinia bald schläft, wie ich,
Der ist so witzig und geschickt, wie du.
DEMETRIUS:
Dein Säbel rostet dir noch in der Scheide,
Bevor du Schlingel ihn zu brauchen lernst.
CHIRON:
Nun, Kerl, dann soll mein bißchen Fechterkunst
Dich gleich belehren, was mein Schwert vermag.
DEMETRIUS:
Was, Knirpschen, schon so dreist.

Sie ziehn die Schwerter.

AARON:
Ihr Herrn, laßt ab.
CHIRON:
Ich nicht.
DEMETRIUS:
Ich auch nicht.
AARON:
Ei,
Ist denn Lavinia von so leichter Art
Und dünkt euch Bassian so unbeherzt,
Daß ohne Scheu vor Rache und Gesetz
Ihr, mir nichts dir nichts, sie verführen wollt?
DEMETRIUS:
Lavinia lieb ich mehr als alle Welt.
AARON:
Ihr Knaben, was euch droht, ist euer Tod.

CHIRON:
Es sei, ich wage tausend Leben dran
Die Liebste zu besitzen.
AARON:
Zu besitzen?
DEMETRIUS:
Sie ist ein Weib, drum darf man um sie werben,
Sie ist ein Weib, drum kann man sie gewinnen,
Ist Prinz Bassianus auch des Kaisers Bruder
Noch bessere wurden schon gehörnt.
AARON:
Ihr wollt sie nur besitzen?
DEMETRIUS:
Nur besitzen.
AARON:
Der eine wie der andre?
CHIRON:
Alle beide.
AARON:
Und auch zugleich?
DEMETRIUS:
Wenn wir sie kriegen, ja.
AARON:
Daß ihr sie kriegt, hops, das ist kein Problem,
Wenn ihr sie beid zugleich besitzen wollt:
Weit und entlegen dehnt der Wald sich aus
Und weist viel unerforschte Höhlen auf,
Wie diese hier, und die, ich weiß, ist tief.
Nie dräng ein Schrei nach außen. Hieher lockt
Das allzu scheue Reh, nach dem ihr jagt,
Stillt eure Lust an ihm, tut, was ihr wollt:
So könnt ihr Hoffnung hegen, anders nicht.
Verbirgt euch im Gebüsch des nahen Teichs
Ich hol euch, wird es Zeit.
DEMETRIUS:
Habt Dank, Aaron.

AARON:
Nun schleunigst fort, ihr Bengel!

Demetrius und Chiron ab.
Tamora tritt auf.

TAMORA:
O diese Nacht, der Kaiser, stinkbesoffen,
Vergeblich müht er sich, ließ Huren kommen.
Nichts half, der schlappe Kerl schlief ein und schnarchte
Und ich lag nackt, mein Neger fern von mir.
Komm her und küsse mich, Aaron, Geliebter!
Nenn Hure, Metze mich, greif meine Brüste
Und lieb mich stundenlang, und reiße mir
Das Kleid vom Leib und säh's der ganze Hof.

Sie liegen in der Höhle und lieben sich.
Bassianus und Lavinia kommen.

AARON:
Da kommt jemand.

TAMORA:
Na und?

AARON:
Ich hole Hilfe.

Ab.

BASSIANUS:
Wer liegt hier nackt?

TAMORA:
Was störst du mich in meiner Einsamkeit.

BASSIANUS:
In eurer Zweisamkeit.

LAVINIA:
Mit eurer Gunst, huldreiche Kaiserin,
Heut schütze Zeus vor Hunden euren Gatten,
Denn Unglück wär es, sähn sie ihn als Hirsch.

BASSIANUS:
Der Kerl, der euch beschlief,
Macht eure Ehre dunkel wie sein Fell.

LAVINIA:
Gehen wir.
BASSIANUS:
Was wir hier sahen, soll der Kaiser wissen.
Ihr seid sein Weib und damit Kaiserin.
Ihr brachtet euch zu Fall durch eure Sünden,
Rom kann darauf nur eine Antwort finden,
Sie fordert euren Kopf für eure Tat.

Chiron und Demetrius treten mit gezückten Schwertern auf.

DEMETRIUS:
Was wollen diese beiden?
CHIRON:
Aaron rief uns um Hilfe.
TAMORA:
Die Zwei verlockten mich in diese Höhle,
Dann nannten sie mich Ehebrecherin
Und rissen mir das Kleid vom Leibe.
Und hätt euch nicht ein Wunder hergeführt,
Sie hätten mich dem Kaiser ausgeliefert,
Mit falschen Eiden meinen Tod besiegelt.
LAVINIA:
Du lügst!
TAMORA:
Sie ist des wilden Titus geile Tochter.
BASSIANUS:
Du schliefst mit deinem Mohren.
TAMORA:
Ihr hört, wie beide mich verhöhnen.
Rächt eure Mutter, liebt ihr mich,
Wollt ihr noch weiter meine Söhne bleiben.
DEMETRIUS:
Ich stoße zu.

Ersticht Bassianus.

CHIRON:
Ich auch.

Stößt nach.
Bassianus stirbt.

TAMORA:
Dein Schwert, Chiron, laß in der Leiche stecken.

CHIRON:
Wozu? Es könnte mich verraten.

TAMORA:
Gehorch!

CHIRON:
Na schön.

TAMORA:
Nun zu Lavinia. Auch sie muß sterben.

DEMETRIUS:
Halt, liebe Mutter, hier ist mehr im Spiel.
Erst drescht das Korn und dann verbrennt das Stroh.

CHIRON:
Das Püppchen rühmte sich ob ihrer Tugend.
Mit ihrer Schändung zahl sie ihr Vergehen.

TAMORA:
Doch wird der Honig euer, den ihr wünscht,
Laßt nicht die Wespe leben, uns zu stechen.

CHIRON:
Ich schwör euch, Mutter, ihr könnt ruhig sein.
Komm, Dame!

LAVINIA:
Tamora!

TAMORA:
Ich will sie nicht mehr hören, führt sie weg.

LAVINIA:
Mein Vater schenkte euch das Leben.

TAMORA:
Und hättest du mich selber nie gekränkt
Um seinetwillen bin ich mitleidlos.
Gedenkt, ihr Knaben, wie ich weinte, schrie,
Vom Tode euren Bruder zu befreien,
Doch niemals gab der grimme Titus nach.
Drum schafft sie fort, verfahrt mit ihr nach Lust.

LAVINIA:
Nicht um mein Leben flehe ich zu dir,
Ich starb, als Bassianus starb,
Nein, Tamora, ich preise deine Gnade,
Wenn du mich töten läßt wie meinen Gatten,
Statt mich den beiden Knaben auszuliefern.

DEMETRIUS:
Fort, schon zu lange hältst du uns zurück.

LAVINIA:
Kein Mitleid? Keine Scham? du viehisch Weib.
Vernichtung fall –

CHIRON:
Hinein in dieses Loch.

DEMETRIUS:
Ich wett', es macht dir mehr Spaß als du glaubst.

Die beiden schleppen Lavinia in die Höhle.

TAMORA:
Zu dir nun, liebster Mohr, will ich mich wenden,
Indes die Knaben jene Dame schänden.

Tamora ab.
Quintus und Marcius treten auf.

QUINTUS:
Die Wildsau rannte ins Gehölz.

MARCIUS:
Ihr nach!

QUINTUS:
Ich höre stöhnen.

MARCIUS:
Wo?

QUINTUS:
In der Höhle.

Sie betreten die Höhle.

QUINTUS:
Ein Mann.

MARCIUS:
Ermordet.

QUINTUS:
Bassian.

Marcius zieht das Schwert aus Bassians Leib.

MARCIUS:
Das Schwert gehört doch Chiron.

QUINTUS:
Cäsar!

Saturninus und Marcus Andronicus treten auf.

SATURNINUS:
Was ist?

MARCIUS:
Mord.

SATURNINUS:
An wem?

QUINTUS:
An Bassian.

SATURNINUS:
Ein übler Scherz.
Er ruht mit seiner jungen Frau im Zelt.

QUINTUS:
Seht nach!

Saturninus nähert sich zögernd der Höhle, starrt auf die Leiche seines Bruders.

MARCIUS:
Chirons Schwert.

SATURNINUS:
Es ist's. Der goldverzierte Griff –

Tamora und Aaron treten auf.

TAMORA:
Was ist geschehen?

SATURNINUS:
Bassianus ist ermordet.

TAMORA:
Von wem?

SATURNINUS:
Von Chiron offenbar.

Reicht ihr das Schwert.

TAMORA:
Das ist sein Schwert, doch ist's nicht seine Tat.
Sprich, Aaron, melde seiner Majestät,
Wie's heute morgen zuging mit dem Schwert.

AARON:
Das Schwert, o Herr, lieh Quintus sich von Chiron.
Sein Schwert sei ihm zerbrochen, sagte Quintus,
Und Chiron lachte, gab ihm seins und sagte,
Er jage lieber mit dem Speer.

TAMORA:
Es stimmt,
Ich war dabei.

QUINTUS:
Sie lügt!

MARCIUS:
Sie lügen beide.

SATURNINUS:
Mörder!
Ihr wagt der Kaiserin zu widersprechen?

Wendet sich zu Marcus Andronicus.

SATURNINUS:
War Bassian auch ohne Römerzucht
Und ohne Sinn für Dichtung, hatte er
Bloß Weiber stets im Kopf, er war mein Bruder.
Zwei Würfe deines tückischen Geschlechts
Zerfleischten ihn. Tribun, tu deine Pflicht.

MARCUS ANDRONICUS:
Ihr wilden Knaben meines wilden Bruders,
Ich weiß, ich weiß, nun steh ich wieder da,
Als euer Onkel, schwer durch euch blamiert,
Durch euch wird unsere Familie vernichtet,
Denn ich bin Rom und seinem Recht verpflichtet.
Soldaten, nehmt sie fest!

Die zwei Soldaten treten vor und verhaften Quintus und Marcius.

TAMORA:
Tribun, ich will für sie um Gnade flehen.
Es muß sich um ein Mißverständnis handeln.
Nicht Chiron kann die Tat begangen haben,
Und deinem Neffen trau ich's auch nicht zu:
Sie sind doch fromm und standhaft, so wie du.

SATURNINUS:
Zurück nach Rom in stillem Trauerzug.
Wer's war, entscheide das Gericht, nicht ich,
Doch fällt der Urteilsspruch, entscheide ich.

Alle ab.
Demetrius und Chiron kommen aus der Höhle.
Die geschändete Lavinia kommt aus der Höhle.
Ihr sind die Hände und die Zunge abgeschnitten.

DEMETRIUS:
So melde nun, wenn's deine Zunge kann,
Wer dich geschändet, dir die Zunge ausschnitt.

CHIRON:
Schreib nieder, was du weißt,
Mit deinen Stümpfen.

DEMETRIUS:
Geh, fordere frisches Wasser, wasch die Hände.

CHIRON:
Noch bist du ziemlich schön, wenn auch gestutzt.

DEMETRIUS:
Wir waren gnädig, ließen dir die Nase.

CHIRON:
Dein volles Haar und deine beiden Ohren.

DEMETRIUS:
Sogar die Brüste ließen wir dir stehen.

CHIRON:
Und beide Füße. Dame, du kannst gehen.

Lavinia wankt davon.

DEMETRIUS:
Die da davonschleicht, kann ein Liedchen singen.

CHIRON:
Mein Brüderchen, gar trefflich ist gelungen,
Die zu bespringen, die zu hoch gesprungen.

III. VOR DEM KAPITOL

Vor den Eingangssäulen kauern Titus Andronicus und Lavinia, in Mäntel gehüllt.
Senatoren kommen.
Titus Andronicus wirft sich ihnen zu Füßen.

TITUS ANDRONICUS:
Senatoren!
Übt nicht Gerechtigkeit so stur wie ich,
Als ich Alarbus schlachtete, den Goten,
Seid meinen Söhnen gnädig.

Die Senatoren steigen über Titus Andronicus hinweg und gehen ins Kapitol.
Marcus Andronicus kommt.

TITUS ANDRONICUS:
Mein Bruder Marcus,
Du führst die Untersuchung gegen meine Söhne,
Du liebtest sie, wie ich sie liebe,
Zu deinen Füßen haben sie gespielt.

MARCUS ANDRONICUS:
Ich weiß, ich weiß, mein Bruder, dein Geschick
Ist zu bedauern, doch ich bin Tribun,
Und mein Beruf ist Objektivität.
Sind deine Söhne schuldig, sind sie schuldig.

Er steigt über Titus Andronicus und geht ins Kapitol.
Saturninus kommt.

TITUS ANDRONICUS:
Mein Kaiser, sei ein großer Kaiser, sei
Gerecht, viel Unzufriedene gibt's im Reich,
Soldaten ohne Sold, vertriebene Bauern,
Entlaufene Sklaven hausen in den Wäldern.
Sie können Bassian getötet haben.

SATURNINUS:
Du lenkst die Tat auf Unbekannte, Greis,
Um deine wilden Söhne zu entlasten.
Sie wurden Bestien im Krieg wie du.
Ob sie die Mörder meines Bruders waren,
Ob frei sie jeder Schuld, das wird sich zeigen.

Saturninus steigt über Titus Andronicus und geht ins Kapitol.
Aaron kommt.

TITUS ANDRONICUS:
Oh, Aaron, flehe du für mich! Du bist
Gefallen, wie ich fiel, ein Sklave bittet
Den Sklaven, sprich für meinen Sohn!

AARON:
Gern
Tu ich's, Titus Andronicus, bin ich
Gleich dir doch überzeugt von ihrer Unschuld.

TITUS ANDRONICUS:
Ich danke dir! Du bist der erste Mensch,
Der menschlich ist.

Aaron steigt über Titus Andronicus und geht ins Kapitol.
Quintus und Marcius werden von zwei Soldaten hereingetrieben.

TITUS ANDRONICUS:
Soldaten, ich war euer Feldherr.

ERSTER SOLDAT:
Im Frieden bist du es nicht mehr.

TITUS ANDRONICUS:
Ich teilte eure Not im Kriege.

ZWEITER SOLDAT:
Der Krieg war dein Geschäft, nicht unser.

TITUS ANDRONICUS:
Seid gnädig und laßt meine Söhne frei.

ERSTER SOLDAT:
Geht nicht, Feldherr.

ZWEITER SOLDAT:
Befehl ist halt Befehl.
ERSTER SOLDAT:
Du selbst hast uns Gehorsam eingedrillt.
QUINTUS:
Mein Vater, ob wir sterben oder leben,
Spielt keine Rolle mehr in dieser Stadt
Für die wir unser Leben hingegeben.
MARCIUS:
Vergiß uns, denk an die, die dir noch bleiben.

Quintus und Marcius werden von den zwei Soldaten über Titus Andronicus hinweg ins Kapitol getrieben.

TITUS ANDRONICUS:
Rom, dem ich diente, nimm dich meiner an!

Lucius kommt.

LUCIUS:
Die Säulen hier sind gnädiger als Rom!
Erhebe dich und schrei nicht mehr!

Lucius hilft Titus Andronicus auf, der sich wieder vor der Säule niederkauert. Lucius bemerkt Lavinia.

LUCIUS:
Wer ist das Wesen?
TITUS ANDRONICUS:
Lavinia.
LUCIUS:
Ihr Anblick tötet mich!
TITUS ANDRONICUS:
Ihr Anblick tröstet mich. Die Welt voll Aussatz
Fraß auf des Kindes Hände, nur natürlich.
Werd steinern, Sohn, wie ich zu Stein geworden,
Betrachte fühllos Schändung, Raub und Mord,
Bausteine dieses Weltgefüges.

LUCIUS:
Wer tat's?
TITUS ANDRONICUS:
Man schnitt ihr auch die Zunge aus.
Ich fand sie irrend durch den Wald,
Sie wollte sich verbergen. Blicke kalt
Auf diesen schönen Torso, mißgestaltet
Als wär's ein Kunstwerk längst vergangner Zeit,
Dem Hände fehlen, Tränen abzutrocknen
Und eine Zunge, zu erzählen, wer's
In Stücke schlug, zersägt, mit Blut verschmierte.
Tot ist ihr Gatte und für seinen Tod
Die Brüder bald enthauptet.
LUCIUS:
Diese Tat ist ein Beweis der Unschuld meiner Brüder,
Ich trete vors Gericht, sie zu befreien.

Lucius geht ins Kapitol.

Publius, ein einbeiniger Soldat, tritt auf.

PUBLIUS:
He, Feldherr!
TITUS ANDRONICUS:
Wer bist denn du?
PUBLIUS:
Teufel, kennt ihr mich nicht mehr? Ich bin der Publius und habe mit euch gegen die verlausten Goten gekämpft. Das waren noch Zeiten. Ihr waret in Form, ich war in Form, die römische Armee war in Form.
TITUS ANDRONICUS:
Entlassen?
PUBLIUS:
Weggejagt und ohne Pension. Wer sitzt denn dort?
TITUS ANDRONICUS:
Meine Tochter.

PUBLIUS:

Mit der ist man auch schön umgegangen, Feldherr! Mit uns allen ist man schön umgegangen. Ihr seid bei unserem famosen Kaiser in Ungnade gefallen, und ich habe mein famoses Bein verloren. Wir sind einander ebenbürtig.

TITUS ANDRONICUS:

Publius, setz dich zu mir nieder.

PUBLIUS:

Gern, Feldherr. Wenn's auch etwas umständlich geht mit meinem Holzbein, und wenn euch mein Knoblauchgeruch nicht stört.

Setzt sich neben Titus Andronicus nieder.

PUBLIUS:

Ihr wartet wohl hier vor dem Kapitol auf den Urteilsspruch über eure Söhne?

TITUS ANDRONICUS:

Ich warte.

PUBLIUS:

Offen herausgesagt, ich sehe da schwarz. Saturnin ist ein Schwein, sein Weib eine Schlange und deren Söhne geile Hunde.

Aus dem Kapitol kommt ein Henker mit einem Korb.

DER HENKER:

Ich bin der Henker des Kaisers, ein vielbeschäftigter Mann, kann ich nur sagen. Henken, köpfen, rädern, kreuzigen, vierteilen, und foltert mal bei dieser Mordshitze. Du siehst, ich bin ganz verschwitzt.

TITUS ANDRONICUS:

Was willst du?

DER HENKER:

Ich habe dir eine Meldung zu überbringen. Deine Söhne sind schuld am Tode Bassians, doch wenn dir deine Söhne lieb seien, sagt der Kaiser, sollst du dir die linke Hand abhauen, sagt der Kaiser, und er will dir deine Söhne zurückschicken, sagt der Kaiser.

PUBLIUS:
Feldherr, ich würde diesem Kerl nicht trauen.
DER HENKER:
Der Henker ist ein ehrlicher Mann, und der Kaiser ist ein ehrlicher Mann.
TITUS ANDRONICUS:
Dein Beil her.
DER HENKER:
Courage!

Titus Andronicus stellt sich mit dem Rücken gegen das Publikum vor einen Marmorblock. Der Henker hält ihm den Korb hin. Titus Andronicus schlägt sich die Hand ab.

TITUS ANDRONICUS:
Da!
DER HENKER:
Gute Arbeit, Alter! Respekt! Ich nehme deine Hand mit und gebe sie dem Kaiser. Er wird dir die Söhne zurückschicken, mein Wort ist sein Wort.

Der Henker geht ins Kapitol zurück.

PUBLIUS:
Kauert zu mir nieder, Feldherr, sonst verblutet ihr.

Titus Andronicus kauert, mit dem Rücken gegen das Publikum, vor Publius nieder.
Publius reißt sich einen Fetzen vom Kleide.

PUBLIUS:
Ich binde euch den Arm ab, so ist es am besten. Das Blut hört auf zu fließen, und die Wunde verkrustet. Ich verstehe es, Stümpfe zu verbinden, ich tat es manchem meiner Kameraden und mir selber auch, aber glaubt mir, es war falsch von euch, die Hand abzuhacken. Einem Henker ist nicht zu trauen und einem Kaiser auch nicht.

Aus dem Kapitol kommt der Henker. Titus Andronicus wirft sich ihm zu Füßen.

TITUS ANDRONICUS:
Mein Henker, habe Dank, daß du nicht zuschlugst.

Der Henker steigt über ihn hinweg und geht ab.
Aus dem Kapitol kommt Aaron.

TITUS ANDRONICUS:
Aaron, hab Dank für deinen Beistand!

Aaron steigt über ihn hinweg und geht ab.
Aus dem Kapitol kommt Saturninus.

TITUS ANDRONICUS:
Cäsar, hab Dank für deine Gnade!

Saturninus steigt über ihn hinweg und geht ab.
Aus dem Kapitol kommt Marcus Andronicus.

TITUS ANDRONICUS:
Marcus, du warst ein treuer Bruder.

Marcus Andronicus steigt über ihn hinweg und geht ab.
Aus dem Kapitol kommen die Senatoren.

TITUS ANDRONICUS:
Senatoren, seid gesegnet!

Die Senatoren steigen über ihn hinweg und gehen ab.
Aus dem Kapitol kommen die zwei Soldaten mit einem Korb.

ERSTER SOLDAT:
Titus Andronicus, schlimm zahlt man dir
Die Hand zurück, die du dem Kaiser gabst.

ZWEITER SOLDAT:
Sieh hier die Köpfe deiner Söhne,
Hier deine Hand zum Hohn zurückgeschickt.

Die Soldaten stellen den Korb vor Titus Andronicus, steigen über ihn und gehen ab.
Titus Andronicus erhebt sich.

TITUS ANDRONICUS:
Hier heb' ich auf die letzte Hand zum Himmel
Und reiße ihn herab auf diese Erde.
In Trümmer sinke Rom. Nur Huren noch,
Blutschänder, Mörder haus' in den Ruinen,
Die einst Paläste waren, stolze Tempel.

Titus Andronicus stößt den Korb mit dem Fuß von sich weg.

TITUS ANDRONICUS:
Fort mit der kaiserlichen Freundesgabe.
Fort mit dem Plunder ins Familiengrab
Ins stille Narrenhaus der größten Torheit,
Denn Torheit ist, sein Vaterland zu lieben,
Die Söhne diesem Raubtier hinzuschmeißen.
Unsinn regiert die Welt, genährt durch Dummheit.
Fort mit den Köpfen, fort mit meiner Hand.

Aus dem Kapitol kommt Lucius mit gezücktem Schwert.

LUCIUS:
Ich gehe, Vater.
TITUS ANDRONICUS:
Wohin?
LUCIUS:
Aus Rom, aus dieser Beule voller Pest.
Ich wollte meiner Brüder Leben retten;
Zum Kerker wurde ich für alle Zeiten
Durch das Gericht verurteilt. Ich entkam.
TITUS ANDRONICUS:
Du Glücklicher! Begünstigt wurdest Du!
Dies Rom ist eine Wüstenei von Wölfen,

Von blutverschmierten Tigern, von Hyänen,
Von Geiern überwacht, ein Nest von Vipern.
Du kämest um, verlaß mich, flieh!

LUCIUS:
Komm mit!

TITUS ANDRONICUS:
Ein Toter bleib ich bei den Toten.

LUCIUS:
Lebt wohl, mein Vater und Lavinia.
Ich ziehe zu den Goten, werb ein Heer
Und räche mich an Rom und Saturnin.

Ab.

PUBLIUS:
He, Feldherr, deine Tochter gibt dir Zeichen.

TITUS ANDRONICUS:
Sie kann nicht reden.

PUBLIUS:
Aber schreiben.

Publius geht zu Lavinia hinüber.

PUBLIUS:
Schau her, was ich jetzt mache. Wie ich ohne Hände meinen Namen schreibe.

Publius setzt sich neben Lavinia nieder, umklammert seine Krücke mit den Armen und schreibt mit der Krücke mit Hilfe seines einen Fußes in den Sand.

PUBLIUS:
Das mach mir nach. Schreib mir schön die Namen der Kerle in den Sand, die dich so zugerichtet haben. Laß dir Zeit, du brauchst dich nicht zu beeilen.

Publius gibt Lavinia die Krücke. Sie macht es ihm nach und beginnt zu schreiben.

TITUS ANDRONICUS:
Was schreibt sie?

PUBLIUS:
Schändung.
TITUS ANDRONICUS:
Was weiter?
PUBLIUS:
Chiron.
TITUS ANDRONICUS:
Und noch?
PUBLIUS:
Demetrius.
TITUS ANDRONICUS:
Die Schrift lösch aus im Sande. Niemand soll
Es wissen, wer die Tat begangen
Als wir allein.
PUBLIUS:
Jawohl, Feldherr.

Er nimmt die Krücke, erhebt sich und löscht mit seinem Bein die Schrift aus.

TITUS ANDRONICUS:
Die Hand ist fort
Das Herz verdorrt
Es stinkt die Welt wie ein Abort.

Die Händlein weg
Das Zünglein weg
Die Welt ist voller Mäusedreck.

Das Schößchen auf
Zwei Kerle drauf
Die Welt nimmt einen schlimmen Lauf.
PUBLIUS:
Ist euch nicht wohl, Feldherr?
TITUS ANDRONICUS:
Ich bin fröhlich, Soldat. Die Stadt muß voller Invaliden sein, wie du einer bist.

PUBLIUS:
Die hinken und karren sich in den Straßen herum, daß es kein Ende nimmt. Nicht nur *wir* waren mit den Goten grausam, auch sie mit uns.

TITUS ANDRONICUS:
Versammle alle Invaliden
In meinem Hofe, Publius.
Ich will als meine Freunde sie bewirten.

PUBLIUS:
Gewiß, sehr schön, sehr vornehm, sehr human,
Doch was führt ihr im Schilde, Herr?

TITUS ANDRONICUS:
Den Unsinn
Der Welt kann nur der Wahnsinn noch bezwingen.

IV. BARBARISCHES ZELT

Der Gotenfürst Alarich auf einem barbarischen Thron.
Ein Gote bringt Lucius herein.

GOTE:
Alarich:
Der Römer Lucius.

ALARICH:
Zerstückelt ihn.

LUCIUS:
Ein Wort bloß.

ALARICH:
Dein Vater Titus tötete mir zehn
Von meinen Brüdern, und du acht, das macht

Rechnet mit den Fingern

Achtzehn. In achtzehn Teile sei zerschnitten!

GOTE:
Jawohl.

Packt Lucius.

LUCIUS:
Was nützt dir mein Tod?

ALARICH:
Ein Römer weniger!

LUCIUS:
Ich biete dir einen römischen Kaiser an.

ALARICH:
Laß los.

Der Gote läßt von Lucius ab.

ALARICH:
Saus ab!

GOTE:
Jawohl.

Geht ab.

LUCIUS:
Habt Dank.

ALARICH:
Die Weltherrschaft ist unser großes Ziel.
LUCIUS:
Unmöglich zu erreichen.
ALARICH:
Wollen sehen.
LUCIUS:
Es fehlt die Strategie.
ALARICH:
Die Strategie?
LUCIUS:
Die Kriegskunst.
ALARICH:
Wir sind tapfer.
LUCIUS:
Nur allzu tapfer und nur allzu kühn,
Ihr rennt und schlagt drauf los, wie's euch grad einfällt.
Von Schlachtordnung? Nicht die geringste Spur.
ALARICH:
Wir brauchen keine Schlachtordnung.
LUCIUS:
Dafür
Seid ihr auch immer geschlagen worden.

Der Gote kommt.

GOTE:
Ein Hunne ist gefangen.
ALARICH:
Hängt ihn auf!
GOTE:
Jawohl.

Ab.

ALARICH:
Was willst du?
LUCIUS:
Ein Bündnis.
ALARICH:
Gegen?

LUCIUS:
Gegen Rom.
ALARICH:
Ich liebe
Verräter nicht.
LUCIUS:
Verrat ist meine Pflicht,
Denn Rom verriet Titus Andronicus.
Ich sammelte zehntausend Mann, mein Fürst.
ALARICH:
Mein Heer zählt hunderttausend.

Der Gote kommt.

GOTE:
Ein Slawe ist gefangen.
ALARICH:
Rädert ihn.
GOTE:
Jawohl.

Ab.

ALARICH:
Was schlägst du vor?
LUCIUS:
Ich schaffe
Aus deinen Truppen ein modernes Heer.
Fünf Keile in der Mitte, beide Flanken
Geschützt durch Reiterei; so rücken wir
Gegen Rom.
ALARICH:
Und dann?
LUCIUS:
Dann nehmen wir Rom ein.
ALARICH:
Und dann?
LUCIUS:
Dann werde ich Roms Kaiser sein,
Statt Saturnin.

ALARICH:
Und dann?
LUCIUS:
Dann schließen Goten und die Römer Frieden.
Der Gote kommt.
GOTE:
Ein Türke fiel vom Pferd.
ALARICH:
Enthauptet ihn!
GOTE:
Jawohl.
Ab.
ALARICH:
Mein Volk gehorcht mir.
LUCIUS:
Wie am Schnürchen, Fürst.
ALARICH:
Die Schlacht, die mögen wir
Gewinnen, doch die Mauern Roms sind nie
Bezwungen worden.
LUCIUS:
Weil euch die Maschinen
Zu diesem Unternehmen fehlen,
Ich werde sie euch bauen.
ALARICH:
Was du mir sagst, hat Sinn.
Nur eines scheint mir nicht zu stimmen: Wenn
Wir so ein Römerstädtlein überrannten,
Wir konnten nie Einwohner finden, leer
Die Straßen, Plätze, Häuser und Paläste.
Es war, als gäb' es keine Römer mehr.
Es war, als hätten sie die Kraft des Bösen,
Einfach ins Nichts sich aufzulösen.
LUCIUS:
Ihr wagtet euch nicht in die oberen Stockwerke.
ALARICH:
Ein Gote steigt nicht Treppen hoch.

LUCIUS:
Ich baue euch ein Haus, ihr übt es täglich.
ALARICH:
Mein Römer, deine Güte ist unsäglich.
Nimm als mein ehrlich Pfand, o Lucius,
Des Goten ewig treuen Bruderkuß.
Du wirst der Kaiser, ich werd dein Vasall,
So trotzen wir dem ganzen Weltenall.

Beide ab.

V. EIN ZIMMER IM KAISERLICHEN PALAST

Chiron, Demetrius und Aaron sitzen an einem Tisch beim Würfelspiel.

CHIRON:
Der Kerl spinnt.
AARON:
Ich weiß nicht.
DEMETRIUS:
Seit neun Monden schon.
CHIRON:
Spinnt komplett. Er zieht
Mit allen Invaliden durch die Gassen.
Auf Karren Rümpfe, solche ohne Beine.
Auf Krücken stelzen die mit einem Bein,
Dazu viel Blinde, Arm- und Nasenlose.
Sie krähen Lieder von der Größe Roms
Und auf die weise Herrschaft Saturnins.
Die Polizei ist machtlos, denn kein Recht
Verbietet solchen Lobgesang auf Staat
Und Vaterland, obgleich, kaum zu ertragen,
Die hölzern' Beine auf dem Pflaster klappern.
Auch führen sie Theaterstücke auf,
Daß sich das Publikum vor Lachen krümmt,
Wenn zwei Beinlose einen Zweikampf führen.
Doch niemand kann das Possenspiel verbieten,
Denn allzu patriotisch sind die Stücke.
DEMETRIUS:
Verrückt.
AARON:
Ich weiß nicht.

Man hört einen furchtbaren Schrei.

DEMETRIUS:
Die Mutter!

DEMETRIUS:
Endlich.
Der Sohn des Kaisers ist geboren.
CHIRON:
Ein Sohn. Es kann auch eine Tochter sein.
DEMETRIUS:
Noch besser. Dann würd' *ich* einst Kaiser.
CHIRON:
Wer weiß. Vielleicht werd's ich.
AARON:
Wir würfeln weiter.
DEMETRIUS:
Drei.
CHIRON:
Fünfzehn.
AARON:
Achtzehn.
DEMETRIUS:
Verdammt, dir fällt das Geld schon wieder zu.
CHIRON:
Du plünderst uns wie immer aus.

Die Hebamme kommt mit einem von einem Tuch verhüllten Säugling.

HEBAMME:
Aaron!
AARON:
Was ist?
HEBAMME:
Alles ist vorbei.
AARON:
Im Tuch?
HEBAMME:
Die Schmach der Kaiserin.
AARON:
Na, na.

HEBAMME:
Sie ist entbunden, Herr, sie ist entbunden!
AARON:
Schön.
CHIRON:
Von einem zarten Mädchen.
DEMETRIUS:
Von einem strammen Jungen?
HEBAMME:
Von einem strammen Teufel! Seht den Sproß:
Verwünschter, schnöder, schwarzer, wüster Balg!
Hier ist das Kind, so widrig wie ein Molch
Bei weißen Kreaturen dieses Lands.
DEMETRIUS:
Du Schurke, was hast du gemacht?
AARON:
Ein Kind.
CHIRON:
Der Kaiserin.
AARON:
Na und?
CHIRON:
Du Höllenhund!
DEMETRIUS:
Die Mutter ist vernichtet.
AARON:
Nein, verpflichtet.
Und wem? Dem Nigger, dem, den ihr verachtet,
Weil Weiß ihr schätzt, doch schwarze Farbe nicht.
Ich bin so glatt wie Ebenholz, doch eure
Visagen sind wie Ärsche voller Pickel;
Und ist Gott schön, ist er wie ich ein Neger,
Der Teufel sicher weiß mit blonden Haaren.

Demetrius und Chiron ziehen die Schwerter.

DEMETRIUS:
An meinen Degen spieß ich gleich den Molch.
Gib mir ihn her, so ist er abgetan.
CHIRON:
Auch meine Mutter kann den Mord nur wünschen.

Nimmt der Hebamme das Kind fort und zieht das Schwert.

AARON:
Hinweg! Beim Sternenglanz des Firmaments,
Der lustig schien, als ich den Schelm gezeugt:
Ihr Läuse, geile Schwänze schalen Geistes,
Weißkalkige Wände, bunte Bierhauszeichen,
Ihr sterbt durch meines Säbels scharfen Stahl,
Wollt ihr euch meinem Sohn und Erben nahn.
HEBAMME:
Aaron, was meld' ich nun der Kaiserin?
DEMETRIUS:
Bedenke, Aaron, wie zu retten sei:
Des Kaisers Wut wird die zum Tod verdammen,
Die Mutter uns, Geliebte dir und ihm
Die Gattin ist: Roms große Kaiserin.
AARON:
Setzen wir uns und überlegt mit mir.

Sie setzen sich auf den Boden nieder und denken lange nach.

AARON:
Wer sah das Kind?
HEBAMME:
Nur ich. Die Kaiserin ist noch ohnmächtig.
AARON:
Nur du? Vortrefflich.

Er ersticht die Hebamme.

AARON:
Der Königin ist geholfen.

Wischt sich sein Schwert ab.

AARON:
Holt euch im Armenviertel

Ein frisch gebornes Kind von irgendeiner,
Erwürgt es, legt's der Kaiserin zur Seite
Und meldet Saturnin die Totgeburt.

DEMETRIUS:
Daß du so unsre Mutter schonst, muß sie
Wie wir dir herzlich danken, edler Mohr.

Chiron und Demetrius ab.
Aaron spricht mit seinem Kinde.

AARON:
Dicklippiger Schelm, mein süßer Teufelsbraten,
Durch dich bin ich in arge Not geraten.
Nicht nur die Kaiserin würd' aufgeknüpft, auch ich,
Kämst du vor aller Welt ans Tageslicht.
Ich wurde mächtiger von Tag zu Tag,
Weil ich mit Huren stets im Bette lag.
Dem Beischlaf, nicht dem Geist, verdanke ich mein Glück,
Drum, Söhnchen, kehren wir nach Afrika zurück,
Durchqueren Meere, Wüsten, Steppen, Dschungel,
Und wenn wir einmal unter Kokospalmen mahlen
Mit weißen Zähnen blutige Römerknochen,
Die Bäuche voll von Ziegenmilch und Fleisch
Von Heiden, Christen, Juden und Chinesen,
So sind wir wieder, was wir einst gewesen,
Nicht Sklaven Roms, doch freie Kannibalen.

Aaron geht mit seinem Kinde ab.

VI. VOR DER MAUER DES KAISERLICHEN PALASTES

Titus Andronicus, der einbeinige Publius, der einäugige Sempronius, Caius und Sextus, zwei Beinlose, die sich auf kleinen, niedrigen, primitiven Wagen mit ihren Händen, vermittels Krücken, fortbewegen, erscheinen. Publius hat eine Tasche mit Briefen. Jeder hat einen Bogen, Titus Andronicus außerdem einen Köcher mit vielen Pfeilen.

TITUS ANDRONICUS:
Genug der Possenspiele, jetzt wird's ernst.
Vergeblich suchten wir das Volk von Rom
Zu überzeugen, daß sein Vaterland
Das beste aller Vaterländer, daß
Sein Kaiser aller Kaiser bester sei.
Die Leute lachten bloß und hielten sich
Vor Lachen ihre Bäuche. Dieser Beifall
Erschüttert mich als Patriot aufs tiefste,
Beleidigt mich als Künstler, bringen wir
Doch wohlgeformte, positive Stücke.

PUBLIUS:
Feldherr, das liegt vielleicht weder an unseren wohlgeformten Stücken, noch an unserer wohlgeformten Schauspielkunst, auch nicht an unserem wohlgeformten Publikum, sondern am Staat. Der ist vielleicht nicht wohlgeformt.

SEMPRONIUS:
Feldherr, dem Staat ist möglicherweise etwas abhanden gekommen, wie uns allen etwas abhanden gekommen ist: euch, Feldherr, eine Hand, dem Publius an der Donau ein Bein, mir in Dalmatien ein Auge und den beiden Centurionen Caius und Sextus bei Ravenna beide Beine.

CAIUS:
Dem Staate könnte die Gerechtigkeit abhanden gekommen sein.

SEXTUS:
Dann nützt ihm seine Größe einen Mist.

TITUS ANDRONICUS:
Großartig, das ist ein Trauerspiel, worüber das Volk weinen und quietschen wird vor Vergnügen. Wir spielen die Tragödie von der abhanden gekommenen Gerechtigkeit.

Verneigt sich.

TITUS ANDRONICUS:
Ich beginne zu rezitieren.

Stellt sich in Pose.

TITUS ANDRONICUS:
Gerechtigkeit, ich selbst hab' dich vertrieben,
Als ich zum Kaiserthrone dem verhalf,
Der uns jetzt als Tyrann heimsucht.
Gerechtigkeit, vergib mir, zeig dich wieder.

SEMPRONIUS:
Geht, geht, forscht, forscht, sucht die Gerechtigkeit,
Denn gibt es sie; muß sie vorhanden sein.

TITUS ANDRONICUS:
Gut rezitiert, Sempronius, vortrefflich.

Caius rollt sich mit seinen Krük ken auf seinem Wägelchen herum.

CAIUS:
Gerechtigkeit, Gerechtigkeit,
Ich suche dich im Meer, werf' Netze aus,
Doch haust du hier so wenig wie am Land.

Sextus rollt sich mit seinen Krük- ken auf seinem Wägelchen herum.

SEXTUS:
Gerechtigkeit, Gerechtigkeit,
Ich dringe bis zur tiefsten Erde Kern
Und schrei in dunkle, unerforschte Gänge.

TITUS ANDRONICUS:
Keine Antwort.

SEMPRONIUS:
Sie schweigt.
CAIUS:
Kein Piepschen.
SEXTUS:
Niemand.
PUBLIUS:
Scheiße.
TITUS ANDRONICUS:
Such weiter Publius, such Hades auf,
Den Herrn der Unterwelt und melde ihm,
Gerechtigkeit und Hilfe fehlen Titus.
PUBLIUS:
Für euch, Feldherr, stelze ich auch in die Hölle.

Er hinkt mit seiner Krücke herum.

SEMPRONIUS:
Vielleicht versteckt sich die Gerechtigkeit
In einem Puff.
CAIUS:
Vielleicht wälzt sie sich jetzt
Mit der Gewalt in einem Lotterbett.
SEXTUS:
Vielleicht hat die Bestechung sie umgarnt.

Sempronius, Caius und Sextus singen und krähen und klappern mit ihren Krücken.

SEMPRONIUS, CAIUS, SEXTUS:
Gerechtigkeit, Gerechtigkeit,
Wer hält dich aus, Gerechtigkeit?
Wer schmierte dich, Gerechtigkeit?
Mit wem hurst du, Gerechtigkeit?
Mit wem schläfst du, Gerechtigkeit?
Gerechtigkeit, Gerechtigkeit,
Wer zahlte dich, Gerechtigkeit?
TITUS ANDRONICUS:
Nun, Publius, trafst du sie in der Hölle?

PUBLIUS:
Nein, teurer Herr. Doch Hades läßt erwidern,
Wollt ihr von ihm die Rache, schick er sie,
Gerechtigkeit sei in Geschäften oben,
Er meint, bei Zeus, vielleicht woanders.

TITUS ANDRONICUS:
Im Himmel? Dort sei sie? Weshalb?
Ermorden sich die Sterne wie die Menschen?
Gerechtigkeit, dort hast du nichts zu suchen.
Kommt, Publius, Sempronius, kommt, Caius,
Kommt, Sextus, kommt, wir holen sie herunter.
Zeigt mir die Kunst des Bogenschießens.

PUBLIUS:
Vortrefflich. Die Bittschriften für die Götter, uns die Gerechtigkeit zurückzusenden, sind schon geschrieben.

TITUS ANDRONICUS:
Höfliche Bittschriften?

SEXTUS:
Äußerst höfliche und lamentable Bittschriften.

Sie befestigen die Briefe, die ihnen Publius aus seiner Tasche reicht, an den Spitzen der Pfeile.

TITUS ANDRONICUS:
Nun zieht die Sehnen.

Sie schießen die Pfeile die Mauer des Palastes hoch.

CAIUS:
Ich traf den Perseus.

TITUS ANDRONICUS:
Gut, Perseus ist ein Held, und ein Held weiß zu köpfen, also ist Perseus ein Henker.

SEXTUS:
Ich traf den Pegasus.

TITUS ANDRONICUS:
Schlecht. Den Dichtergäulen fehlt meistens der Sinn für die Gerechtigkeit.

SEMPRONIUS:
Bums, Castor und Pollux traf ich mit *einem* Pfeil.
TITUS ANDRONICUS:
Macht sie munter.
SEMPRONIUS:
In beide Hintern.
TITUS ANDRONICUS:
Macht ihnen Beine.
PUBLIUS:
Ich ziele auf den Mars.
TITUS ANDRONICUS:
Ins linke Auge.
SEXTUS:
Ich auf Saturn.
TITUS ANDRONICUS:
Ins rechte Auge.
CAIUS:
O Herr, weit über den Mond schoß ich hinaus,
Der Brief fiel in den Schoß des großen Zeus.
TITUS ANDRONICUS:
He, Publius, was hast du denn vollbracht?
Der Stier! Du hast ein Horn ihm abgeschossen.
PUBLIUS:
Feldherr, es war ein Irrtum. Als ich schoß,
Wurd' wild der Stier und stieß den Widder an,
Daß sein Gehörn herab zur Erde fiel.
TITUS ANDRONICUS:
Dank, Freund. Die Götter werden interessiert,
Was hier auf dieser Erde wohl passiert.

Ein Bauer tritt auf, mit einem Korb mit einer Taube darin.

TITUS ANDRONICUS:
Nachrichten von den Göttern. Seht den Boten.
Was bringst du, Freund? Sind Briefe für uns da?
Erscheint Gerechtigkeit?

BAUER:
Ich habe zwar einen Vogel, aber ihr scheint auch einen zu haben.

TITUS ANDRONICUS:
Du bist nicht der Götter Bote?

BAUER:
Ich glaube nicht an die Götter. Ich bin ein christlicher Bauer und glaube an den heiligen Sebastian.

TITUS ANDRONICUS:
Du kommst nicht vom Himmel?

BAUER:
Ich komme nicht vom und auch nicht in den Himmel. Der Himmel ist nur für die Reichen da, und ich bin ein armer Bauer. Ich will bloß in den Kaiserpalast, das ist mein einziger Wunsch, den ich noch auf Erden habe.

Schreit.

BAUER:
He, die Tore sind verrammelt. Laßt einen Käfig herunter und holt mich hinauf. Ich habe Audienz beim Saturnus, oder wie er heißt.

TITUS ANDRONICUS:
Der Herr der Welt ist nicht mehr Saturn.

BAUER:
Dieser ewige Regierungswechsel.

TITUS ANDRONICUS:
Saturn fraß seine Kinder auf.

BAUER:
In der Politik geht es schlimm zu.

TITUS ANDRONICUS:
Der neue Herrscher der Welt heißt Zeus.

BAUER:
Auch ein schöner Name.

TITUS ANDRONICUS:
Was willst du bei Zeus?

BAUER:
Ich habe sechzehn Kinder gezeugt. Acht Buben und acht Mädchen.

TITUS ANDRONICUS:
Das ist doch kein Grund, Zeus aufzusuchen.

BAUER:
Und ob das ein Grund ist. Die Dienstboten von Saturn und Zeus, oder wie die Herren heißen, haben meine Kinder gemacht.

TITUS ANDRONICUS:
Es ist eine Ehre für eine Frau, von Saturn und Zeus Kinder bekommen zu haben.

BAUER:
Ich pfeif' auf diese Ehre, und meine Frau pfeift noch mehr auf sie. Seht, Herr, das ist nämlich so: Ich plage mich den ganzen Tag, dann falle ich ins Bett und von Sinnlichkeit keine Spur. Doch des nachts kommen die Kaiserlichen und plündern mir den Taubenschlag aus, weil die Herren Saturn und Zeus Taubeneier lieben, ich erwache, und wenn ich erwache, packt mich die Wut, und wenn mich die Wut packt, kann ich nicht mehr schlafen, und wenn ich nicht mehr schlafen kann, packt mich die Sinnlichkeit, und dann passiert es eben. Aber jetzt habe ich genug von diesen Anfechtungen. Meine Frau hungert, meine Kinder hungern, fünf sind schon gestorben, und mich hungert's, und der heilige Sebastian kann auch nicht mehr helfen. Ich gehe darum zum Herrn Zeus, oder wie er heißt, und fordere für die durch seine Taubeneierfresserei an mir verschuldete Sinnlichkeit Gerechtigkeit.

Von der Mauer des Kaiserpalastes wird ein Käfig heruntergelassen.

TITUS ANDRONICUS:
Du bist ein kluger Mann, Bauer.

BAUER:
Grips.

Tippt sich an die Stirne.

TITUS ANDRONICUS:
Du hast recht, Zeus aufzusuchen.

BAUER:
Zivilcourage.

TITUS ANDRONICUS:
Wirst du dem Zeus auch eine Bittschrift von mir überreichen?
BAUER:
Kein Problem.
TITUS ANDRONICUS:
Was zu schreiben, Publius.

Publius hält ihm ein Pergament hin. Titus Andronicus schreibt. Sempronius, Caius und Sextus singen und krähen und klappern mit ihren Krücken.

SEMPRONIUS, CAIUS, SEXTUS:
Gerechtigkeit, Gerechtigkeit,
Zeus hält dich aus, Gerechtigkeit,
Zeus schmierte dich, Gerechtigkeit,
Zeus hurt mit dir, Gerechtigkeit,
Zeus schläft mit dir, Gerechtigkeit,
Gerechtigkeit, Gerechtigkeit,
Zeus zahlte dich, Gerechtigkeit.

Der Bauer ist in den Käfig gestiegen.
Titus Andronicus gibt ihm die Bittschrift.

TITUS ANDRONICUS:
Verwahr sie gut.

Der Bauer wird im Käfig nach oben gezogen.

BAUER:
Ihr werdet euer Recht bekommen, verlaßt euch drauf. Ich bin ein ehrlicher Mann, der Herr Zeus ist ein ehrlicher Mann und die Frau Zeus soll eine ehrliche Frau sein, auch wenn beider Dienstboten Schurken sind.
TITUS ANDRONICUS:
Schickt weiter Pfeile zu den Göttern, Freunde,
Orion zu und nach dem Fuhrmann hin,
Trefft auch den großen und den kleinen Bären,
Schießt, Freunde, schießt die ganze Nacht hindurch.

VII. IM HOFE DES KAISERLICHEN PALASTES

Im Hintergrund eine große Wand. Vor der Wand der Kaiserthron. Auf dem Thron Saturninus. Er ist schwer gepanzert. In die Wand schießen die Pfeile mit den Bittschriften des Titus Andronicus. Rechts im Vordergrund Tamora mit ihren Söhnen Chiron und Demetrius.

TAMORA:
Mein Kaiser, komm in Sicherheit! Die Pfeile
Des alten Narren könnten dich verwunden.

SATURNINUS:
Sie könnten mich auch töten. Doch es sei!
Sie löschten nur den größten Dichter aus,
Den Rom auf seinem Throne sah.

Ein Pfeil saust neben ihm in die Wand.

SATURNINUS:
Beim Zeus!

TAMORA:
Mein Gatte, du bist leichenblaß.

SATURNINUS:
Aus Kränkung nur und nicht aus Furcht. Ich trotze
Dem Schicksal, zuck' mit keiner Wimper.

Ein weiterer Pfeil saust neben ihm in die Wand.

SATURNINUS:
Himmeldonner!

TAMORA:
Mein Gatte, sei vernünftig, steig vom Thron.

SATURNINUS:
Ich steige nicht vom Thron, ich bleibe sitzen.
Ich weiche nicht von hinnen. Bot man je
Roms Kaiser solche Kränkung, solchen Trotz,

Weil er das Recht erfüllt', den Spruch vollzog?
An Bassianus' feigem Mörderpaar.

Ein neuer Pfeil saust in die Wand.

SATURNINUS:
Der ging nur knapp daneben. Ob nun auch
Titus Andronicus von Sinnen kam,
Darf seines Wahnsinns Rasen uns bedrohen?
Da schreit er zu den Göttern um sein Recht,
Läßt Pfeile sausen.

Ein neuer Pfeil saust in die Wand.

SATURNINUS:
Hier kam wieder einer.

Beginnt, Pfeile aus der Wand zu reißen.

SATURNINUS:
Seht, hier an Zeus, an Venus, dies dem Merkur,
Das an Apollo, das dem Gott des Krieges,
Recht saubere Zettel für den römischen Markt.
Heißt das nicht Lästerung wider den Senat?
Heißt das nicht in des Wahnsinns Sprache: Recht
Sei nicht in Rom zu finden, sondern Willkür.

Der Bauer kommt mit seiner Taube.
Ein neuer Pfeil saust in die Wand.

SATURNINUS:
Da! Wieder so ein Pfeil!

BAUER:
Verflixt, Herr Zeus!
Das ging haarscharf an eurem Kopf daneben, aber zum Glück seid ihr gepanzert, wie ein Streitroß.

SATURNINUS:
Wer bist du?

BAUER:
Ich bin der Bauer Gnäus und man nennt mich den Kindlibauer.

SATURNINUS:
Was willst du?

BAUER:
Ich habe Gerechtigkeit zu fordern und eine Bittschrift zu überbringen, Herr Zeus.
SATURNINUS:
Ich bin nicht Zeus, ich bin Saturnin.
BAUER:
Saturn? Dann habt ihr eure Kinder nicht aufgefressen?
SATURNINUS:
Ist denn jedermann in meinem Reiche wahnsinnig geworden?
BAUER:
Da sieht man wieder, wie man politisch falsch informiert wird.
SATURNINUS:
Her mit der Bittschrift!
BAUER:
Bitte, Herr Saturn.

Gibt ihm die Bittschrift.
Saturninus liest die Bittschrift.

SATURNINUS:
Titus Andronicus an Saturnin:
Gib mir Gerechtigkeit, sonst aus der Hölle
Schickt Hades mir die finstre Rache zu.

Faltet die Bittschrift zusammen.

SATURNINUS:
Führt den Bauer hinweg und hängt ihn!
BAUER:
Ich soll gehängt werden?

Chiron und Demetrius treten vor und nehmen den Bauer in ihre Mitte.

CHIRON:
Und wie, mein Freund.
DEMETRIUS:
Auf der Stelle.
BAUER:
Gehängt? Und ich dachte, ich finde hier Gerechtigkeit. Da muß es doch wahr sein, daß ihr, Herr Saturn, eure Söhne aufgefressen habt.

CHIRON:
Unsinn. Wir sind seine Söhne.

BAUER:
Ich merke den Schwindel. Ich bin *doch* an den Zeus geraten. Meiner Seel, hängt mich, meine Frau und meine Kinder dürfen anständig verhungern, mein Hals nimmt ein sauberes Ende und der heilige Sebastian wird für uns alle beten.

Chiron und Demetrius führen ihn ab.

SATURNINUS:
Die Bittschrift sei des Titus Todesurteil.
Verstellter, falscher Hund. Du kröntest mich
Bloß in der Hoffnung, über Rom zu herrschen.

Zerreißt die Bittschrift.

SATURNINUS:
Wenn nur mein Heer anwesend wäre. Fern
Von Rom kämpft es in Irland mit den Schotten,
Wie man mir sagt, doch kann's auch sein, daß es
In Schottland mit den Iren kämpft, wer weiß schon.

Ein neuer Pfeil saust in die Wand.

SATURNINUS:
Jetzt ist's genug! Mein Leben sei nicht länger
Dem Wüten dieses Greises ausgesetzt.

Stürzt nach vorne zu Tamora.
Von links kommt Marcus Andronicus.

MARCUS ANDRONICUS:
Cäsar!

SATURNINUS:
Was gibt's?

MARCUS ANDRONICUS:
Das Schicksal rollt wie's will,
Bald ist es jenem günstig und bald diesem.

SATURNINUS:
An diesem Hofe dichte ich.

MARCUS ANDRONICUS:
Verzeiht,

Ich weiß, ich weiß. Die Goten kommen, Herr,
Von Osten her, in immer neuen Horden
Ziehn sie heran, wohl hunderttausend Mann,
Geführt von meinem Neffen Lucius,
Der seinen Vater rächen will.

SATURNINUS:
Verflucht!
Verdammte Nachricht! Söhne!

Chiron und Demetrius kommen zurück.

CHIRON:
Vater?

SATURNINUS:
Habt ihr
Den Bauern aufgehängt?

DEMETRIUS:
Er baumelt.

SATURNINUS:
Hängt
Auch den!

Er zeigt auf Marcus Andronicus.

MARCUS ANDRONICUS:
Mein Kaiser!

SATURNINUS:
Deine Sippe bringt
Mir Unglück bloß und Untergang. Hinweg!

Marcus Andronicus wird hinweggeführt.

SATURNINUS:
Die Sorge naht sich mir als ein Gespenst.
Ich werde mutlos, meine Hände zittern,
Die Wache wagt sich nicht mehr aus der Burg,
Die Tore sind verriegelt. Ängstlich späht
Ein jeder in die Stadt, und wer sich rauswagt,
Verläßt den Dienst, verläuft sich in der Menge.
Der Aufruhr herrscht, gefangen sind wir längst,
Und nun kommt Lucius mit seinen Goten!

Der rohe Pöbel liebt den Sohn des Titus,
Er wünscht sich ihn, nicht mich zu seinem Kaiser.
Verspielt hat Saturnin, zählt zu den Toten.

TAMORA:

Sei wie dein Name kaiserlich gesinnt!
Verfinstert denn ein Mückenschwarm die Sonne?
Der Adler duldet kleiner Vögel Übermut.
Er weiß, wie mit dem Schatten seiner Flügel
Er nach Gefallen sie zum Schweigen bringt.
Drum fasse Mut. Der Gote, welcher sich
Mit Lucius verband, ist Alarich,
Mein Neffe, reichlich blöde und bekehrbar.
Ich will Andronicus bewegen, ihn
Und Lucius in seinem Hause zu empfangen
Und uns mit ihnen einzuladen. Du
Verhandelst dann zum Schein mit Lucius
Und schließest mit ihm Frieden, während ich
Als Gotin Alarich als Goten heimlich
Mit klugen Worten überrede, Titus
Und Lucius uns auszuliefern, daß
Ich endlich meine Rache an dem Alten,
Der mir den Sohn geschlachtet hat, vollende
Und ihn mit seinem Sohn zur Hölle schicke.

SATURNINUS:

Wie willst du das erreichen? Titus ladet
Uns niemals ein.

TAMORA:

Wenn ich ihn bitte schon.
Im Wahnsinn wird er mich nicht kennen. Komm.
Verlassen wir zusammen diesen Hof.
Die Pfeile machen ihn uns zu gefährlich.

Beide ab.

VIII. VOR DEM HAUSE DES TITUS ANDRONICUS

Tamora, Demetrius und Chiron treten verkleidet auf.

TAMORA:
So nun, in dieser fremden, düstern Tracht
Will ich Titus Andronicus begegnen.
Die Rache nenn ich mich, der Höll entsandt,
Und wenn er gläubig solchem Traumbild folgt,
Wird er den Sohn und Alarich einladen,
In seinem Hause sich mit Saturnin
Zu treffen.

Sie klopft unten an die Haustüre. Titus Andronicus öffnet oben an der Hauswand ein Fenster.

TAMORA:
Seht, er späht aus seinem Zimmer.

Titus Andronicus spricht von oben.

TITUS ANDRONICUS:
Wer stört mich hier in meinem ernsten Werk?
Ausführlich schreib ich einen Brief an Zeus
Und lege ihm den Fall ausführlich dar,
Durch den ich fiel ins bodenlose Nichts.

Titus Andronicus schließt das Fenster wieder.
Tamora klopft wieder an die Haustüre.
Titus Andronicus öffnet oben zum zweiten Male das Fenster.

TITUS ANDRONICUS:
Wer stört mich hier zum zweiten Mal? Damit
Ich von den Plänen meiner Rache lasse,
Und all mein Sinnen ohne Wirkung sei?
Ihr irrt euch, denn was ich zu tun beschloß,
In blutverschmierten Zeilen schrieb ich's hin,
Und was ich aufgezeichnet, soll geschehen.

TAMORA:
Titus, ich kam hieher, mit dir zu reden.
TITUS ANDRONICUS:
Nein, nicht ein Wort. Kann ich mit Anmut reden,
Wenn eine Hand mir zur Gebärde fehlt?
Du bist zu sehr im Vorteil, darum schweig.
TAMORA:
Du kennst mich nicht. Drum willst du, daß ich schweige.
TITUS ANDRONICUS:
Ich bin nicht toll, ich kenne dich genau.
Der Stumpf bezeugt es und die Purpurschrift.
Du bist die Gotenfürstin Tamora.
Nicht wahr, du kommst um meine zweite Hand?
TAMORA:
Unseliger, ich bin nicht Tamora,
Sie haßt dich, doch ich bin dir gut gesinnt.
Ich bin die *Rache* aus dem Höllenreich,
Gesandt von Hades selbst, dem Höllenfürst.
Komm, und begrüß mich auf der Oberwelt,
Zieh mich zu Rate über Tod und Mord,
Denn keine Höhle gibt es, kein Versteck,
Wo Raub und Schandtat und verruchter Mord
Sich scheu verbergen, ohne daß ich sie
Entdecke, wie die Tigerin die Beute.
TITUS ANDRONICUS:
Du bist die *Rache?* Wirklich? Mir gesandt,
Um allen meinen Feinden Qual zu sein?
TAMORA:
Ich bin's. Drum komm herab. Begrüße mich.
TITUS ANDRONICUS:
Tu einen Dienst mir, eh ich dir vertraue,
Gib den Beweis, daß du die *Rache* bist.
Wer sind die beiden, die du mit dir führst?
TAMORA:
Sie sind mir *Diener* und begleiten mich.
TITUS ANDRONICUS:
Die beiden dienen dir? Wie nennst du sie?

TAMORA:
Sie heißen *Raub* und *Mord*.
TITUS ANDRONICUS:
Großer Zeus, wie gleichen sie den Söhnen Tamoras
Und du der Kaiserin. Wir Menschen jedoch,
Wir sehen nur mit falschen, blöden Augen.
O süße *Rache*, nun komm ich zu dir.
Er schließt das Fenster wieder.
CHIRON:
Der Greis ist zu verrückt.
DEMETRIUS:
Den brachten *wir* um den Verstand.
CHIRON:
Und wie.
DEMETRIUS:
Total.
TAMORA:
Still.
Titus Andronicus erscheint in der Türe.
TITUS ANDRONICUS:
O süße *Rache*, komm an meine Brust,
Lang warst du fern von mir, nun bist du da.
Verehrte, liebe Furie, ich dachte,
Du hättest mich und meinen Gram vergessen.
Ihr, *Raub* und *Mord*, seid gleichfalls mir will kommen.
Wie gleicht ihr Tamora und ihren Söhnen.
TAMORA:
Was sollen wir für dich tun, Andronicus?
CHIRON:
Zeig mir 'nen Mörder und ich greif ihn an.
DEMETRIUS:
Zeig mir 'nen Buben, der ein Weib entehrt,
Ich bin gesandt, um Rach an ihm zu üben.
TITUS ANDRONICUS:
Durchsuch die frevelhaften Straßen Roms,
Und findest du einen Menschen, der dir gleicht,

Den töte, guter *Mord*, er ist ein Mörder.
Geh du mit ihm, und wenn's auch dir gelingt,
'Nen andern aufzufinden, der dir gleicht,
Den töte, *Raub*, er ist ein Weiberschänder.
Und gehst du, *Rache*, zu der Kaiserin,
Die dir in allen ihren Zügen gleicht,
Gib ihr den Tod so grausam als du kannst,
Sie war so grausam wie ein grausam Tier.

Von rechts kommen unmerklich Publius und Caius und von links Sempronius und Sextus herein.

TAMORA:
Du hast uns wohl belehrt, wir wollen's tun.
Doch nun ersuch ich dich, Andronicus,
Sende zu Lucius, deinem letzten Sohn,
Der jetzt auf Rom mit vielen Goten zieht,
Und lade ihn mit Alarich ins Haus,
Bereit für sie ein festlich Essen vor.
Und wenn sie hier sind, wie zu deinem Fest,
Bring ich die Kaiserin und ihre Söhne,
Den Kaiser selbst und alle, die dich hassen,
Damit sie deiner Wut zum Opfer fallen.

Publius und Caius befinden sich nun hinter Chiron, Sempronius und Sextus hinter Demetrius, unbemerkt von Tamora und ihren Söhnen.

TITUS ANDRONICUS:
Das tu ich gleich.
TAMORA:
Ich geh an mein Geschäft
Und nehme meine Diener mit hinweg.
TITUS ANDRONICUS:
Nein, nein, laß *Raub* und *Mord* bei mir,
Die brauch ich, meine Rache zu vollbringen.
TAMORA:
Was sagt ihr, Diener?

DEMETRIUS:
Rache, laß uns hier.

TAMORA:
Titus, leb wohl; die *Rache* geht zu Taten,
Dir alle deine Feinde zu verraten.

TITUS ANDRONICUS:
Das hoff ich, teure *Rache;* leb denn wohl.

Tamora ab.

CHIRON:
Nun, Alter, sprich, was gibst du uns zu tun?

TITUS ANDRONICUS:
Caius und Sextus, faßt sie bei den Beinen.

Caius umklammert Chirons, Sextus Demetrius' Beine.

TITUS ANDRONICUS:
Sempronius und Publius, umklammert
Die Leiber beider Mordgesellen!

CHIRON:
Bist du verrückt?

DEMETRIUS:
Bist du von Sinnen?

TITUS ANDRONICUS:
Da habt ihr recht, ihr Buben. Freunde, kennt
Ihr sie?

PUBLIUS:
Jawohl, Feldherr, es sind die Söhne
Der Kaiserin, Demetrius und Chiron.

TITUS ANDRONICUS:
Pfui, Publius, wie gröblich irrst du dich.
Der ein' ist *Mord*, der andere ist *Raub*,
Drum bindet sie mit Stricken fest, damit
Die Hölle sie nicht wiederum befreie,
Oft hab ich diese Stunde mir gewünscht,
Nun fand ich sie, nun heißt es sie auch nutzen.
Und stopft das Maul den beiden, falls sie schreien.

Titus Andronicus ab.

CHIRON:
Laßt los, ihr Schurken!
DEMETRIUS:
Gebt uns wieder frei!
CHIRON:
Vier Barren pures Gold für unsere Freiheit!
DEMETRIUS:
Acht Barren!
PUBLIUS:
Bindet sie!
DEMETRIUS:
Dann sechzehn Barren!
SEMPRONIUS:
Das Gold ist euer, ihr seid unser,
Drum keine Worte mehr! Die Mäuler stopft!

Den beiden wird der Mund zugebunden.
Titus Andronicus kommt zurück mit einem Messer und Lavinia mit einem Becken.

TITUS ANDRONICUS:
Lavinia, komm, die Feinde sind im Netz,
Nun laßt sie hören meinen Urteilsspruch:
O Schurken, Chiron und Demetrius,
Hier ist der Quell, den ihr mit Schlamm verdreckt,
Und hier bin ich, den ihr mit Hohn besudelt.
Durch euch verlor sie den Gemahl, die Brüder.
In einer Höhle habt ihr sie geschändet,
Ihr Hände und die Zunge abgeschnitten,
Mir ward die Hand geraubt aus Übermut.
Hört, Bübchen, welchen Qualen ihr bestimmt:
Mir blieb noch eine Hand, um eure Gurgeln,
Als wärt ihr wilde Tiere, durchzuschneiden,
Indes Lavinia das Becken hält
Mit ihren Stümpfen, euer Blut zu sammeln.
Das Blut vermeng ich mit dem Fleisch, die Knochen
Reib ich zu Mehl und knete einen Teig,

Und aus dem Teige bild ich eine Rinde,
Drin einzubacken eure Schurkenhäupter.
Kommt dann die Kaiserin, die teure Mutter,
Setz ich als delikates Fleischgericht
In goldner Schüssel euch der Hündin vor.
Der Erde gleich soll sie die Brut verschlingen,
Die sie geworfen. Reicht das Messer her!
Lavinia fang auf den Strahl. Das Blut
Ist warm und dampft noch in den finstren Himmel.

Titus Andronicus hat die Kehlen Chirons und Demetrius' durchschnitten.
Lavinia geht mit dem Becken voll Blut ins Haus.

TITUS ANDRONICUS:
Nun bringt die Leichen, ich mach selbst den Koch,
Sie anzurichten, bis die Mutter kommt.

Alle ab.

IX. SAAL IM HAUSE DES TITUS ANDRONICUS

An einem langen, gedeckten Tisch Saturninus und Tamora. Sie haben ihre Mahlzeit beendet. Titus Andronicus, im Kostüm eines Kochs, serviert.

SATURNINUS:
Es wundert mich, daß du dich als ein Koch
Verkleidet hast, Titus Andronicus.

TITUS ANDRONICUS:
Um euer Gnaden aufzuwarten. Noch
Ein Nierchen, Leber, Hirn, ein Rippenstück?

SATURNINUS:
Nein, danke, ich bin satt.

TITUS ANDRONICUS:
Ihr, Kaiserin?

TAMORA:
Ich auch. Doch besser hab ich nie gegessen.

SATURNINUS:
Die Fleischpastete war vortrefflich.

TAMORA:
Die Soße unbeschreiblich.

SATURNINUS:
Hoffe nur,
Daß Alarich und Lucius nicht zürnen,
Wenn sie hier nichts als kalte Reste finden.

TAMORA:
Sie haben sich verspätet. Ihre Schuld.

Trompeten.

TITUS ANDRONICUS:
Trompeten melden, daß die Fürsten nahn.

Lucius und Alarich treten auf.

SATURNINUS:
In kaiserlicher Rüstung, Lucius?
Hat denn der Himmel mehr als eine Sonne?

LUCIUS:
Was kümmert's mich, daß du dich Sonne nennst?

SATURNINUS:
Das Reich, das ich regiere, ist zu groß
Für eine Sonne, vielleicht braucht es zwei.

Titus Andronicus verschwindet.

TAMORA:
Du, Lucius, und du, mein Saturnin,
Kein Streit um Kleinigkeiten, gilt es doch,
Die Zukunft Roms vernünftig zu gestalten.
Indes die beiden gute Freundschaft schließen
Komm Alarich, wir lassen sie allein
Und führen ein Gespräch als nah Verwandte.

Titus bringt die verschleierte Lavinia herein und stellt sich mit ihr zwischen Saturnin und Tamora auf.

TITUS ANDRONICUS:
Willkommen, Lucius und Alarich,
Treu meinem Sohn, verdienst du meine Treue.
Bevor ich dir jedoch die Ehr erweise,
Ein Wort an Saturnin, den Kaiser Roms.
Ich weiß, ihr liebt die Poesie, ja schmiedet
Gar selber Verse. Löst mir drum die Frage,
Die mich seit langem quält die Nächte durch.
Wars' recht getan vom heftigen Virginius,
Sein Kind zu töten mit der eignen Hand,
Weil sie befleckt, entehrt, geschändet ward?

SATURNINUS:
Das war's, Andronicus.

TITUS ANDRONICUS:
Der Grund, erhabner Kaiser?

SATURNINUS:
Weil das Mädchen
Nicht überleben durfte solche Schmach,
Die seinen Gram nur stets erneuert hätte.

TITUS ANDRONICUS:
Ein Grund, nachdrücklich, streng und voll Gehalt,
Ein Vorgang, Mahnung, und ein Musterfall
Für mich, im Unglück, gleiche Tat zu tun:
Drum stirb, mein Kind, und deine Schmach mit dir,
Und mit der Schmach auch deines Vaters Leid.

Er ersticht Lavinia.

SATURNINUS:
Was tust du, unnatürlicher Barbar?

TITUS ANDRONICUS:
Ich traf, um die mein Aug erblindet war.
Ich bin so leidvoll als Virginius einst
Und habe tausendmal mehr Grund als er
Zu solchem Mord; – und jetzt ist er vollbracht.

SATURNINUS:
Sie ist entehrt? – Wer hat die Tat verübt?

TITUS ANDRONICUS:
Demetrius und Chiron schändeten
Das Mädchen, schnitten ihr die Hände ab
Und ihre Zunge, ungenannt zu bleiben.
Mit ihren Stümpfen, führend eine Krücke,
Schrieb sie der beiden Namen in den Sand.

SATURNINUS:
Die zwei, die will ich sofort vor mir sehen!

TITUS ANDRONICUS:
Hier waren sie! In dieser Fleischpastete.
Die Nieren, Leber, Hirn und Rippenstücke,
Die ihr genossen, stammen von den beiden.
Die Mutter schlang, was ihrem Bauch entsprossen,
Wie eine Wölfin gierig auf. Daß ich
Die Wahrheit spreche, Kaiser, zeugt mein Dolch.

Er ersticht Tamora.

SATURNINUS:
Stirb, toller Hund!

Er ersticht Titus Andronicus.

LUCIUS:
Tyrann, dann sterbe auch!

Er ersticht Saturninus.

ALARICH:
Du lerntest Gotenehre kennen, Römer,
Nun kenne auch des Goten treues Schwert.

Er ersticht Lucius.

ALARICH:
Macht alle Römer nieder, Goten! Laßt
Niemand am Leben, keiner komm davon.

Er springt auf den Tisch.

ALARICH:
Vom Himmel stieg Gerechtigkeit und ward
Zur Rache, die Gerechtigkeit verlangte,
Die wieder nach der Rache schrie; und so,
Die eine stets die andere gebärend,
Geht's weiter im stupiden Lauf der Zeit.
Bringt um, was lebt, häuft Leichen auf zu Bergen,
Verwüstet, plündert Rom, verbrennt's zu Asche,
Einst war es groß, nun ist es Schutt;
Einst herrschte es, nun herrschen wir, nach uns
Sind andere an der Reihe, uns drohn Hunnen,
Den Hunnen Türken, diesen die Mongolen;
Sie alle gierig nach der Weltherrschaft,
Die eine kurze Weltsekunde unser.
Was soll Gerechtigkeit, was soll da Rache?
Nur Namen sind's für eine üble Mache.
Der Weltenball, er rollt dahin im Leeren
Und stirbt so sinnlos, wie wir alle sterben:
Was war, was ist, was sein wird, muß verderben.

FRIEDRICH DÜRRENMATT

Romane	Das Versprechen Grieche sucht Griechin
Erzählungen	Die Stadt. Frühe Prosa Die Panne Der Sturz
Dramen	Ein Engel kommt nach Babylon Der Besuch der alten Dame Romulus der Große Es steht geschrieben Der Blinde Frank V. Die Physiker Herkules und der Stall des Augias Der Meteor Die Wiedertäufer König Johann Play Strindberg Titus Andronicus Die Ehe des Herrn Mississippi, Bühnenfassung und Drehbuch Komödien I. Sammelband Komödien II und frühe Stücke. Sammelband Komödien III
Hörspiele	Nächtliches Gespräch Das Unternehmen der Wega Der Prozeß um des Esels Schatten Abendstunde im Spätherbst Stranitzky und der Nationalheld Herkules und der Stall des Augias Der Doppelgänger Die Panne Gesammelte Hörspiele
	Theater-Schriften und Reden I und II Theaterprobleme. Essay Friedrich Schiller. Rede Monstervortrag über Gerechtigkeit und Recht Sätze aus Amerika Friedrich Dürrenmatt, Stationen seines Werkes. Monographie [Herausgegeben von E. Brock-Sulzer]

VERLAG DER ARCHE

WERNER BERGENGRUEN

Romane	Herzog Karl der Kühne Der Großtyrann und das Gericht Der Starost Am Himmel wie auf Erden Pelageja Das Feuerzeichen Der letzte Rittmeister Die Rittmeisterin Der dritte Kranz Der goldene Griffel
Novellensammlungen	Das Buch Rodenstein Der Tod von Reval Sternenstand Die Flamme im Säulenholz Badekur des Herzens Zorn, Zeit und Ewigkeit
Einzelne Novellen	Die drei Falken Jungfräulichkeit Die Hände am Mast Der Teufel im Winterpalais Das Tempelchen Erlebnis auf einer Insel Die Sterntaler Der Pfauenstrauch Das Netz Die Kunst, sich zu vereinigen Die Heiraten von Parma Bärengeschichten
Lyrik	Die Rose von Jericho Die verborgene Frucht Dies irae Lombardische Elegie Zauber- und Segenssprüche Mit tausend Ranken Glückwunschgabe Zur heiligen Nacht Die heile Welt Figur und Schatten

VERLAG DER ARCHE